Teil 1

DEUTSCH HEUTE

Duncan Sidwell and Penny Capoore

Nelson

Inhalt

1

Name? Alter? Wohnort?
Name, age and where you live.

ERSTER TEIL

Wie heißt du? Wie alt bist du?
What's your name? How old are you?

This section explains how to give your name and age in German and how to ask others for the same information.

Ihr Name und Alter, bitte.
Mein Vorname ist Frank und mein Familienname ist Bauer. Ich bin 19.

„Hallo! Ich heiße Claudia.“

„Tag! Ich heiße Andreas.“

2.

„Tag! Ich heiße Karl und ich bin vierzehn Jahre alt.“

3.

„Hallo! Ich heiße Petra und ich bin siebzehn.“

4.

„Hallo. Ich heiße Dieter. Und du?“

„Ich heiße Eva.“

5.

„Wie alt bist du, Erich?“

„Vierzehn. Und du?“

„Bin auch vierzehn.“

6.

Und du? Wie heißt du? Und wie alt bist du?

Die Zahlen bis 20

1.	eins	11.	elf
2.	zwei	12.	zwölf
3.	drei	13.	dreizehn
4.	vier	14.	vierzehn
5.	fünf	15.	fünfzehn
6.	sechs	16.	sechzehn
7.	sieben	17.	siebzehn
8.	acht	18.	achtzehn
9.	neun	19.	neunzehn
10.	zehn	20.	zwanzig

ZWEITER TEIL

Wo wohnst du?

Where do you live?

This section teaches you to say where you live, and to explain whereabouts in Great Britain or Ireland that is.

1\. „Ich heiße Sandra. Ich wohne in Leicester."

„Wo liegt das?"

„Es liegt in Mittelengland."

2\. „Hallo! Ich heiße Chris. Ich wohne in Bickleigh."

„Wo liegt das?"

„In Südwestengland in der Nähe von Plymouth."

3\. „Tag! Ich heiße Andrew und ich wohne in Aberdeen in Ostschottland."

England	Nordengland	Nordostschottland
Schottland	Südengland	Südwestirland
Wales	Ostengland	Mittelengland
Nordirland	Westengland	
Irland		

Jetzt seid ihr dran!

1. Mit einem Partner oder einer Partnerin
When you are abroad you are often asked where certain places are. Working with a partner, pick places on the map of Great Britain and Ireland on page 9 and describe where they are.

Zum Beispiel:
For example:
A: Wo liegt Penarth, bitte?
B: Es liegt in Südwales in der Nähe von Cardiff.

2. Nun erfindet Dialoge!
Now make up dialogues!

Zum Beispiel:
A: Wo wohnst du?
B: In Newcastle.
A: Wo liegt das, bitte?
B: In Nordostengland.

Landkarte von Großbritannien und Irland

Greenock liegt in Westschottland in der Nähe von Glasgow.
Und Penrith?

Describe the position of ten towns.

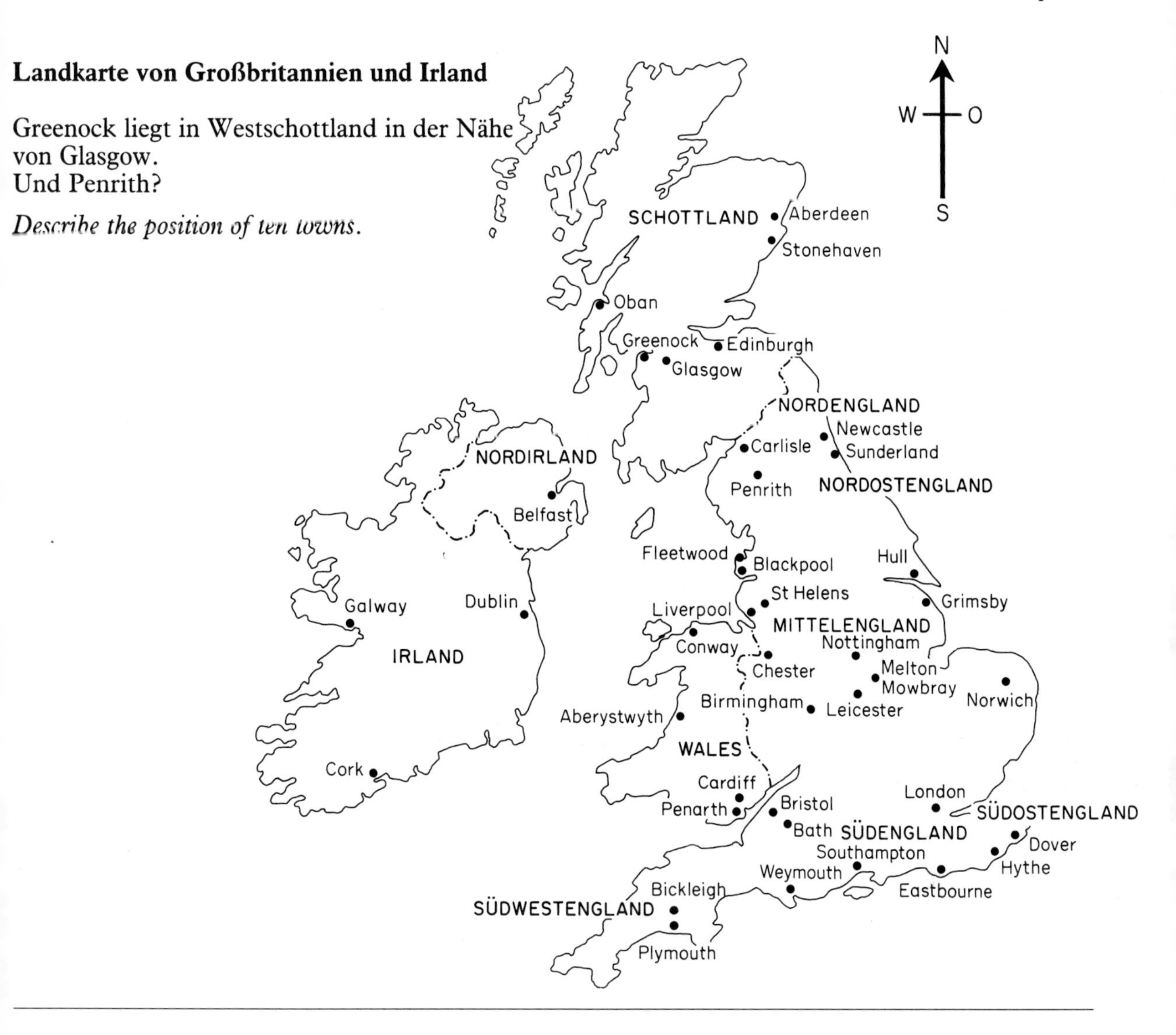

DRITTER TEIL

Du wohnst in Deutschland? Wo?

So you live in Germany? Where?

This section develops the theme of the previous section and shows how to ask an inhabitant of the Federal Republic of Germany where he/she lives, and whereabouts that is.

1. „Hallo! Ich wohne in Schwalbach. Es liegt in Südwestdeutschland in der Nähe von Saarlouis.“

2. „Tag! Ich wohne in Pinneberg in der Nähe von Hamburg. Pinneberg liegt in Norddeutschland.“

3. „Ich wohne in München in Süddeutschland.“

4. „Wo wohnst du, Ulrich?“

„Ich wohne im Südwesten. In der Nähe von Trier. Du kommst aus England, na?“

„Ja. Ich wohne in London.“

„Ich war einmal da. In Wandsworth.“

5. „Wo wohnst du, Hanna?“

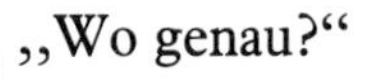

„In Norddeutschland.“

„Wo genau?“

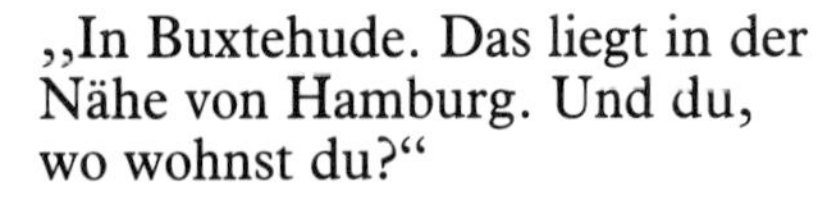

„In Buxtehude. Das liegt in der Nähe von Hamburg. Und du, wo wohnst du?“

„In Newcastle.“

„Im Nordosten also.“

Jetzt seid ihr dran!

1. Hör zu!

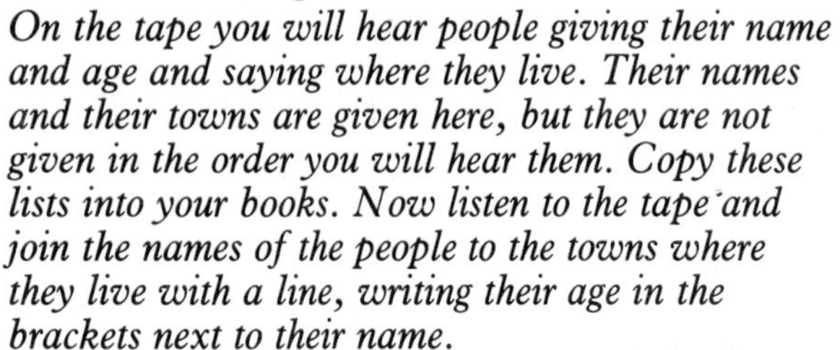

On the tape you will hear people giving their name and age and saying where they live. Their names and their towns are given here, but they are not given in the order you will hear them. Copy these lists into your books. Now listen to the tape and join the names of the people to the towns where they live with a line, writing their age in the brackets next to their name.

Name (Alter)	Wohnort
Jungen	
Rolf ( )	München
Stefan ( )	Saarbrücken
Georg ( )	Freiburg
Thomas ( )	Memmingen
Lutz ( )	Lübeck
Mädchen	
Birgit ( )	Hamburg
Heike ( )	Bremen
Inge ( )	Passau
Gabi ( )	Kiel
Barbara ( )	Stuttgart
Kirsten ( )	Flensburg
Heidi ( )	Trier

2. *These people are being asked the age of their children. How would they answer?*

Zum Beispiel:

A: Und wie alt ist Karl, bitte?
B: Er ist vier.
A: Und Gabi?
B: Sie ist drei.

„Wie alt ist Barbara, bitte?
Und Horst?“

1.

„Wie alt ist Manfred?
Und Rüdiger?
Und Birgit?“

2.

„Wie alt ist Claudia?
Und Wolfgang?"

3.

„Wie alt ist Florian?
Und Heike?
Und Jürgen?"

4.

VIERTER TEIL

Wo spricht man Deutsch?
Where is German spoken?

This section is an introduction to the four European countries where German is the main language and to some of the towns in these countries.

German is the main language of four European countries:

Die Bundesrepublik Deutschland
The Federal Republic of Germany

Die Deutsche Demokratische Republik
The German Democratic Republic

Österreich
Austria

Die Schweiz
Switzerland

Die Bundesrepublik Deutschland *is usually called* die Bundesrepublik.

Die Deutsche Demokratische Republik *is usually called* die DDR.

Jetzt seid ihr dran!

1. Sieh dir die Landkarte von Mitteleuropa am Anfang des Buches an!
Look at the map of Central Europe at the front of the book.

Wo liegen Bremen, Magdeburg, Luzern und Salzburg?

Bremen liegt in der Bundesrepublik.
Magdeburg liegt in der DDR.
Luzern liegt in der Schweiz.
Salzburg liegt in Österreich.

Wo liegen Linz, Karl-Marx-Stadt, Düsseldorf, Zürich, Nürnberg, Basel, Wien, Stuttgart?

2. Sieh dir die Landkarte von Mitteleuropa mit einem Partner oder einer Partnerin an! Stellt Fragen!
Look at the map of Central Europe with a partner and put questions to each other.

Zum Beispiel:
Wo liegt Hamburg?
Liegt Interlaken in der DDR?

Tell your partner if he/she gets it right or wrong:
Richtig! *Right!*
Falsch! Es liegt in . . . . *Wrong! It's in . . . .*

When you have asked each other where four towns are, write down another four for your partner to answer in writing.

FÜNFTER TEIL

Woher kommst du?
Where do you come from?

This section explains how to ask German-speaking people which country they come from and whereabouts in that country they live.

1. „Hallo! Ich komme aus der Schweiz."

2. „Grüß Gott! Ich komme aus Österreich. Ich wohne in Wien."

3. „Guten Tag. Ich heiße Bettina. Ich komme aus der Bundesrepublik und ich wohne in Köln."

4. „Tag! Mein Name ist Dieter. Ich komme aus der DDR. Ich wohne in Berlin."

„Ich heiße Manfred. Wie heißt du?"

„Inge."

„Woher kommst du, Inge?"

„Ich komme aus der Schweiz. Ich wohne in Egliswil."

„Egliswil?"

„Ja. Das liegt in der Nähe von Zürich."

Inge kommt aus ...? Sie wohnt in ...?

„Ich heiße Kirsten. Und du?"

„Sven. Woher kommst du?"

„Aus Österreich. Ich wohne in Graz."

„Ich kenne Graz! Ich war einmal da."

„Wann war das?"

„Vor drei Jahren."

Kirsten kommt aus . . .? Sie wohnt in . . .? Sven kennt . . .?

kennen (kennt) *to know, to be acquainted with*

Jetzt seid ihr dran!

1. Hör zu!
Copy these lists into your books. Listen to the tape and draw lines to join the names of the people to the towns and the countries where they live.

	Helga	Rostock
die Bundesrepublik	Hans-Peter	Saarbrücken
	Herr Franz	Salzburg
die DDR	Ulrike	Zürich
Österreich	Reinhardt	Regensburg
die Schweiz	Brigitte	Berlin
	Bärbel	Wien
	Frau Bauer	Luzern

Jetzt schreib einen Satz über jede Person!
Now write a sentence about each person.

Zum Beispiel:
Helga. Sie kommt aus der Bundesrepublik und sie wohnt in Regensburg.
Hans-Peter. Er kommt . . . .

2. Sieh dir die Landkarte von Mitteleuropa mit einem Partner oder einer Partnerin an! Erfindet fünf Dialoge!
Make up five dialogues.

Zum Beispiel:
A: Ich wohne in Zürich.

B: Du kommst also aus der Schweiz?

A: Ja, aus der Schweiz.

3. Nun macht es ohne Landkarte!
Now do it without the map. Who knows the map better? Look at the map and choose a town. You then say you come from there and the other person tries to remember in which country that town is.

Zum Beispiel:
A: Ich wohne in Wien. Woher komme ich?

B: Du kommst aus Österreich.

A: Richtig!

kommen	ich komme du kommst er kommt sie kommt	aus der Bundesrepublik aus der DDR aus der Schweiz aus Österreich
wohnen	ich wohne du wohnst er wohnt sie wohnt	in der Bundesrepublik in der DDR in der Schweiz in Österreich
liegen	es liegt	

sein	ich bin du bist er ist sie ist

heißen	ich heiße du heißt er heißt sie heißt

2

Die Familie

ERSTER TEIL

Hast du Geschwister?

Have you got any brothers and sisters?

This section teaches you how to talk about your brothers and sisters (if you have any) and how to ask others if they have brothers and sisters.

1.

„Ich heiße Claudia Simmer. Ich bin siebzehn Jahre alt und ich habe einen Bruder."

2.

„Ich heiße Andreas Simmer. Ich bin vierzehn Jahre alt und ich habe eine Schwester."

3.

„Hast du Geschwister?"

„Nein. Ich habe keine."

„Du bist Einzelkind? Das bin ich auch."

„Hast du einen Bruder?"

„Nein. Zwei Schwestern. Die sind vierzehn und achtzehn."

4.

„Hast du Geschwister?"

„Ja. Ich habe einen Bruder und eine Schwester. Mein Bruder heißt Karsten und meine Schwester heißt Ursula. Du, hast du Geschwister?"

„Ja. Einen Bruder. Er ist zehn. Der heißt Rüdiger."

5.

6.

What are the four questions you would ask this girl in order to receive these four answers?

1. Heidrun.
2. 15.
3. Aus Südwestdeutschland.
4. Ja. Einen Bruder.

Jetzt seid ihr dran!

1. Schreib die Antworte aus!
Write out the answers.

How would these people reply to this question:

Hast du Geschwister?

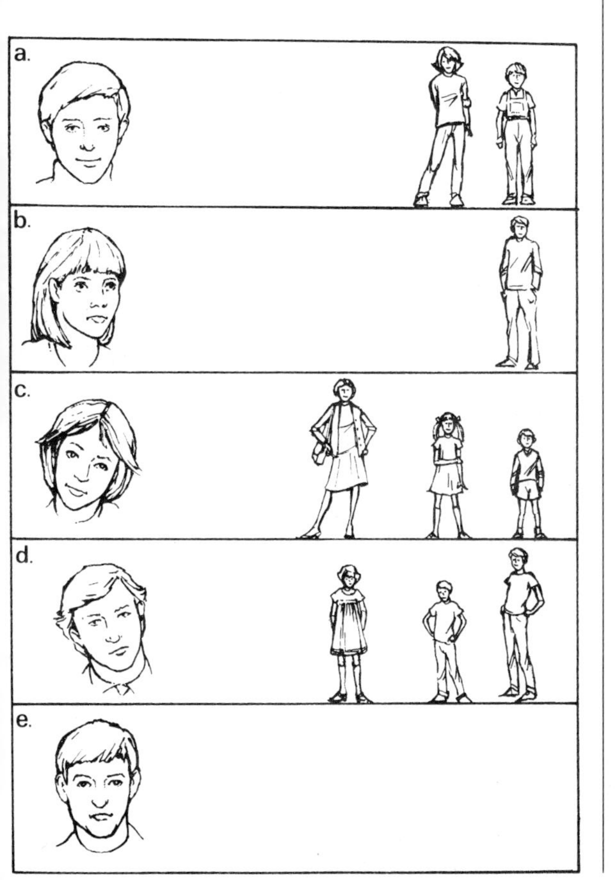

ZWEITER TEIL

Tiere zu Hause

Pets

In this section you can learn how to say what pets you have (if you have any) and to ask others what pets they have.

„Hallo! Ich bin Ursula Simmer. Ich wohne in Saarbrücken. Zu Hause haben wir einen Hund und einen Wellensittich.“

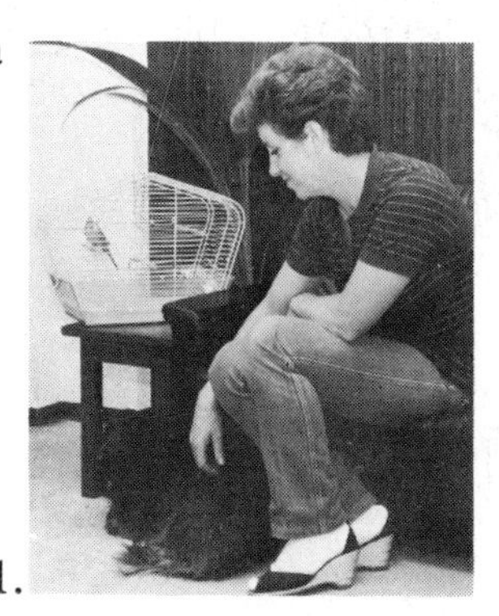
1.

„Tag! Ich heiße Ingo. Ich wohne in Rehlingen im Saarland und ich habe einen Bruder. Zu Hause haben wir einen Hund und zwei Katzen.“

2.

3.

Das ist Heidrun. Sie ist fünfzehn Jahre alt und sie wohnt in Bremerhaven in Norddeutschland. Sie hat einen Bruder und eine Schwester. Sie hat einen Hamster zu Hause.

Petra ist zwölf. Sie wohnt in Marburg und sie hat ein Meerschweinchen.

4.

5.

Das ist Sigi. Er hat keine Haustiere.

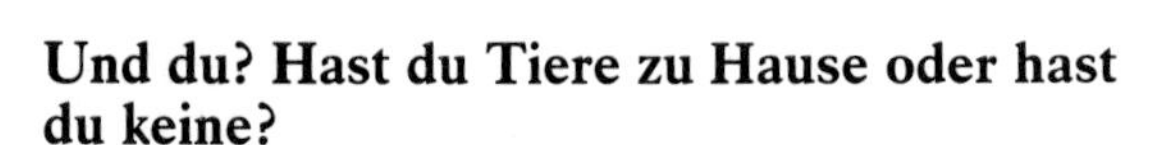

Und du? Hast du Tiere zu Hause oder hast du keine?

Hast du einen Hamster?

Hast du einen Hund?

Hast du einen Wellensittich?

Hast du eine Katze?

Hast du eine Maus?

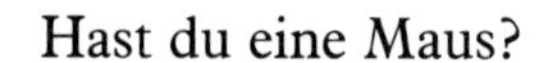

Hast du eine Schlange?

Hast du ein Kaninchen?

Hast du ein Meerschweinchen?

Hast du zwei Katzen?

Hast du zwei Hunde?

Hast du viele Fische?

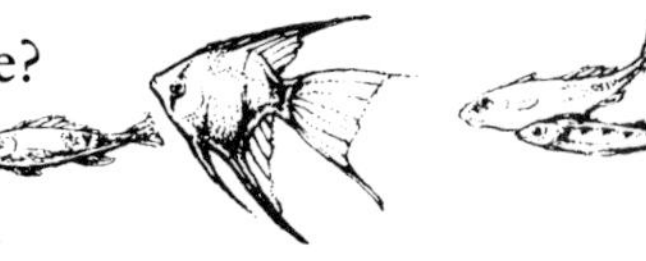

Hast du viele Mäuse?

Jetzt seid ihr dran!

1. Hör zu!

Welches Bild ist das?

Listen to the tape, on which there are people talking about themselves, their brothers and sisters and their pets. Which picture goes with which speaker?

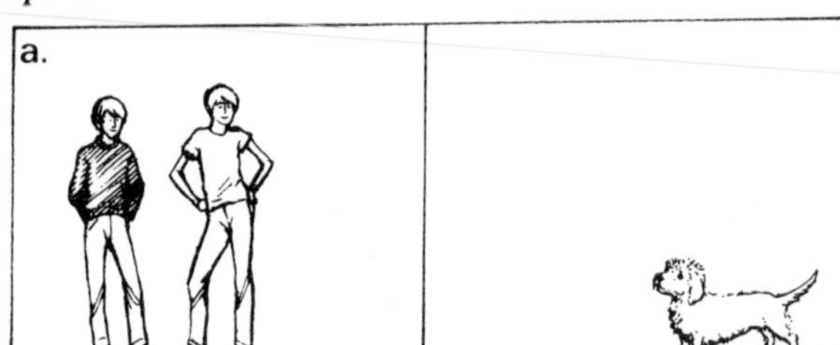

2. [Tape] Hör zu! ●
Trage die Tabelle in dein Heft ein!
Copy the table into your exercise book. Listen to the tape and fill in as much information about each speaker as possible.

Name	Alter	Geschwister		Tiere				
		Bruder	Schwester	Hund	Katze	Schlange	Hamster	Maus
Gabi								
Peter								
Konrad								
Heike								
Stefan								

3. Sieh mal die Fotos an! Sind sie älter oder jünger als du?
Look at the photos and say if the people are older or younger than you.

Zum Beispiel:
Die Nummer eins ist jünger/älter als ich.
Die Nummer zwei ist vielleicht jünger/älter als ich.

1.

2.

3.

4.

5.

6.

Ich habe	**einen** Bruder **eine** Schwester	zwei Brüder zwei Schwestern **keine** Geschwister
Wir haben	**einen** Hund **eine** Katze **ein** Kaninchen	zwei Hunde zwei Katzen zwei Kaninchen **keine** Tiere **viele** Tiere

4. Mit einem Partner oder einer Partnerin
On page 20 there are details about a number of boys and girls. On ***this*** *page there is a list of questions to ask. Work in pairs. One of you (Student A) pretends to be a person from page 20. The other (Student B) asks the questions* ***in the order they are set out on this page****. Student A answers the questions using* **Ja** *or* **Nein** ***only****. Student B, who asks the questions, makes notes about the other person. When all the questions have been asked, Student B checks to see if he/she has all the information right, for example:*

„Du bist 15. Du wohnst in . . . .“

Remember to tell your partner whether he/she is right or wrong: Richtig! *or* Falsch!

Bist du	15?
Bist du	jünger? älter? *(All the ages given are between 12 and 18)*
Bist du	16 (13, 17, 12, 14, 18)?
Wohnst du	in der Bundesrepublik? in der DDR? in der Schweiz? in Österreich?
Hast du Geschwister?	
Hast du	einen Bruder? zwei Brüder? eine Schwester? zwei Schwestern?
Hast du ein Haustier?	
Hast du	einen Hund? zwei Hunde? eine Katze? zwei Katzen? einen Wellensittich? eine Schlange? Mäuse? Fische?
Ist das alles?	

i

haben *to have*	**sein** *to be*
ich habe	ich bin
du hast	du bist
er hat	er ist
sie hat	sie ist
wir haben	es ist
ihr habt	wir sind
	ihr seid

Here are some phrases you may find useful in class if you want to . . .

. . . tell the teacher you have not got something:

Ich habe keinen Kuli (Kugelschreiber).

Ich habe keinen Bleistift.

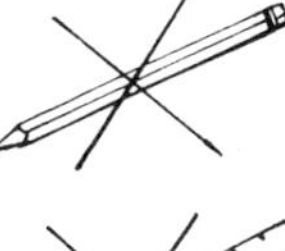

Ich habe kein Lineal.

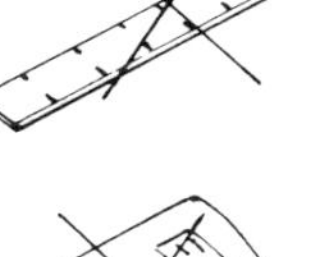

Ich habe kein Heft.

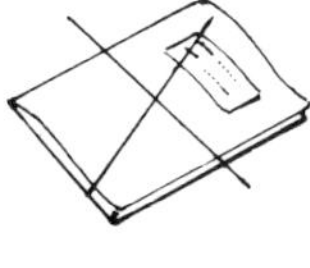

Ich habe kein Buch.

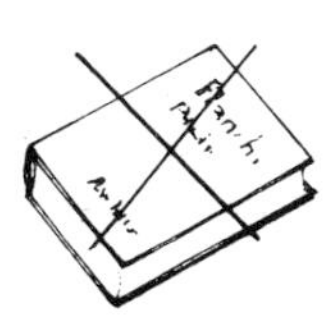

. . . explain something:

Mein Kuli ist kaputt. *My biro is broken.*
Mein Buch (Heft) ist zu Hause. *My (exercise) book is at home.*

. . . ask the teacher something:

Haben Sie ein Blatt Schreibpapier, bitte? *Have you a sheet of paper, please?*
Haben Sie mein Heft, bitte? *Have you got my book, please?*
Darf ich zur Toilette gehen, bitte? *May I go to the lavatory, please?*

. . . tell the teacher something:

Ich verstehe nicht. *I don't understand.*
Ich weiß nicht. *I don't know.*
(Ich bin) fertig! *(I've) finished!*

(Sieh dir Seite 18, Übung 4 an!)

14 DDR 1 Bruder 1 Hund	16 Bundesrepublik 2 Brüder 0 Haustiere	17 Schweiz 1 Bruder 1 Hund	16 Österreich 1 Schwester 1 Kaninchen
12 Schweiz 1 Schwester 2 Brüder Fische	14 Bundesrepublik 2 Schwestern 1 Katze	12 DDR 1 Schwester 1 Bruder 1 Wellensittich	17 Schweiz 1 Bruder 1 Schwester 0 Haustiere
18 Österreich 0 Geschwister 1 Wellensittich	15 Schweiz 1 Schwester 1 Hund	13 BRD 0 Geschwister 2 Hunde	17 Österreich 0 Geschwister 2 Katzen

3

Was machst du in deiner Freizeit?
What do you do in your free time?

ERSTER TEIL

Was machst du gern?
What do you like doing?

This section explains how to say what sports, hobbies and other activities you enjoy, and how to ask others for the same information.

Was spielst du gern?

1. Ich spiele gern Schach.

2. Ich spiele gern Karten.

3. Ich spiele gern Gitarre.

Wohin gehst du gern?

4. Ich gehe gern ins Kino.
5. Ich gehe gern zum Jugendklub.
6. Ich gehe gern zum Training

7. Ich gehe gern spazieren.

Und was sonst noch?

Ich treibe gern Sport.

Ich fahre nicht gern rad.

Ich sehe nicht besonders gern fern.

Ich höre sehr gern Musik.

Ich sammle Briefmarken.

Ich gehe nicht besonders gern einkaufen.

Ich nähe gern Kleider.

Ich lese gern Romane und Zeitschriften aber nicht besonders gern Comics.

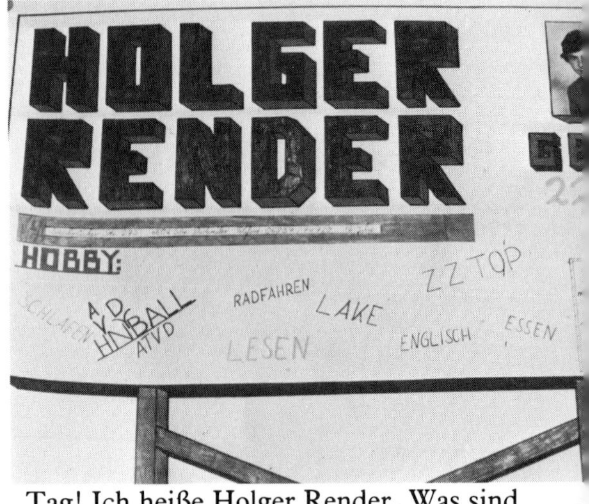

„Tag! Ich heiße Holger Render. Was sind meine Hobbys? Ich spiele gern Handball und ich fahre gern rad. Ich lese gern und ich höre gern Musik. Ich lerne auch sehr gern Englisch. Ich wohne in Dudweiler und ich habe eine Schwester."

Jetzt seid ihr dran!

1. Hör zu!

Schüleraustausch.

Student exchange.

The forms given on the next page have been filled in by English students who are going on an exchange. Make six blank forms of the same kind, ready to fill in. Now listen to the tape, on which you will hear details of six German students. Can you find a German exchange partner for each English student?

Name Andrew Lang
Alter 12
Wohnort Birstall, Leics.
Hobbys Briefmarken, Kino, Federball
Familie Schwestern - 16, 14

Name John Dunning
Alter 16
Wohnort Leicester
Hobbys Fußball
radfahren
Leichtathletik
Familie keine Geschwister

Name Stephen Naman
Alter 15
Wohnort Melton Mowbray
Hobbys Schach, Lesen, Tennis
Familie 1 Bruder

Name Sarah Thompson
Alter 15
Wohnort Leicester
Hobbys Musik (Flöte)
Sport
Familie Bruder 12

Name Karen Lang
Alter 15
Wohnort Leicester
Hobbys segeln, Schach, Musik (Geige)
Familie Bruder (14 Jahre alt)

Name Angela Boyd
Alter 12
Wohnort Thurmaston, Leics.
Hobbys Theater, Kleider nähen, Briefmarken, schwimmen.
Familie Bruder (10)

2. Und du? Was machst du gern? Was machst du nicht gern?
Look at each picture and write down whether or not you like the activity illustrated in it.

Zum Beispiel:
Ich fahre besonders gern rad.
Ich spiele nicht gern Fußball.
Ich lese sehr gern.
Ich spiele gern Gitarre.

3. Lies den Dialog mit einem Partner oder einer Partnerin!

„Hallo! Ich heiße Erich. Wie heißt du?“

„Barbara.“

„Woher kommst du, Barbara?“

„Aus England. Ich wohne in Rye.“

„Rye? Wo liegt das?“

„In Südostengland. Wo wohnst du?“

„In Neunkirchen. In Südwestdeutschland.“

„Hast du Geschwister?“

„Ja. Ich habe einen Bruder. Und du?“

„Eine Schwester. Ich habe eine Katze. Hast du Haustiere?“

„Ja. Wir haben einen Hund.“

„Was machst du gern?“

„Ich spiele gern Tennis. Und du? Spielst du Tennis?“

„Nein. Nicht besonders gern. Ich spiele gern Handball.“

In this dialogue, Erich and Barbara find out all these things about each other: what they're called, the names of the towns where they live, where these towns are, whether they have brothers and sisters, whether they have any pets and what their interests are.

Working in pairs, use the information given below to make up dialogues. Each of you chooses the name of one of the people given and decides how old he/she is, where he/she lives, and so on. You then ask each other questions to find out these details from each other. When you have done this, you could make notes, write a dialogue (like the one between Erich and Barbara) and give a description of the other person.

Name	Alter	Wohnort	Familie	Tiere	Hobbys
Inge	11	Schweiz:			
Kirsten	12	Bern,			
Heike	13	Brig.			
Wolfgang	14	Bundes-republik:			
Jürgen	15	Bonn,			
Frank	16	Hamburg.			
John	17				
Peter	18	England:			
Angela	19	Dover,			
Sue		Newcastle.			
		Schottland:			
		Glasgow,	keine		
		Aberdeen.		keine	

ZWEITER TEIL

Die Musik

Music

This section tells you how to say what kind of music you like, how to give your opinion about different types of music and how to say what musical instrument you play (if any).

„Hörst du gern Musik?"

„Ja!"

„Was, zum Beispiel?"

„Jazz und klassische Musik. Ich habe viele Kassetten und Schallplatten."

Hast du Kassetten? Was für welche?
Hast du Schallplatten? Was für welche?
Hast du eine Lieblingsgruppe? Welche?

„Wie findest du Vox Populi?"

„Furchtbar! !"

„Einfach Klasse! ! Unheimlich gut! !"

Wie findest du Vox Populi?

Furchtbar! !

Schlecht!

Nicht schlecht.

Gut.

Unheimlich gut!

Einfach Klasse! !

„Was spielst du denn?“

„Ich spiele auf dem Kamm!“

Spielst du ein Instrument? Welches?

Jetzt seid ihr dran!

1. Stell folgende Fragen an deine Klassenkameraden/-kameradinnen!
Ask students in the class the following questions.

Hörst du gern Musik? Klassische oder Popmusik?

Hast du eine Lieblingsgruppe? Welche?

Hast du Kassetten? Was für welche?

Hast du Schallplatten? Was für welche?

Wie findest du . . . ?

Spielst du ein Instrument? Welches?

2. Zum Lesen

Silke Stube ist 12. Sie wohnt in Dudweiler und sie hat eine Schwester, die 19 Jahre alt ist. Sie hat viele Hobbys. Sie ist Funkamateur und sie fährt gern rad. Sie liest auch gern. Ihre Lieblingsgruppe ist ‚Kiss‘.

Zu Hause hat sie eine Katze.

1.

der Funkamateur *amateur radio enthusiast*

Dirk Appelzöller ist 13. Er hört gern Musik und spielt Orgel. Er treibt Sport, spielt Fußball und fährt gern rad.

Was macht er noch? Hat er eine Lieblingsgruppe? Welche?

2.

FRÄNZI
Wie findest du das Leben, Fränzi?
EH?
Ist es interessant?
Ich überlege!!

3. Lisa ist 13. Sie hat einen Hund. Er heißt Rudi. Lisa geht sehr gern mit Rudi spazieren. Sie schwimmt auch gern. Sie hat einen Bruder. Er heißt Karl und er ist 15.

4.

Gabi ist 18. Sie wohnt in der Schweiz und sie hat einen Bruder und eine Schwester. Ihr Bruder wohnt nicht zu Hause: er ist in Amerika.

Gabi liest gern englische Bücher und sie spielt Gitarre. Sie näht auch gern Kleider.

5. Bernd ist sechzehn Jahre alt und wohnt in der Nähe von Graz in Südwestösterreich. Er treibt viel Sport und spielt besonders gern Handball. Seine Schwester, Heidrun, ist ein Jahr älter als er. Sie fotografiert und malt gern. Bernd und Heidrun fahren auch gern rad und machen oft Radtouren zusammen.

malen (malt) *to paint*
zusammen *together*

6.

Horst und Bettina sind Geschwister. Sie wohnen in Österreich. Sie haben einen Hund und eine Katze. Sie heißen Arni und Moritz. Horst und Bettina gehen gern mit Arni spazieren. Horst ist älter als seine Schwester. Er spielt Gitarre und sie spielt Blockflöte. Sie spielen oft zusammen. Bettina hat auch viele Schallplatten und Kassetten.

3. *Here is the translation of a conversation which was overheard in an office in Germany.*

"I say. Do you know anything about the new secretary?"

"No, why?"

"Well, she doesn't seem to know what a capital letter is."

"She must have been to England: they hardly ever use them there."

"Well, at least she joins her words up. I'll ask her for a note about herself."

Hallomeinnameistmarleneundichbinzwan
zigjahrealtichbinsekretärinichwohnei
nsaarlouisichhabeeinenbrudererheißtr
einhardtunderwohntinnorddeùtschlandm
einhobbyistmusikichspieleklavierundi
chhöresehrgernmusikichleseauchgernts
chüs

"Mmmm. I see what you mean."

i

Weak verbs	*Weak verbs ending in* **-eln**		*Other weak verbs*
machen	**sammeln**	**segeln**	**kochen**
ich mache	ich sammle	ich segle	**spielen**
du machst	du sammelst	du segelst	**tanzen**
er macht	er sammelt	er segelt	**wohnen**
sie macht	sie sammelt	sie segelt	
es macht	es sammelt	es segelt	
wir machen	wir sammeln	wir segeln	
ihr macht	ihr sammelt	ihr segelt	
Sie machen	Sie sammeln	Sie segeln	
sie machen	sie sammeln	sie segeln	

Strong verbs

Note: Not all strong verbs change like this in the present tense. For example:

fahren	**lesen**	**sehen**	**kommen**	*and also:* **finden**
ich fahre	ich lese	ich sehe	ich komme	**gehen**
du fährst	du liest	du siehst	du kommst	**liegen**
er fährt	er liest	er sieht	er kommt	**schwimmen**
sie fährt	sie liest	sie sieht	sie kommt	
es fährt	es liest	es sieht	es kommt	
wir fahren	wir lesen	wir sehen	wir kommen	
ihr fahrt	ihr lest	ihr seht	ihr kommt	
Sie fahren	Sie lesen	Sie sehen	Sie kommen	
sie fahren	sie lesen	sie sehen	sie kommen	

4

Die Stadt
The town

salü saarbrücken

This unit introduces you to a German city, Saarbrücken, *and to the main buildings and places of interest to be found in it.*

Saarbrücken *is the capital of the* Saarland. *It is right on the French border, and the French influence is noticeable in the shops, where you see quite a lot of French foods, and in the names of one or two villages on the border:* Neunkirchen-les-Bouzonville, *for example. You also hear people who do not speak French using* Merci *and* Voilà. *The slogan of the town,* Salü Saarbrücken, *mixes the languages too, with a German spelling of a French word!*

Saarbrücken *is a very pleasant city to be in, having some fine buildings and shops. Its wealth is based mainly on coal and steel, the traditional industries of the Saar. As with all big towns in Germany, it has an* Oberbürgermeister: *a lord mayor.*

Oskar Lafontaine
Oberbürgermeister

Saarbrücken liegt in Südwestdeutschland. Es ist die Hauptstadt vom Saarland und hat rund 200 000 Einwohner. Die Hauptindustrien sind Stahl und Kohle.

Salü Saarbrücken

1. Das neue Rathaus: *the new Town Hall, built in 1900!*

2. Das alte Rathaus: *the old Town Hall, built about two hundred years ago. Many German towns have two town halls: a new one and an old one, too small for modern offices.*

3. Die Fußgängerzone: *the pedestrian area in the market place called* der St. Johanner Markt.

4. Das Schloß: *the castle, more like a palace really and now in need of restoration.*

5. Das Stadion: *the stadium where* FC Saarbrücken *play, sometimes in the First Division, sometimes not.*

6. Das Informationsbüro: *the information office. Often these offices are in the* Rathaus.

7. Der Fluß: *the river. It's called* die Saar *and here you can see the old bridge,* die alte Brücke. *The city's name is derived from these two words.*

8. Das Jugendzentrum: *the youth centre.*

9. Der Bahnhof: *the railway station.*

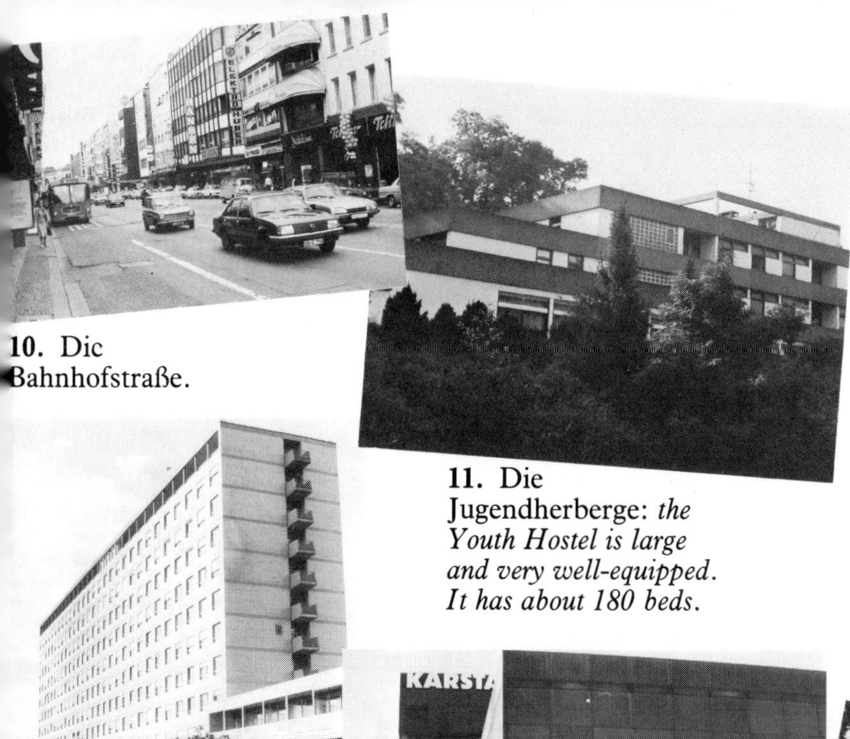

10. Dic Bahnhofstraße.

11. Die Jugendherberge: *the Youth Hostel is large and very well-equipped. It has about 180 beds.*

12. Die Post: *the post office. This is in fact* die Hauptpost, *the main Post Office.*

13. Das Krankenhaus: *the hospital stands on one of the hills round* Saarbrücken, *and from it you can look out over France.*

14. Karstadt: *one of the big stores in* Saarbrücken. *A big store is called* ein Kaufhaus.

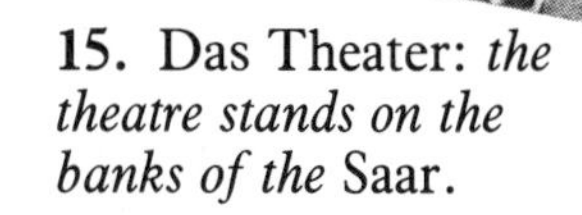

15. Das Theater: *the theatre stands on the banks of the* Saar.

16. Die Ludwigskirche: *the Ludwig's Church. Named after the prince who built it, it was finished two hundred years ago.*

17. Der Landtag: *the parliament. Each state of the* Bundesrepublik *has its own parliament.*

18. Das Landesmuseum: *a small museum of ancient history and prehistory, in the* Ludwigsplatz.

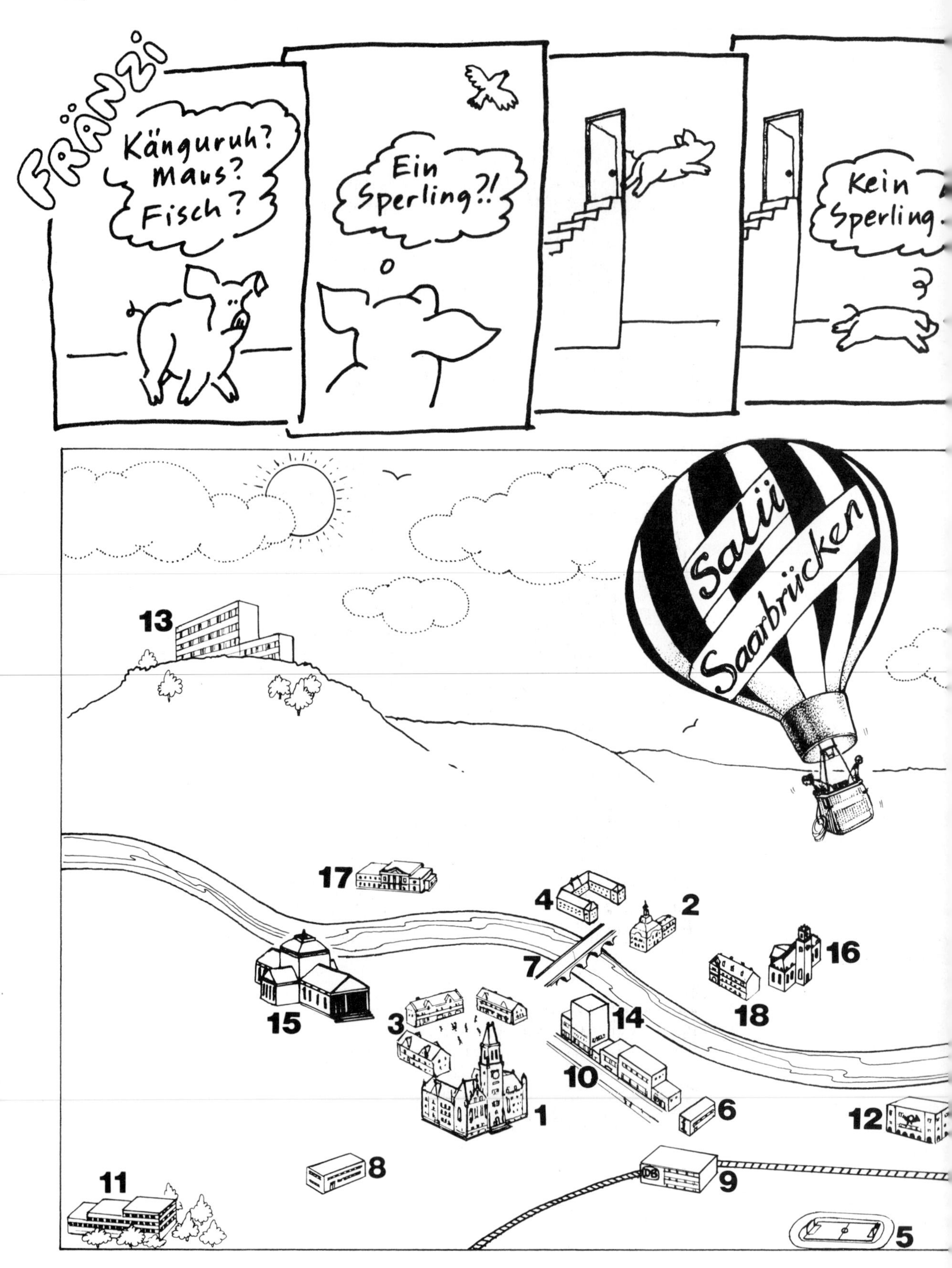
FRÄNZI
Känguruh? Maus? Fisch?
Ein Sperling?!
Kein Sperling.
Salü Saarbrücken
13
17
4
2
16
7
18
15
3
14
10
1
6
12
8
9
11
5

Jetzt seid ihr dran!

1. Mit einem Partner oder einer Partnerin
*Look at the **map** with your partner and take turns to identify the buildings and places you each point to.*

Zum Beispiel:
A (*pointing to Number 2*): Was ist das?
B: Das alte Rathaus.

2. *Now try a spelling test on each other. One of you gives a word and the other writes it down. If you are able to, you could spell the word in German.*

3. *Can you tell what place each of these phrases refers to? Try to get the answers without looking at the descriptions. Use these only for checking up!*

1. *You can see France from it.*
2. *It was built 200 years ago and another building of the same kind has now been built.*
3. *Sometimes these are in the Town Hall.*
4. *It has something over it.*
5. *Definitely not for old people.*
6. *It's time it was done up.*
7. *It's named after someone.*
8. *Home ground to someone.*
9. *It's just by the river.*
10. *It's the main one, in fact.*
11. *Fine for a stay.*
12. *There are ten of these in Germany.*
13. *Feet only – no wheels.*
14. *This last one is often journey's end.*

4. *How good is your memory? Look at the map for two minutes and try to remember the buildings and their numbers. One of you now has the map in front of him/her and tests the other one's memory by asking five numbers – one at a time, of course! If you get the gender wrong – the* der, die *or* das *– the questioner has another turn. When you've answered five correctly, swap over.*

Zum Beispiel:
A: Sechs.
B: Das Informationsbüro.
A: Richtig. Acht.
B: . . . Bahnhof.
A: Falsch! **Der** Bahnhof.

5. *Give the gender of these words, without looking them up if possible!*

Schloß
Rathaus
Stadion
Fluß
Bahnhof
Ludwigskirche
Post

6. *What do you think the gender of these words is?*

Hof *yard*
Straße *street*
Haus *house*
Zentrum *centre*
Kirche *church*
Büro *office*
Zone *zone*
Herberge *shelter, inn*

If you knew the genders of these words, it was probably because you recognised them from other, longer words that you have met already, eg: **Hof – der Bahnhof.** *What does this tell you about the gender of words that are made up in this way from other words?*

7. *How many words can you make out of the following list by combining words? You can use each word in more than one example.*

Rat
Hof
Kranken
Post
Jugend
Haus
Haupt
Herberge
Straße
Zentrum
Bahn

Maskulinum	**Femininum**	**Neutrum**
der	die	das

5

In der Stadt

ERSTER TEIL

Wie komme ich am besten zum Bahnhof, bitte?

Can you tell me the way to the station, please?

This section explains how to ask your way in a German town and how to understand basic directions.

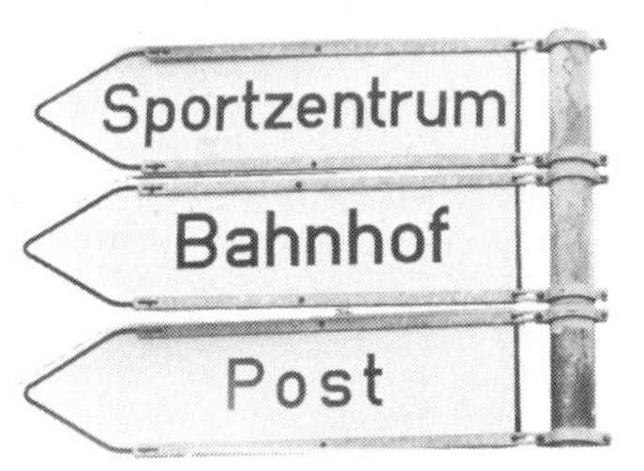

1.

„Entschuldigung. Wie komme ich am besten zum Bahnhof, bitte?"

„Zum Bahnhof? Nehmen Sie die erste Straße links."

„Die erste Straße links. Danke schön."

„Bitte sehr."

2.

„Entschuldigung. Wie komme ich am besten zur Post, bitte?"

„Zur Post? Gehen Sie hier geradeaus."

„Danke schön."

„Bitte sehr."

3\.

„Entschuldigung. Wie komme ich am besten zum Informationsbüro?"

„Gehen Sie hier geradeaus und dann nehmen Sie die zweite Straße rechts."

„Danke schön."

„Gern geschehen."

Wie komme ich am besten	zum Bahnhof, bitte? zur Post, bitte?		
Nehmen Sie die	erste zweite nächste	Straße	links. rechts.
Gehen Sie hier geradeaus.			
Danke schön.	Bitte sehr. Bitte schön.		

Jetzt seid ihr dran!

1. Hör zu!

Draw a grid in your book like the one shown here. Listen to the tape, on which you will hear people asking (and being told) how to get to particular places. Put the first letter of the place which is asked for on the street where it is to be found.

Zum Beispiel:

Für „Schloß" schreibst du **S**.

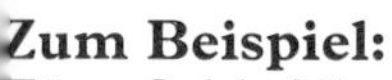

Du bist hier

2. Hör zu!

Copy this list of words into your book. Listen to the tape and put **zum** *or* **zur** *in front of each as you hear it.*

Krankenhaus	Rathaus
Ludwigskirche	Jugendherberge
Stadion	Schwimmbad
Museum	Post

Can you now see when you use **zum** *and when you use* **zur**?

3. Wie ist die Frage?

What is the question?

If you were looking for one of the buildings shown here on the postcards, what would you ask? *See page 37 if you need help.*

Das Theater

Der Landtag

Die Hauptpost

Das Hallenbad

Das Rathaus – Wien

Die Ludwigskirche

Der Bahnhof – Frankfurt

Das Stadion — Düsseldorf

Das Schloß — Heidelberg

Der Stadtmarkt – Trier

Die Jugendherberge – Weiskirchen

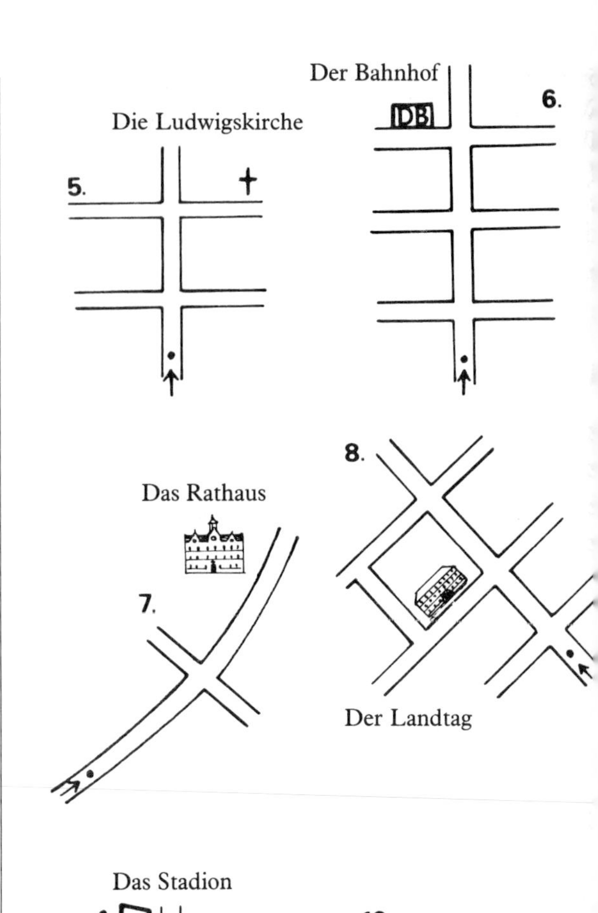

4. Und wie ist die Antwort?
What is the answer?

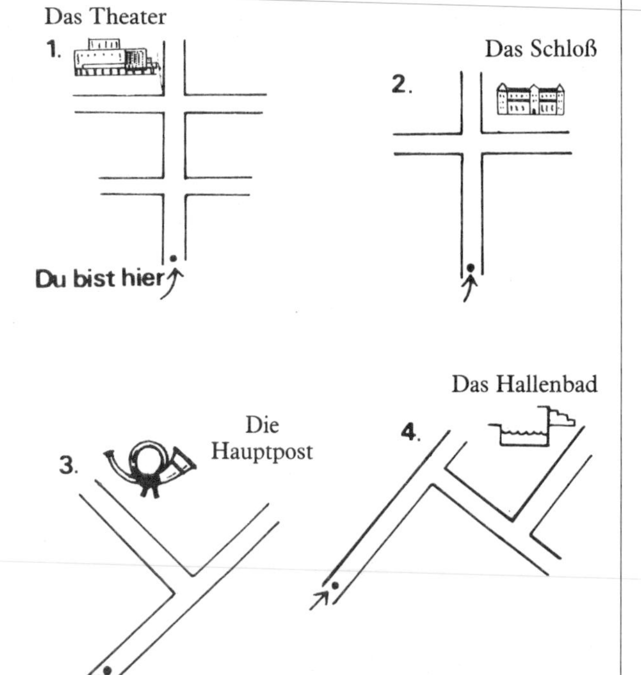

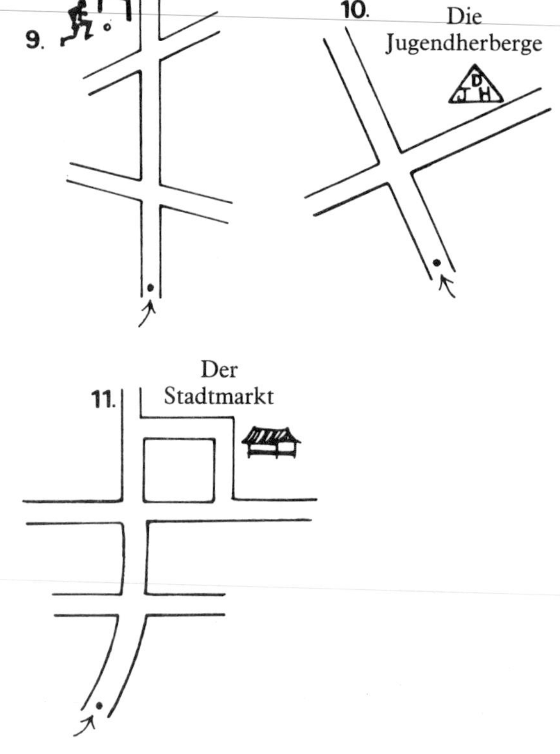

5. Partnerarbeit: einer/eine fragt nach dem Weg, der/die andere gibt die Antwort.
With a partner, ask the way and give the answer. If you don't hear or understand what your partner says, you should say „Wie bitte?" *or* „Wie war das, bitte?"

Remember:

Wie komme ich . . .

zum Bahnhof	zur Bahnhofstraße	zum Hallenbad
zum Fluß	zur Brücke	zum Informationsbüro
zum Landtag	zur Fußgängerzone	zum Jugendzentrum
zum Markt?	zur Galerie	zum Krankenhaus
	zur Jugendherberge	zum Museum
	zur Ludwigskirche	zum Rathaus
	zur Post	zum Schloß
	zur Stiftskirche?	zum Sportzentrum
		zum Schwimmbad
		zum Stadion
		zum Theater?

Why is this in ***three*** *columns?*

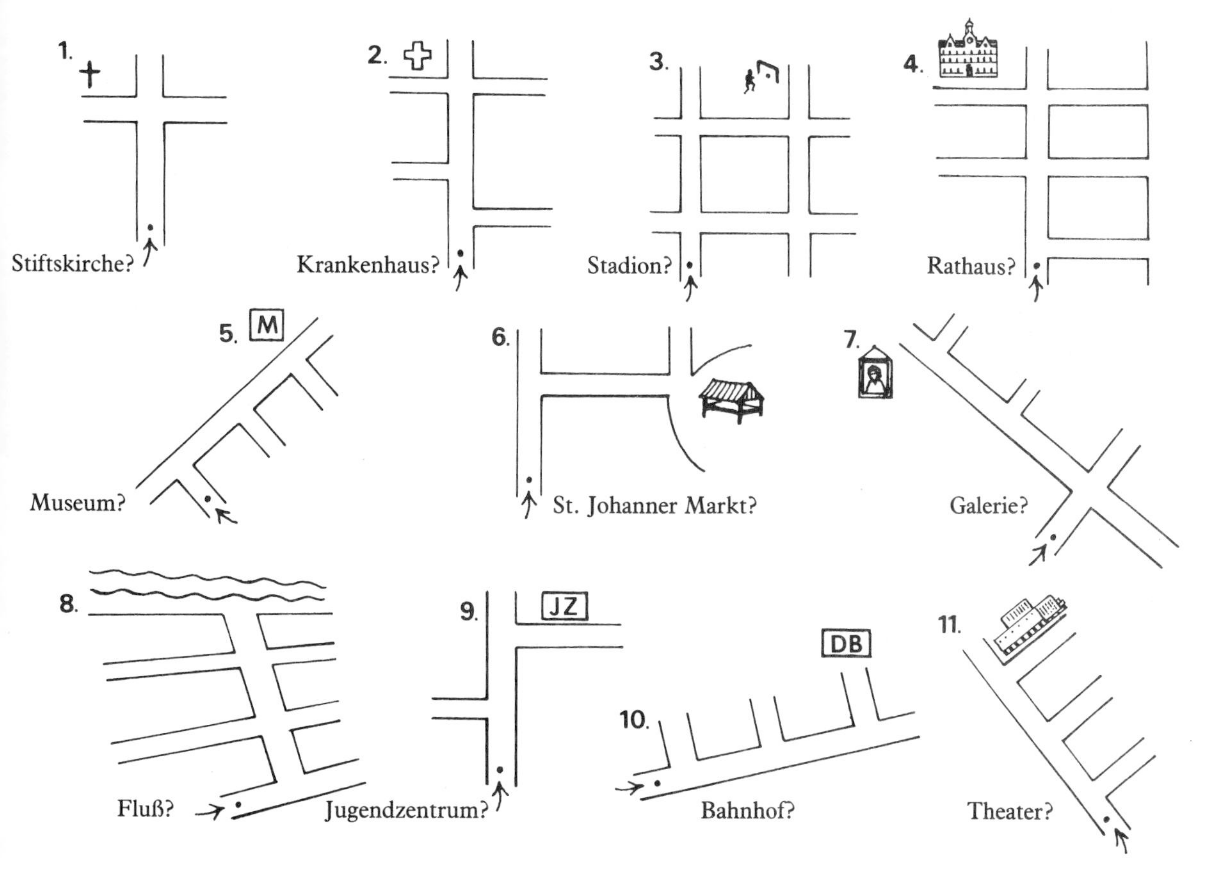

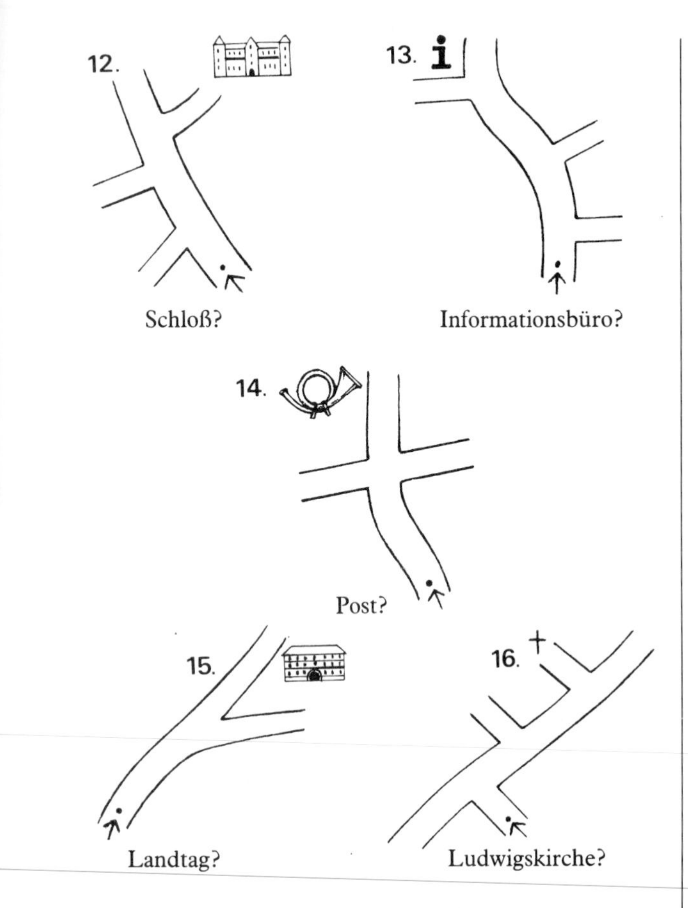

ZWEITER TEIL

Etwas komplizierter!

A little more complicated!

This section teaches you how to understand more complicated directions when asking your way in a town.

auf der rechten Seite *on the right hand side*
auf der linken Seite *on the left hand side*
um die Ecke *round the corner*
bis zur Kreuzung *as far as the crossroads*
bis zur Ampel *as far as the lights*
an der Kreuzung *at the crossroads*
an der Ampel *at the lights*
über die Kreuzung *over the crossroads*
ein bißchen weiter *a little further*
Gehen Sie nach rechts/links *Go to the right/left*

Jetzt seid ihr dran!

1. Hör zu!

Copy the grid shown here into your book and mark the places which are asked for on the tape, using the first letter of the word in each case. (The dots represent traffic lights.)

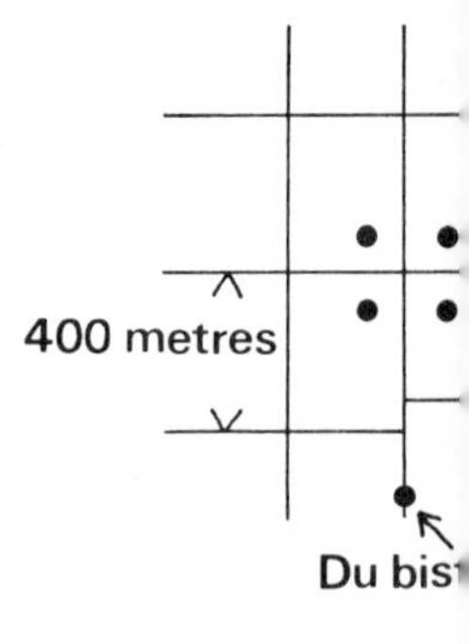

DRITTER TEIL

Ist hier in der Nähe ein Café?

Is there a café near here?

In this section you can learn how to find your way to all the essential places in a town!

Joanna ist mit einem Freund zusammen. Sie sind in der Stadt und sie haben Durst. Sie suchen ein Café.

„Entschuldigung. Ist hier in der Nähe ein Café?"

„Ja. Gerade hier um die Ecke."

„Danke."

1.

Peter braucht etwas Geld. Er sucht eine Bank.

„Guten Tag. Ist hier in der Nähe eine Bank?"

„Entschuldigung. Ich weiß nicht. Ich bin hier fremd."

„Danke schön."

2.

Durst haben (hat Durst)	*to be thirsty*
suchen (sucht)	*to look for*
brauchen (braucht)	*to need*
das Geld	*money*
Ich bin hier fremd	*I'm a stranger here*

1.	der Briefkasten	ein Briefkasten	*letterbox*
2.	die Bank	eine Bank	*bank*
3.	die Imbißhalle	eine Imbißhalle	*snack stall*
4.	die Post	eine Post	*post office*
5.	die Toilette	eine Toilette	*lavatory*
6.	die Trinkhalle	eine Trinkhalle	*drink stand*
7.	die Wurstbude	eine Wurstbude	*sausage stall*
8.	das Café	ein Café	*café*
9.	das Parkhaus	ein Parkhaus	*multi-storey car park*

i

Maskulinum	Femininum	Neutrum
der	die	das
ein	eine	ein
er	sie	es

Jetzt seid ihr dran!

1. Mit einem Partner oder einer Partnerin
Study the words given at the top of this page and check that you both know them. Then cover up the writing and, using the numbered symbols, test each other to see if you can ask the right questions to find if the places are nearby.

Zum Beispiel:
A: Nummer 5.
B: Ist hier in der Nähe eine Toilette?
A: Richtig.

2. Welche Fragen stellen sie?
What questions are they asking?

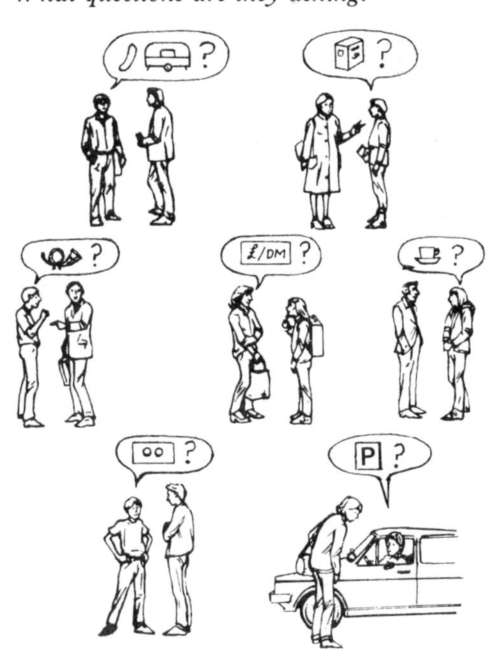

Schreib mal die Fragen aus!

3. Übe Frage und Antwort mit einem Partner oder einer Partnerin!

Zum Beispiel:
A: Wo ist die Bank?
B: Sie ist auf der rechten Seite.

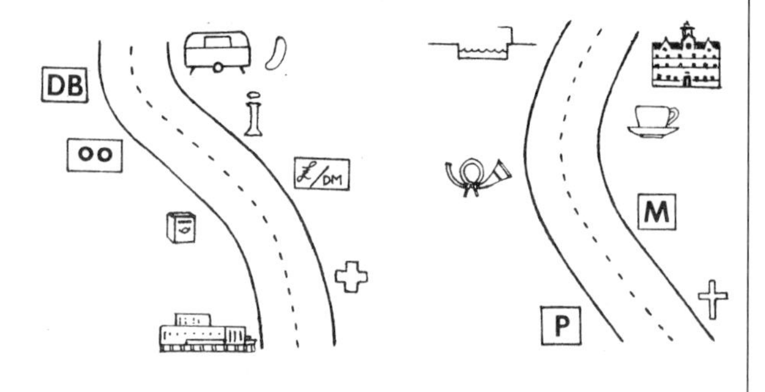

Jetzt schreib die Fragen und die Antworten auf!

4. *In this town 14 people are asking the way somewhere.*
What, in each case, is the question they are asking? Try and give as detailed directions as possible to help them find their way.

5. Ergänze die Dialoge!
Complete the dialogues.

a. „______. Wie komme ich ______ ______ ______ Bahnhof, bitte?"

„______ Bahnhof? Ja. Gehen ______ hier ______und dann nehmen ______ die zweite ______ ______."

„Danke schön."

„______ ______."

b. „Ist hier in der ______ eine ______, bitte?"

„Ja, Gehen Sie hier um ______ ______. Sie ist auf der ______ Seite."

„______ ______."

„______ ______."

c. „Entschuldigung. Wie komme ich am besten ______ Informationsbüro?"

„Gehen Sie hier über die ______ und dann ______ Sie die ______ Straße rechts. Sie finden das Informationsbüro ______ ______ linken Seite."

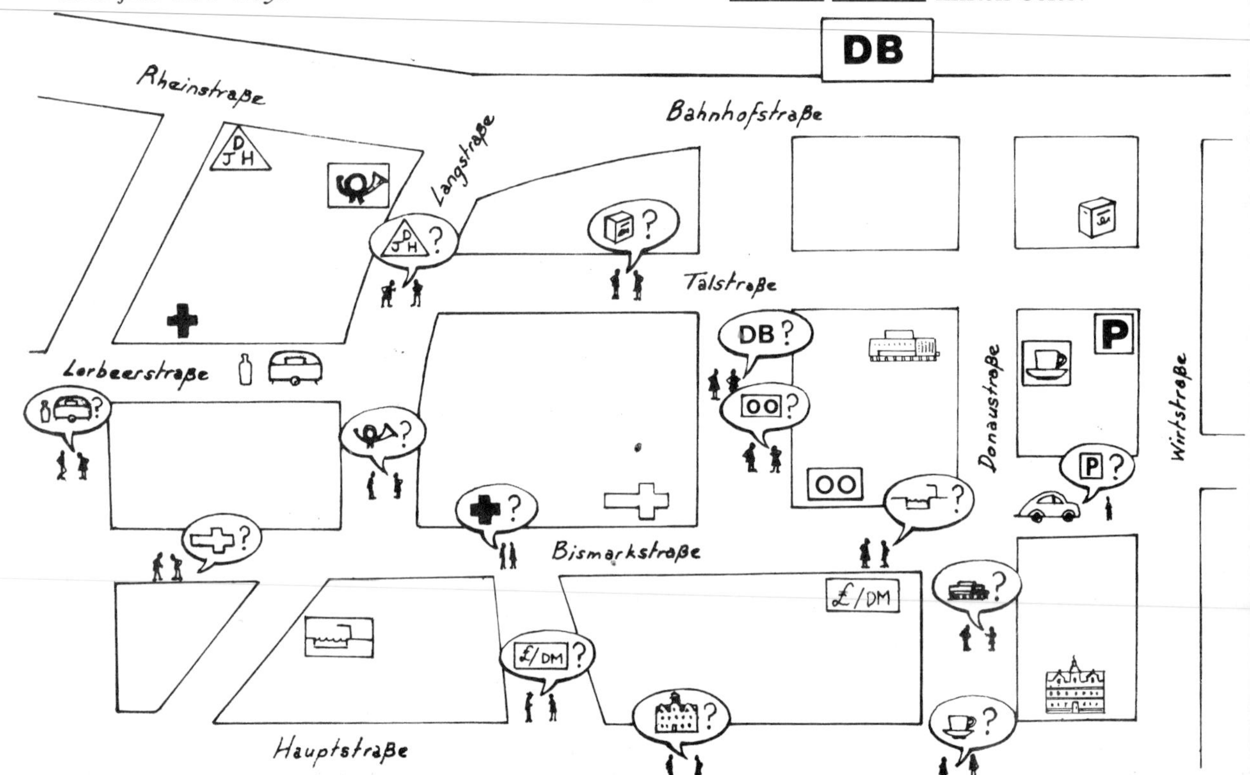

d. „Ist hier in der ______ ______ Post, bitte?"

„O ja! Gehen Sie hier um ______ Ecke bis ______ Ampel. Die Post ist ______ der ______ ______."

e. „Wie komme ich am besten ______ Jugendherberge, ______?"

„Gehen ______ hier ein bißchen ______, und dann sehen Sie die Jugendherberge."

Prepositions

What are prepositions?

They're words like 'in', 'on', 'to', 'by' – and so on.

What's so important about them?

Vell, in German they have an mportant effect. They often change he word that comes after them. Quite lifferent from the way in which hey're used in English.

Can you give me an example?

Zu.

And what does it do?

It changes **der** *to* **dem**, *and* **die** *to* **der** *and* **das** *to* **dem**.

What? When does it do that?

All the time! When it has **zu** *in front of it,* **der Bahnhof** *is always* **zum Bahnhof**: *that's short for* **zu dem**.

It's a bit complicated!

No, it's not. Just say that **zu** *is always followed by the Dative case,* **dem, der** *and* **dem**.

i

	Maskulinum	Femininum	Neutrum
Nominativ	der	die	das
Dativ	**dem**	**der**	**dem**

Note also the similar endings on **ein**:

der/ein Freund — mit **einem** Freund
die/eine Partnerin — mit **einer** Partnerin

There are other prepositions which have the same effect as **zu**. *You have met two of them:* **aus** *and* **mit**. *For example, when* **die Schweiz** *has* **aus** *in front of it, it becomes* **aus der Schweiz**.

6

Im Verkehrsamt/Im Informationsbüro

At the tourist information office

This unit explains how to use information offices to find out what there is of interest to see in German towns.

Karla und John sind Freunde. Sie sind auf Urlaub in Saarbrücken und sie brauchen einen Stadtplan. Sie gehen also zum Verkehrsamt, wo sie um Information über die Stadt bitten.

„Guten Morgen. Haben Sie einen Stadtplan, bitte?“

„Aber sicher. Möchten Sie auch einen Prospekt?“

„Ja, bitte. Was gibt es hier zu sehen?“

„Also. Es gibt die Ludwigskirche und den St. Johanner Markt. Vom Schloß haben Sie eine sehr schöne Aussicht. Es gibt sehr viel zu sehen. Das ist alles hier auf dem Plan.“

„Danke schön.“

„Bitte sehr.“

„Auf Wiedersehen.“

„Auf Wiedersehen.“

die Aussicht *view*
bitten um (bittet um) *to ask for*
der Prospekt *brochure*
der Stadtplan *town map*
der Urlaub *holiday*

Birgit und Frank gehen auch ins Verkehrsamt.

„Guten Tag. Haben Sie eine Broschüre?“

„Sicher ... Da haben Sie eine Broschüre von Saarbrücken.“

„Danke schön. Was gibt es hier zu sehen?“

„Zum Beispiel die Stiftskirche, das alte Rathaus, das Museum. Sie finden alles in der Broschüre.“

„Danke schön.“

„Gern geschehen. Auf Wiedersehen.“

„Auf Wiedersehen.“

die Broschüre *brochure*

Haben Sie Möchten Sie	**einen** Stadtplan? **einen** Prospekt? **eine** Broschüre?
Was gibt es hier zu sehen, bitte?	
Es gibt Sie haben	**den** St. Johanner Markt. **die** Ludwigskirche. **das** Museum.

Jetzt seid ihr dran!

1. Such dir einen Partner oder eine Partnerin aus! Erfindet einen Dialog!
Look for a partner. Make up a dialogue.

Zum Beispiel:
A: Haben Sie . . . ?
B: Aber sicher. Möchten Sie auch . . .?
A: Ja, bitte.

einen Stadtplan	einen Prospekt
eine Broschüre	

2. *Here is a map of a German town. Imagine that you are asked by someone what there is to see in the town. With your partner take turns to offer some ideas of what there is to see. The words you must change when you use them are underlined in the list.*

Zum Beispiel:
A: Was gibt es hier zu sehen, bitte?
B: Es gibt die Schloßkirche, ...

1. <u>der</u> Landtag
2. das Schloß
3. die alte Brücke
4. das alte Rathaus
5. das neue Rathaus
6. das Theater
7. <u>der</u> St. Johanner Markt
8. die Ludwigskirche
9. das Museum
10. die Schloßkirche

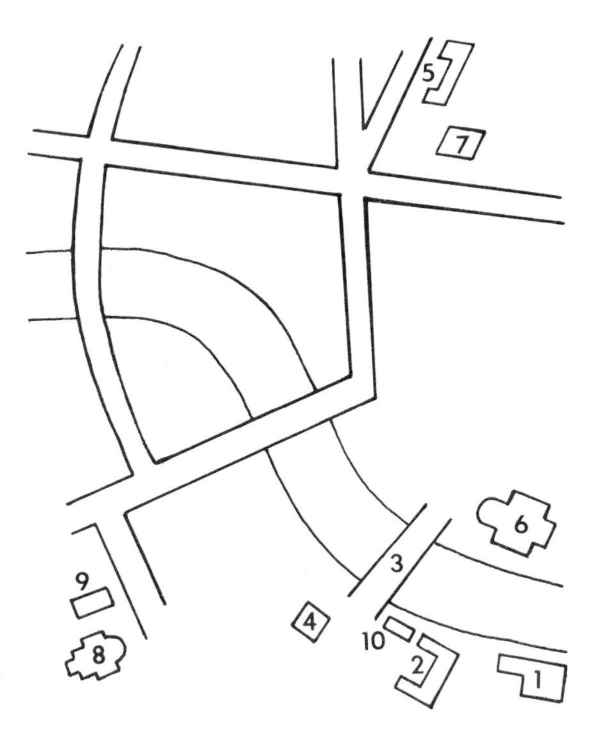

Mark steht mit einem Freund auf der Straße. Er will wissen, wo der Landtag ist.

„Hast du den Stadtplan?"

„Ja. Suchst du etwas?"

„Ja. Ich suche den Landtag."

„Den Landtag? Sieh mal hier . . . Nummer 1."

„Danke."

Was machst du? *What are you doing?*
Ich suche . . . . *I'm looking for . . . .*

3. Sieh dir den Plan auf Seite 32 mit einem Partner oder einer Partnerin an. Beantwortet die Fragen!

Was machst du?

	Maskulinum	Femininum	Neutrum
Nominativ	der	die	das
Akkusativ	**den**	**die**	**das**
Dativ	dem	der	dem

Akkusativ–Zum Beispiel:

Hast du **den** Stadtplan, bitte?
Ich suche **die** Broschüre.
Es gibt **das** Rathaus und **das** Schloß.

	Maskulinum	Femininum	Neutrum
Nominativ	ein	eine	ein
Akkusativ	**einen**	**einc**	**ein**
Dativ	einem	einer	einem

kein *behaves in just the same way as* **ein**.

Akkusativ–Zum Beispiel:

Möchten Sie **einen** Stadtplan?
Ich habe **keinen** Bruder.

Wir haben **eine** Katze.
Wir haben **keine** Galerie in Frohenweiler.

Sie hat **ein** Meerschweinchen.
Er hat **kein** Buch.

Note: the plural of **kein** *in the Nominative and Accusative is* **keine**:
Ich habe **keine** Geschwister.

7

Das Geld

ERSTER TEIL

Münzen und Scheine

Coins and notes

This section describes the system of money that is used in the four German-speaking countries in Europe.

1.

Ein Zwanzigmarkschein   Ein Zweimarkstück

Geld aus der Bundesrepublik
Eine Deutsche Mark entspricht hundert Pfennig.

2.

Geld aus der Schweiz
Ein Franken entspricht hundert Rappen.

3.

Geld aus der DDR
Eine Mark entspricht hundert Pfennig.

4.

Geld aus Österreich
Ein Schilling entspricht hundert Groschen.

entsprechen (entspricht)   *to correspond to*

Weitere Zahlen

20 zwanzig	21 einundzwanzig
30 dreißig	22 zweiundzwanzig
40 vierzig	35 fünfunddreißig
50 fünfzig	38
60 sechzig	41
70 siebzig	55
80 achtzig	65
90 neunzig	75
	98

150 hundertfünfzig
330 dreihundertdreißig

ZWEITER TEIL

Wieviel Taschengeld bekommst du?

How much pocket money do you get?

This section explains how to say whether you earn money or receive pocket money and what you consider you need money for.

„Ich bekomme fünf Mark Taschengeld die Woche.“

„Ich bekomme 12 Mark Taschengeld.“

„Ich bekomme kein Geld! Nichts! Keinen Pfennig!“

„Ich arbeite und verdiene 60 Mark die Woche.“

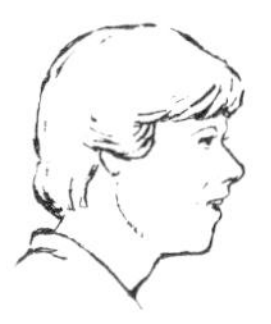

„Dieter. Wieviel Taschengeld bekommst du die Woche?“

„Ich bekomme kein Taschengeld. Ich verdiene jetzt.“

„So? Was machst du denn?“

„Ich arbeite zweimal die Woche als Kellner in einem Café.“

„Was verdienst du?“

„100 Mark und dann kommt das Trinkgeld noch dazu.“

„Mensch, du hast es gut!“

„Wieso? Die Arbeit ist nicht leicht. Ich verdien' es.“

Und du? Arbeitest du in einem Geschäft oder vielleicht in einem Café? Verdienst du etwas? Wofür brauchst du Geld? Für dein Hobby? Sparst du für etwas? Für die Ferien?

arbeiten (arbeitet)	*to work*
bekommen (bekommt)	*to obtain, receive*
die Ferien	*holidays*
das Geschäft	*shop*
der Kellner	*waiter*
leicht	*easy*
sparen (spart)	*to save*
das Trinkgeld	*tip*
verdienen (verdient)	*to earn*
die Woche	*week*

Wofür spart man? Wofür braucht man Geld?

Ich brauche Geld für Bücher. Ich kaufe keine Comics.
Ich spare für ein neues Fahrrad. Ich kaufe NICHTS. Ich spare.
Ich brauche es für mein Motorra
Ich brauche es für Getränke und Bonbons.

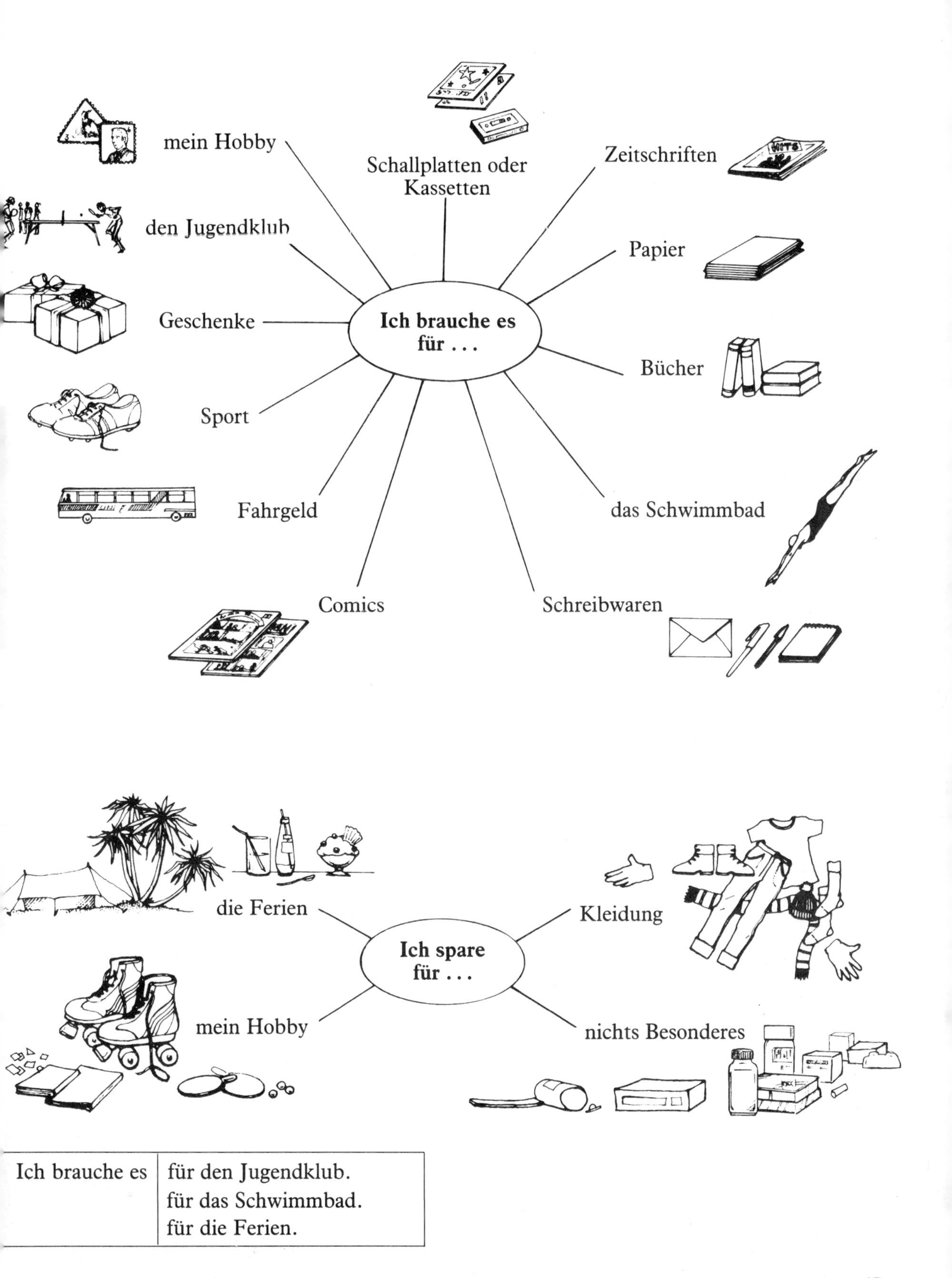

Ich brauche es	für den Jugendklub. für das Schwimmbad. für die Ferien.

Jetzt seid ihr dran!

1. Hör zu!

Trage die Tabelle in dein Heft ein und fülle sie aus!
Wieviel bekommen die Jungen und die Mädchen? Verdienen sie etwas? Wofür brauchen sie Geld?

Name	Taschengeld	verdient	arbeitet ...	braucht es für ...	spart für ...
Gudrun					
Horst					
Bärbel					
Gerd					

	Maskulinum	Femininum	Neutrum	Plural
Nominativ	der	die	das	**die**
Akkusativ	den	die	das	**die**

8

Auf der Post/Auf dem Postamt
At the Post Office

This unit explains how to ask what it costs to send letters and postcards from German-speaking countries and how and where to buy stamps.

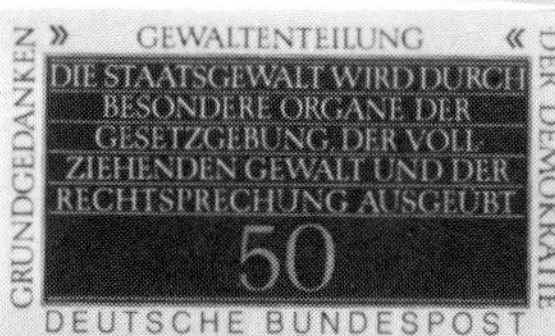

Aus welchen Ländern sind diese Briefmarken?

Frau Brauer ist auf der Post und schickt vier Briefe nach England.

,,Was kostet ein Brief nach England, bitte?"

,,Nach England. Achtzig Pfennig. Wieviele möchten Sie?"

,,Vier."

,,Also, vier Briefmarken zu achtzig Pfennig . . . das macht drei Mark zwanzig . . . . Danke."

,,Danke schön."

Lou schickt drei Postkarten. Sie kauft die Briefmarken und dann wirft sie die Postkarten ein.

,,Was kostet eine Postkarte nach Amerika?"

,,Neunzig Pfennig."

,,Drei Stück, bitte."

,,Drei Briefmarken zu neunzig . . . das macht zwei Mark siebzig, bitte . . . . Danke."

,,Danke schön."

Ulrich kauft Briefmarken.

„Vier Briefmarken zu achtzig Pfennig und eine zu einer Mark zwanzig, bitte."

„Vier Mark vierzig. Danke."

„Danke."

Man kann Briefmarken auch am Automaten kaufen. Hier wirft man ein Zehnpfennigstück und ein Fünfzigpfennigstück ein und dann bekommt man eine Briefmarke.

der Brief (-e)	*letter*
die Briefmarke (-n)	*stamp*
einwerfen (wirft ein)	*to post, to put in*
die Postkarte (-n)	*postcard*
schicken (schickt)	*to send*
zwei Stück	*two (stamps)*

Was kostet	ein Brief eine Postkarte	nach England?

Eine Briefmarke Zwei Briefmarken	zu	achtzig Pfennig, einer Mark zwanzig,	bitte.

Jetzt seid ihr dran!

1. Hör zu! ●
Trage die Tabelle in dein Heft ein!
Was schicken die Leute und wohin?
Was kaufen sie?

Wohin?	Was? (Brief? Postkarte?)	Preis?	Wieviele Briefmar
Bonn Leipzig Belgien Dänemark England Frankreich Italien Norwegen Spanien Süd-Afrika			

2. Du bist auf der Post und du kaufst diese Briefmarken. Was sagst du?

1.

2.

3.

4.

5.

6.

. Erfinde Dialoge mit einem Partner oder iner Partnerin! ●

'irst copy the table given below into your exercise ook and fill in the prices of the stamps as you vish. Then make up dialogues as follows:

:um Beispiel:

: Was kostet ein Brief nach England, bitte?
: Achtzig Pfennig.
: Drei Stück, bitte.

	Briefe	Postkarten
Belgien		
Dänemark		
England	–.80	
Frankreich		
Italien		
Österreich		
Schottland		
Schweden		

4. Du bist auf dem Postamt. Erfinde Dialoge und schreib sie auf!

Write out the dialogues that could take place if you were at the post office and wanted to post the following postcards and letters.

1.

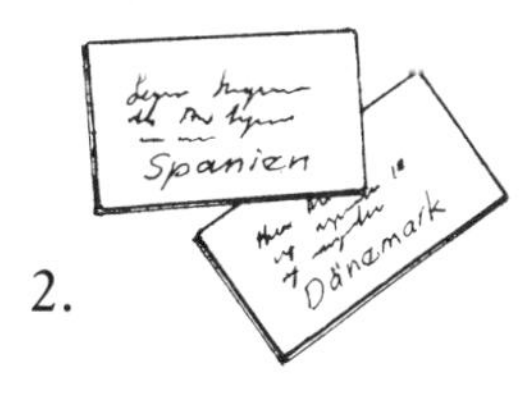

2.

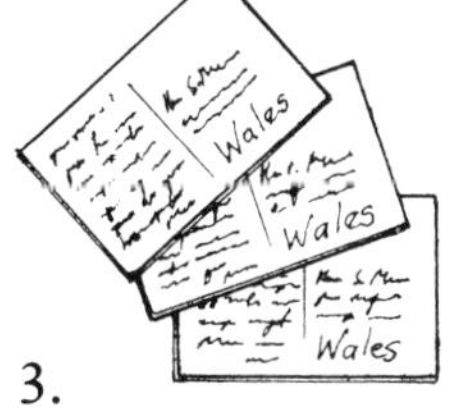

3.

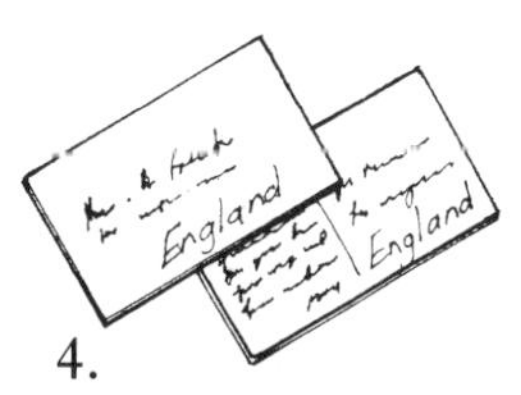

4.

Brauchst du etwas?

Barbara: Was machst du jetzt?
Stefan: Ich gehe zum Postamt. Ich brauche Briefmarken. Brauchst du welche?
Barbara: Ja. Drei zu sechzig Pfennig, bitte.
Stefan: OK.

Stefan schreibt alles auf.

1x 1,20DM
3x 0,80DM
4x 0,60DM

Was sagt er auf der Post?

Damit Briefmarkensammler Freude am Hobby haben:

Versandstellen für Postwertzeichen

Postfach 120950, 1000 Berlin 12
Postfach 2000, 6000 Frankfurt 1
Postfach 2000, 8480 Weiden

Post – der Partner für Ihr Hobby

Deutsche Bundespost

4 Postwertzeichen zu 10 Pf
2 Postwertzeichen zu 30 Pf
2 Postwertzeichen zu 50 Pf
Abgabepreis 2 DM

das Wertzeichen (–)
das Postwertzeichen (–) } *stamp (on notices and machines, etc)*

9

Einkaufen
Shopping

3 Postkarten 2.10

Sticker –.20

–.20 Kaugummi

Filzstift –.15

ERSTER TEIL

Was kostet das?
What does that cost?

This section is an introduction to shopping in German-speaking countries and explains how to ask what various items in a shop cost.

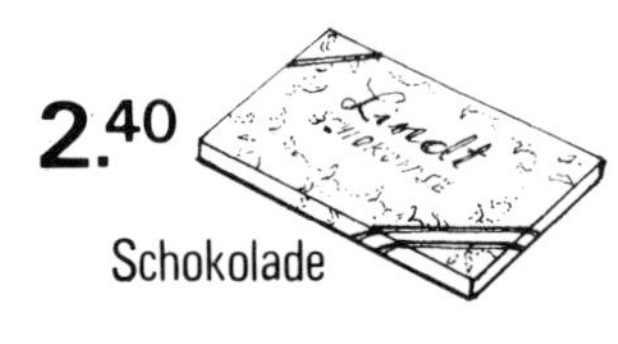

2.40 Schokolade

Farbfilm 14

2 x Kassetten 12.–

Notizbuch 1.60

Umschläge 2.80

Landkarte 6.50

Seife 1.–

2 x Kulis 2.20

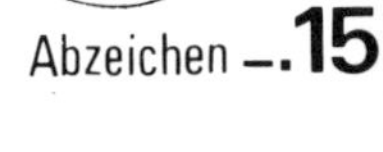

Abzeichen –.15

Zahnpasta 2.10

T-Shirt 8.–

Stadtplan 3.–

Bierkrug 18.–

Schwarzweißfilm 5.–

2.10 Schreibpapier

Fahrrad 375.–

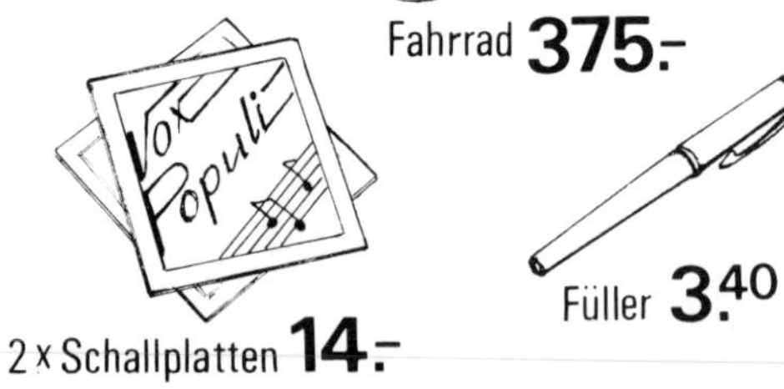

2 x Schallplatten 14.–

Füller 3.40

Fußballschuhe 23.–

Pullover 20.–

Kuli 3.–

Was kostet **der** Sticker? **Er** kostet . . . .
Was kostet **die** Landkarte? **Sie** kostet . . . .
Was kostet **das** Fahrrad? **Es** kostet . . . .
Was kosten **die** Umschläge? **Sie** kosten . . . .

der	die	das	die (Plural)
der Bierkrug	die Landkarte	das Abzeichen	die Fußballschuhe
der Farbfilm	die Postkarte	das Fahrrad	die Kassetten
der Filzstift	die Seife	das Notizbuch	die Kulis
der Film	die Tafel Schokolade	das Schreibpapier	die Schallplatten
der Füller	die Zahnpasta	das T-Shirt	die Umschläge
der Kaugummi			
der Kuli			
der Pullover			
der Stadtplan			
der Sticker (man sagt *Sticker*, wie auf Englisch)			

Florian und Silke sind in einem Geschäft. Sie sehen sich um.

,Was kosten die Abzeichen hier?"

,,Drei Mark."

,Was? So teuer?"

,,Die sind aber gut. Guck mal."

,Mm. Die T-Shirts sind auch teuer."

,,Dreißig Mark. Das ist aber viel! Gehen wir?"

,OK. Warte mal. Sieh mal hier, die Kassetten ind nicht so teuer. Neun Mark."

,,Das ist preiswert. Was gibt's?"

,,Guck mal. Diese hier ist gut. ,Die Bienen' sind darauf."

,,Ja? Die kauf' ich mir, wenn die nur neun Mark kostet."

Und Silke kauft die Kassette.

,Die Bienen'	*'The Bees'*
gucken (guckt)	*to look*
preiswert	*cheap, a bargain*
teuer	*expensive*
sich umsehen (sieht sich um)	*to look round*
wenn	*if*

Jetzt seid ihr dran!

1. Sieh mal die Bilder und die Preise auf Seiten 52 an!

Was kostet 1.–? Und 2.40? Und 18.–?
Und 0.20? Und 375.–? Und 2.10?
Und 14.–? Und 5.–? Und 3.40?

2. Frag einen Partner oder eine Partnerin, was alles kostet!

Zum Beispiel:
A: Was kostet der Stadtplan?
B: Er kostet drei Mark.
A: Was kosten die Kassetten?
B: Sie kosten zwölf Mark.

ZWEITER TEIL

Kann ich Ihnen helfen?
Can I help you?

This section teaches you how to ask for and buy various things in German shops.

1.

Inge ist zum ersten Mal in Mannheim. Sie braucht einen Stadtplan, also geht sie in ein Geschäft, um einen zu kaufen.

„Guten Tag. Kann ich Ihnen helfen?"

„Ja. Ich möchte einen Stadtplan."

„Sonst noch etwas?"

„Nein, danke."

„Sechs Mark fünfzig, bitte. . . . Danke schön."

„Danke.

„Auf Wiedersehen."

2.

Karl ist auf einem Campingplatz und hat keine Seife und Zahnpasta. Er geht in ein Geschäft, um sie zu kaufen.

„Grüß Gott. Was möchten Sie, bitte?"

„Ich möchte ein Stück Seife."

„Eine Mark zwanzig. Sonst noch etwas?"

„Ja. Eine Tube Zahnpasta, bitte."

„Also. Einc Mark zwanzig plus eine Mark fünfzig . . . zwei Mark siebzig, bitte. . . . Danke."

„Danke schön. Auf Wiedersehen."

„Auf Wiedersehen."

Morgen fährt Annette wieder nach England und sie sucht ein Geschenk für ihren Vater.

„Was möchten Sie, bitte?"

„Was kostet der Bierkrug?"

„Achtundzwanzig Mark."

„O! So viel. Das ist mir zu teuer. Danke schön. Auf Wiedersehen."

der Campingplatz (¨-e) *campsite*
das Geschenk (–e) *present*
um . . . zu . . . *in order to*
zum ersten Mal *for the first time*

Ich möchte	einen Film. eine Tafel Schokolade. ein Notizbuch.

Was kostet	das, der Stadtplan,	bitte?

Das ist mir zu teuer.

Ich möchte ...		
einen Bierkrug einen Film einen Filzstift einen Füller einen Kuli einen Pullover einen Stadtplan einen Sticker	eine Landkarte eine Packung Kaugummi eine Packung Umschläge eine Postkarte eine Tafel Schokolade eine Tube Zahnpasta	ein Abzeichen ein Notizbuch ein Stück Seife ein T-Shirt
die zwei Kassetten die zwei Kulis Schreibpapier		

Jetzt seid ihr dran!

1. Erfinde Dialoge mit einem Partner oder einer Partnerin!
Use the illustrations and the prices on page 52 to make shopping dialogues.

Zum Beispiel:
A: Kann ich Ihnen helfen?
B: Ja. Ich möchte einen Stadtplan, bitte.
A: Drei Mark, bitte.
B: Danke schön.

2. *You have just arrived in Germany and you find you need to buy a number of things. You want some soap, and you want to write home: a postcard will do, but you have lost your pen. You will also need a stamp, of course. You will also want to find your way round the town and to make some excursions, so you need a map too. Make a list of everything you need. How do you ask for them in the various shops?*

3. Übe Dialoge mit einem Partner oder einer Partnerin!

Zum Beispiel:
A: Was kostet die Kassette, bitte?
B: Neun Mark.
A: Danke. Das ist mir zu teuer.

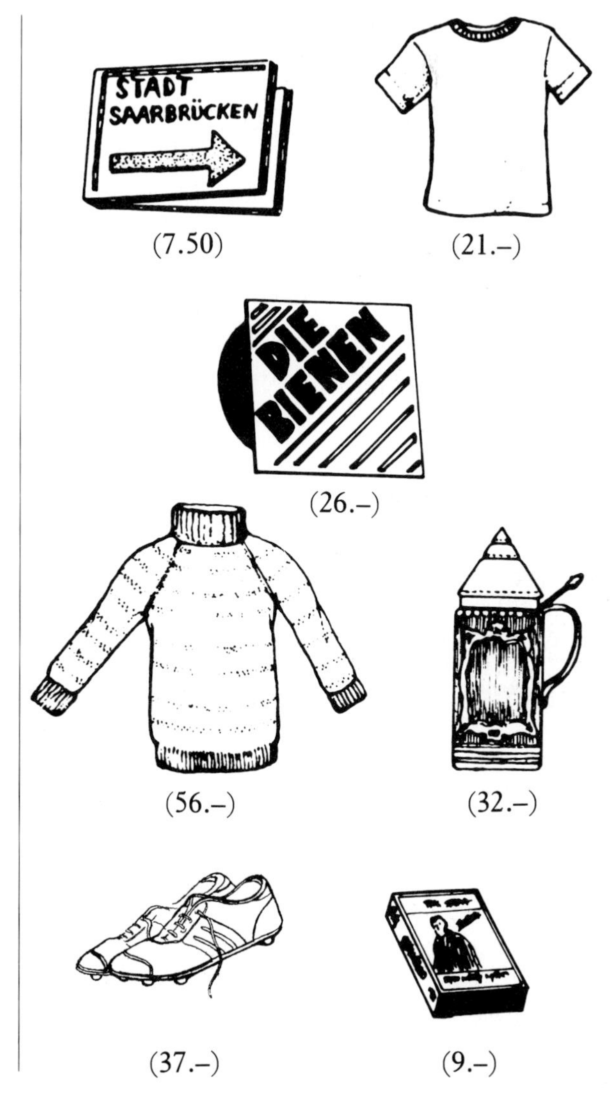

(7.50) (21.–)

(26.–)

(56.–) (32.–)

(37.–) (9.–)

4. „Was möchten Sie, bitte?“

„Ich möchte 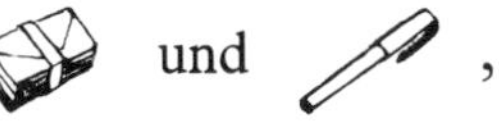 und , bitte.“

„Noch etwas?“

„Nein, danke.“

„Also, das macht 4.80 DM, bitte. Danke schön.“

Versucht mal!

Have a go! Make up the prices.

+ ? = sonst noch etwas?

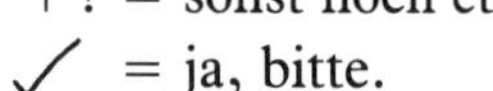 = ja, bitte.

× = nein, danke.

a. — Was möchten Sie, bitte?
— 
— + ?
— ×.
— . . . DM, bitte.

b. — Kann ich Ihnen helfen?
— 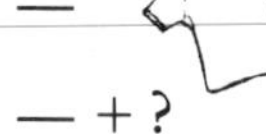
— + ?
— ×.
— . . . DM, bitte.

c. — Was möchten Sie, bitte?
— 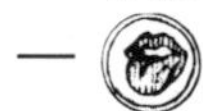.
— . . . bitte.

d. — Kann ich Ihnen helfen?
— .
— + ?
— 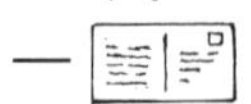.
— . . . DM, bitte.

e. — Was möchten Sie, bitte?
— .
— Was für einen Film möchten Sie? Einen 35 Millimeter?
— . . . .
— Schwarzweiß oder Farbfilm?
— . . . .
— Wieviele Bilder? 36 oder 20, bitte?
— . . . .
— + ?
— ×.
— . . . DM, bitte.

das Bild(-er) *picture*

5. Hör zu!
Was hätten sie gern als Geburtstagsgeschenk?
What would they like for a birthday present?

Auf dem Tonband hörst du Hans-Peter, Kirsten, Monika, Georg und Silvia.

Zum Beispiel:
Hans-Peter hätte den Schraubenschlüssel und ... gern.

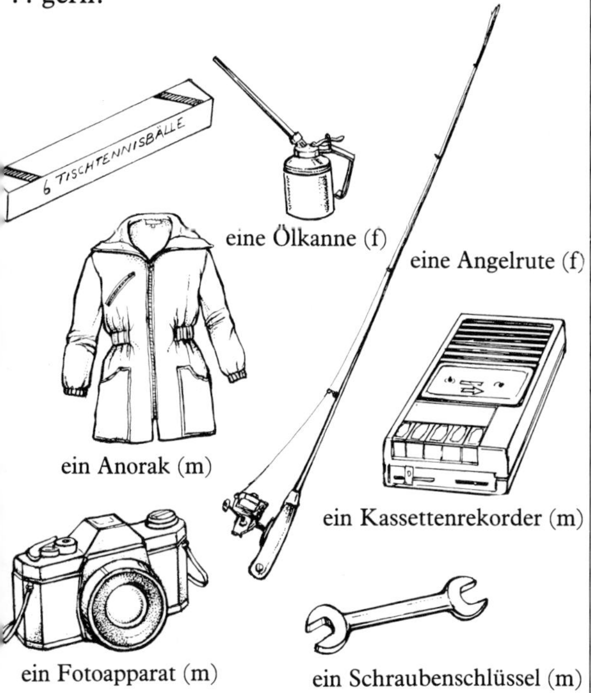

eine Ölkanne (f)
eine Angelrute (f)
ein Anorak (m)
ein Kassettenrekorder (m)
ein Fotoapparat (m)
ein Schraubenschlüssel (m)

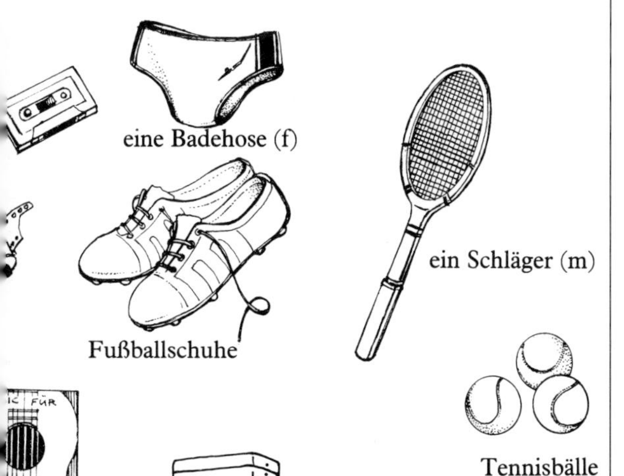

eine Badehose (f)
ein Schläger (m)
Fußballschuhe
Tennisbälle
eine Fahrradlampe (f)

DRITTER TEIL

Ich will ...
I want to ...

This section teaches you how to say what you want to do.

„Was machst du, Birgit?"

„Ich gehe in die Stadt. Ich will Umschläge und einen Kugelschreiber kaufen."

„Kannst du mir einen Schwarzweißfilm kaufen, bitte?"

„Sicher."

Umschläge
Film
Kuli

Birgit geht in die Stadt. Sie will Umschläge, einen Film und einen Kuli kaufen.

Ich will	einen Kuli ein Abzeichen	kaufen.
	in die Stadt zum Bahnhof	gehen.
	Tennis	spielen.

Jetzt seid ihr dran!

1. Was wollen diese Menschen kaufen?
What do these people want to buy? Here are their shopping lists.

1. 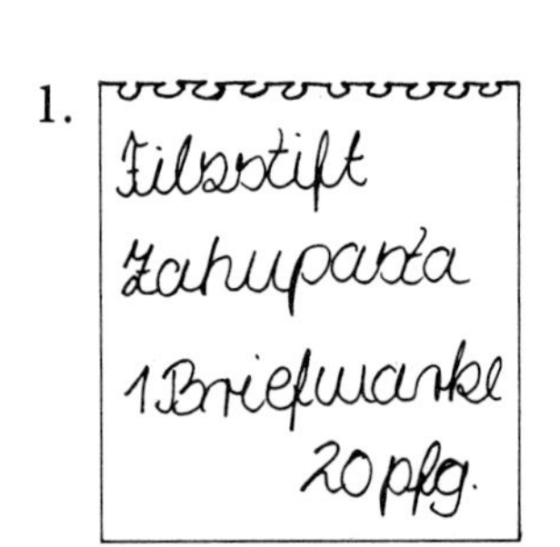

2. 

3. Schokolade
1 Film (s/w)
Stadtplan

4. 

2. Übe Dialoge mit einem Partner oder einer Partnerin!

A: Was machst du?
B: Ich gehe in die Stadt. Ich will einen Stadtplan kaufen.
A: Dann kauf' mir doch einen Kuli.
B: OK. Hast du das Geld da?

Practise similar dialogues using the following as alternatives to the underlined words:

zum Kaufhof zur Post auf den Markt
Schreibpapier einen Filzstift Briefmarken
eine Briefmarke (80 Pfg) eine Schallplatte
ein Notizbuch

3. Was wollen diese Leute machen?

a. 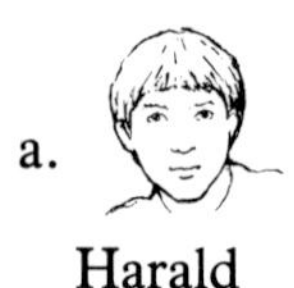 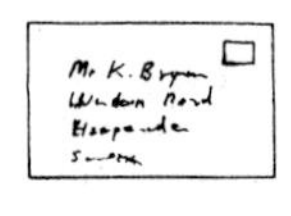 → England

Harald

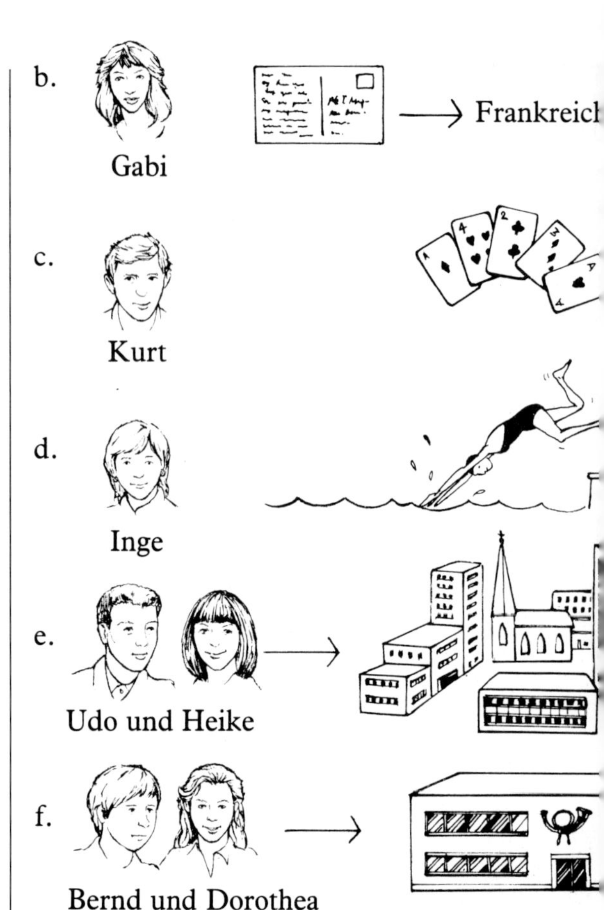

Konrad: Wohin gehst du, Martin?
Martin: Ich gehe in die Stadt. Ich will eine Landkarte kaufen. Brauchst du was?
Konrad: Ja. Kannst du mir Schreibpapier und Umschläge kaufen?
Martin: Sicher. Hast du das Geld da?

Martin will eine Landkarte kaufen, und Konrad braucht Schreibpapier und Umschläge. Martin geht in die Stadt und kauft alles im Kaufhaus.

wollen *to want to*

ich will
du willst
er will
sie will
es will
wir wollen
ihr wollt
Sie wollen
sie wollen

10

Etwas zu essen, etwas zu trinken.
Something to eat, something to drink.

ERSTER TEIL

Möchtest du eine Wurst?
Like a sausage?

This unit is about food and drink, and in this section you can learn how and where to get a snack in Germany.

In Germany it is easy to buy a snack at almost any time of the day because of the many hot food stalls and hot food counters there are. You never seem to have to go far to find one!

1.
2.

Hier kann man etwas essen.

3.

Hier kann man etwas trinken.

5. Schaschlik /Brot 3.40
6. Kartoffelsalat 1.50
8. ROST-
BRATWURST
9. FLORIDA BOY
ORANGE
Keine
Pommes
frites!
erfrischend ohne Kohlensäure
10. Bockwurst 1.80
Rostwurst 1.70
Curry-weis 2.00
Curry-Rot 2.10
Frikadelle 1.60
Schaschlik 2.80
Pom-frittes 1.40
Bier 1.60
11. PREISTAFEL
Pommes Frites ohne 1.60
Frikadelle 1.70
Pommes Frites mit 1.80
Rostwurst 1.80
Bockwurst 1.90
Curry Frikadelle 2.00
Curry Wurst 2.20
Fleischkäse geb. 2.90
Schaschlik 2.90
½ Hähnchen 4.60
Schweinebraten 6.00
Spaghetti Bolognese 3.80

Was kostet es?

,,Was möchten Sie, bitte?"

,,Einmal Schaschlik."

,,Mit Currysoße?"

,,Ja."

,,Zwei Mark zwanzig, bitte."

,,Was darf es sein?"

,,Zweimal Bockwurst, bitte."

,,Mit Senf?"

,,Nein, danke."

,,Drei Mark sechzig, bitte."

,,Was darf es sein?"

,,Pommes Frites, bitte."

,,Eine große oder eine kleine Portion?"

,,Eine große, bitte, mit Mayonnaise."

,,Eine Mark achtzig, bitte."

Einmal Zweimal	Bockwurst	mit Senf
	Pommes Frites	mit Mayonnaise
	Schaschlik	mit Currysoße

der Schnellimbiss, die Imbißstube } *snack bar*
der Senf *mustard*
die Soße *sauce*
die Wurst(¨e) *sausage*
ohne *without*

Jetzt seid ihr dran!

1. Hör zu!

Trage die Tabelle in dein Heft ein!

On the tape you will hear six customers giving their orders.

a. Listen to the tape and put ticks in the boxes for the number of things ordered, eg:
,,Zweimal Bockwurst." = ✓✓.

b. Listen to the tape a second time and put what each customer pays at the bottom of the column.

	1	2	3	4	5	6
Bockwurst						
Currywurst						
Jägerwurst						
Rostwurst						
Schaschlik						
Frikadelle						
Pommes Frites (groß)						
Pommes Frites (klein)						
Preis						

2. Du bestellst etwas.

Choose a different type of sausage each time.

a. 1 × + S

S, M, C } Soßen

b. 1 ×

O = ohne alles

c. 2 × +C

d. 3 × O

e. 1 × + M

f. 1 × 

g. 1 × 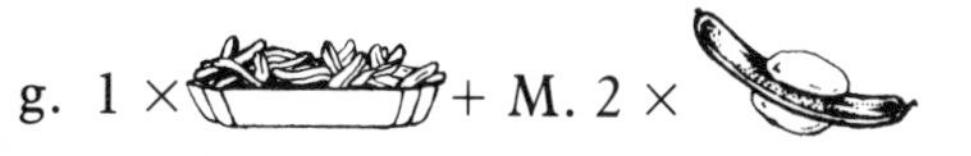 + M. 2 ×

h. 1 ×  1 ×

3. *Quick quiz*

Without looking up the answers can you:

a. name three types of place where you can get a snack?
b. name three types of sausage?
c. say what sometimes comes on a skewer or on a stick?
d. remember what you say when you don't want any sauces on your food?

4. Wer bezahlt?

Peter: Hast du Hunger, Dieter?
Dieter: Ja.
Peter: Ich auch. Ich hätte gern ein Schaschlik oder eine Currywurst. Ist hier in der Nähe eine Wurstbude?
Dieter: Ja, am Bahnhof.
Peter: Gehen wir dahin?
Dieter: Gut.

An der Wurstbude

Verkäuferin: Bitte schön?
Peter: Einmal Currywurst, bitte. . . . Danke.
Dieter: Und eine große Portion Pommes Frites, bitte.
Verkäuferin: Mit oder ohne?
Dieter: Mit. . . . Danke.
Verkäuferin: Vier Mark fünfzig, bitte.
Peter: Hör mal, Dieter. Kannst du bezahlen? Ich habe kein Geld mehr.
Dieter: OK.

Peter und Dieter haben Hunger. Sie wollen etwas essen und gehen zum Bahnhof, wo es eine Wurstbude gibt. Sie kaufen Currywurst und Pommes Frites mit Mayonnaise. Peter hat kein Geld und Dieter bezahlt.

bezahlen (bezahlt) *to pay*

einmal	zweimal	dreimal
viermal	. . . hundertmal	

Ich habe Hunger, Hunger, Hunger,
Habe Hunger, Hunger, Hunger,
Habe Hunger, Hunger, Hunger,
Habe Durst.

Wo bleibt das Essen, Essen, Essen,
Bleibt das Essen, Essen, Essen,
Bleibt das Essen, Essen, Essen,
Bleibt die Wurst?

ZWEITER TEIL

Hast du Durst?

Are you thirsty?

This section teaches you how to order something to drink in a Café.

Ingrid, Robert und Karl sind im Café. Es ist warm, sie haben Durst und sie bestellen etwas zu trinken.

Robert: Was möchtest du, Ingrid?
Ingrid: Ich hätte gern einen Tee mit Zitrone. Ein Glas.
Karl: Ich habe Durst. Ich trinke eine Limo.

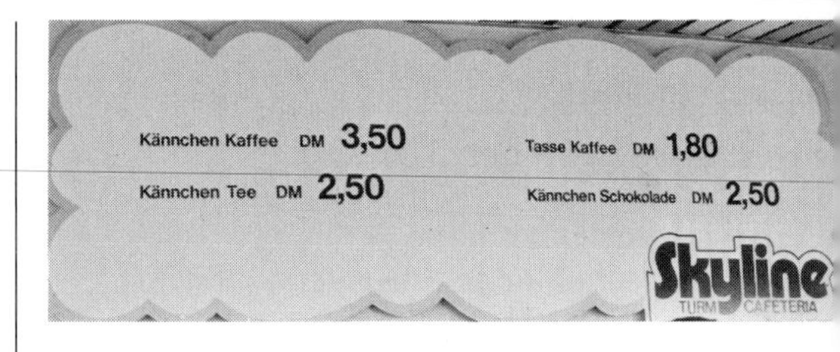

Robert: Und ich einen Kaffee. Herr Ober!
Der Kellner: Bitte schön?
Robert: Ein Glas Tee mit Zitrone, bitte. Eine Limonade und einen Kaffee.
Der Kellner: Eine Tasse oder ein Kännchen?
Robert: Eine Tasse, bitte.

bestellen (bestellt) *to order*
das Glas (¨er) *glass*
das Kännchen (–) *pot*
die Tasse (–n) *cup*

Ein Glas Bier, ein Glas Wein

Ich möchte	einen Tee mit Zitrone. einen Tee mit Milch.	Eine Tasse oder ein Kännchen? Ein Glas?
	einen Kaffee. eine Schokolade.	Eine Tasse oder ein Kännchen?
	einen Apfelsaft. einen Fruchtsaft. eine Limonade. eine Cola. ein Glas Bier. ein Glas Tee. ein Glas Wein. zwei Glas Apfelsaft. zwei Tassen Kaffee. zwei Kännchen Tee.	

Getränkekarte

Biere

Moravia Pils	1,80 DM
Holsten Pils	1,80 DM
Holsten Edel	1,50 DM

Alkoholfreie Getränke

Apfelsaft	1,50 DM
Hella Gold ohne Kohlensäure	1,50 DM
Hella Orange	1,30 DM
Hella Zitrone	1,30 DM
Coca Cola	1,30 DM
Selter	1,20 DM

Warme Getränke

1 Kännchen Kaffee	2,60 DM
1 Tasse Kaffee	1,30 DM
1 Kännchen Tee mit Zitrone	2,80 DM
1 Tasse Tee mit Zitrone	1,40 DM
1 Kännchen Tee	2,60 DM
1 Tasse Tee	1,30 DM

Jetzt seid ihr dran!

1. Hör zu!
Was bestellen diese Leute?

Copy the names of drinks from the Getränkekarte *given here into your book and draw five columns next to it with the following names at the top of the columns:*

Helena Jürgen Herr Pitz Maria Tobias.

Put a tick against what each person orders. How much does each one spend?

2. Jetzt könnt ihr bestellen!
Mit einem Partner als Kellner oder einer Partnerin als Kellnerin bestelle etwas zu trinken!

Zum Beispiel:
A: Bitte schön?
B: Ein Glas Tee mit Milch, bitte.
A: Danke. Ein Glas Tee mit Milch.

The waiter or waitress must repeat the order back each time, and if either of you does not quite hear what the other says, what do you say?

Here are the orders to be placed:

DRITTER TEIL

Hast du Hunger?
Are you hungry?

This section is about the custom of Kaffee und Kuchen *in German-speaking countries and teaches you how to order cakes and ice-creams in a* Café *or a* Konditorei.

In the German-speaking countries there is an enormous variety of types of cake and flan, and it is common for people to have a drink of tea or coffee with a piece of cake (and cream) in the afternoon. In fact, Kaffee und Kuchen *is quite an institution, both at home and in* Cafés.

The system of ordering a cake in a Café *may at first seem a little complicated. Read the first few lines here to see how it works.*

1.

In einer Konditorei verkauft man Kuchen, Bonbons, Pralinen, und so weiter. Viele Konditoreien haben auch ein Café, wo man Kuchen essen und Kaffee trinken kann.

Wenn man ein Stück Kuchen will, wählt man es vorne an der Theke aus. Dort bekommt man einen Zettel mit einer Nummer darauf. Dann geht man ins Café.

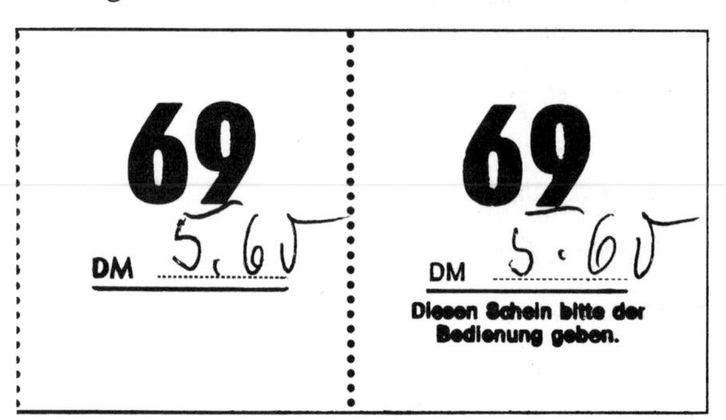

69
DM 5,60

69
DM 5,60
Diesen Schein bitte der Bedienung geben.

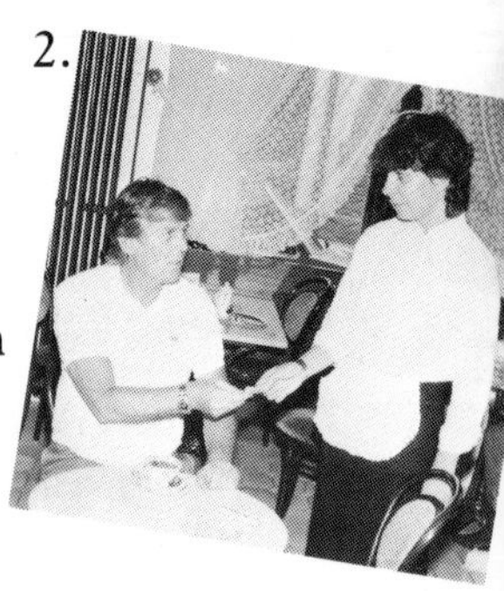

2.

Dann, wenn man Getränke bestellt, nimmt der Kellner oder die Kellnerin den Zettel und er oder sie bringt den Kuchen zum richtigen Tisch.

der Kuchen (–)	*cake*
nehmen (nimmt)	*to take*
die Pralinen	*chocolates*
die Theke (–n)	*counter*
auswählen (wählt aus)	*to select*
der Zettel (–)	*slip of paper, note*

3.

Gail ist in der Konditorei. Sie steht an der Theke und wählt ein Stück Kuchen aus.

„Was ist das, bitte?"

„Das ist eine Himbeertorte. Möchten Sie ein Stück?"

„Bitte."

„Mit Sahne?"

„Ja."

„Das ist Ihr Zettel. Der Kellner bringt den Kuchen."

„Danke schön."

„Bitte schön."

4.

5.

Peter will wissen, was es für Kuchen gibt. Er kennt die Namen nicht.

„Was für Kuchen haben Sie, bitte?"

„Oh . . . Käsekuchen hier und Apfelstrudel. Das hier ist Pflaumenkuchen. Diese hier sind Schwarzwälder Kirschtorte und Schokoladentorte."

„Ich nehme das, bitte."

„Das ist Schokoladentorte. Mit Sahne?"

„Nein, danke. Ohne Sahne."

„Da haben Sie Ihren Zettel."

„Danke schön."

6.

Vielleicht möchte man ein Eis essen. Es gibt natürlich viele Eissorten. John sitzt im Café und fragt den Kellner, was es für Eissorten gibt.

„Herr Ober!"

„Bitte schön?"

„Was für Eissorten haben Sie, bitte?"

„Wir haben Vanilleeis, Erdbeereis und gemischtes Eis."

„Ein gemischtes Eis und eine Limo, bitte."

„Das Eis mit Sahne?"

„Nein, danke."

7.

Kuchen und Gebäck

1 Stück Apfelkuchen	DM	2.-
1 Stück Käsekuchen	"	2.-
1 Stück Sahnetorte	"	2.20

Eisspezialitäten

Gem. Eis	DM	3.-
Gem. Eis mit Sahne	"	3.60
Früchtbecher Jet Star	"	4.50
Eis-Kaffee	"	3.-

das Eis	*ice-cream*
ein gemischtes Eis	*ice-cream of mixed flavours*
kennen (kennt)	*to know, be acquainted with*
die Sahne	*cream*
der Käsekuchen	*cheese-cake*
die Kirschtorte	*cherry flan*
die Himbeertorte	*raspberry flan*
der Pflaumenkuchen	*plum flan*
der Apfelstrudel	*apple roll*
das Erdbeereis	*strawberry ice*

Jetzt seid ihr dran!

1. Hör zu!
Was wollen diese Leute bestellen?
Listen to the tape, make notes and then write out the orders the people give to the waiter.

2. Setz die fehlenden Sätze ein!
Put in the missing sentences.

a. – Was möchtest du?
– . . . .
– Was für ein Eis?
– . . . .

b. – Hast du Hunger?
– . . . .
– Was möchtest du essen?
– . . . .

c. – Willst du etwas essen?
– . . . .
– Mit oder ohne Sahne?
– . . . .

d. – . . . .
– Wir haben Vanille, Himbeer, Pistazien und Nußeis.
– . . . .
– Danke.

e. – Möchtest du etwas trinken?
– . . . .
– Mit Zitrone?
– Nein, danke. Mit . . . .

3. Übt Dialoge, und benutzt diese Getränkekarte!

CAFÉ AM STADEN

Alkoholfreie Getränke

Mineralwasser 0,25 l.	DM 1.80
Limonade 0,25 l.	DM 1.65
Coca-Cola 0,2 l.	DM 1.65
Glas Orangensaft	DM 2.50
Glas Grapefruitsaft	DM 2.50
Kännchen Tee	DM 3.50
Kännchen Kaffee	DM 4.—

Alkoholische Getränke

Underberg 0,02 l.	DM 2.80
Alsbach 0,04 l.	DM 5.—
Flasche König Alt 0,35 l.	DM 2.50
Flasche König Pilsener 0,33 l.	DM 3.—
Glas Rotwein 0,2 l.	DM 2.30
Glas Weißwein 0,2 l.	DM 2.50
Glas franz. Roséwein 0,2 l.	DM 2.80

Preise inkl. MWSteuer und Bedienung

4. Mit einem Partner oder einer Partnerin
Imagine you are in a Café *with friends who don't speak German. What they would like is set out below, and you have to use the German you know to give their order to the waiter or waitress, who is played by your partner. After you have given the order to the waiter or waitress, he/she should repeat it back to check it with you. The waiter or waitress can make notes, of course.*

Order 1
– I'll have a coffee, I think, and one of those cheesecake things.
– And I'll have an apple juice and a vanilla ice-cream, please.
(Don't forget yourself when you place the order!)

Order 2
– I'd like a lemon tea and a bit of that, what is it . . . Kirschtorte . . . *?*
– I'm going to have an ice-cream, raspberry if they've got it, and a coke. I'm thirsty, aren't you?
(Yes you are, so order a long drink for yourself.)

Order 3
– I think I'll have a chocolate ice-cream and a coffee. I think I'll have cream with the ice too.
– I want a glass, no, a pot of tea, please, and an ice. Any sort, the mixed one will do.
(And what will you have?)

Order 4
– I want a vanilla ice-cream – with cream too. And a fruit juice.
– I'd like a bit of apple cake and a coffee.
(And what will you have this time?)

VIERTER TEIL

Zahlen, bitte!
The bill, please.

After eating and drinking in a Café *you have to pay, and this section explains how to ask for the bill.*

Frau Melchior, Hannelore und Lutz sind im Café.
Frau Melchior will zahlen.

„Fräulein!“

„Bitte?“

„Zahlen, bitte.“

„Das war?“

„Ein Kännchen Kaffee, eine Limonade und zwei Stück Schwarzwälder Kirschtorte.“

„Geht das zusammen oder getrennt?“

„Zusammen, bitte.“

„Also. Zehn Mark zwanzig, bitte.“

Sie bezahlt, und dann gehen sie nach Hause.

etzt seid ihr dran!

. Du bist im Café und du möchtest zahlen.

. Du: *(Call the waiter and say you want the bill.)*
Der Kellner: Geht das zusammen, bitte?
Du: *(Say you want separate bills.)*
Der Kellner: Was hatten Sie?
Du: *(Say you had one tea and a mixed ice, and one apple juice and a chocolate ice with cream.)*
Der Kellner: Vier Mark achtzig und drei Mark zehn, bitte.

. Du: *(Call the waitress.)*
Die Kellnerin: Was möchten Sie?
Du: *(Say you want to pay.)*
Die Kellnerin: Geht das zusammen oder getrennt?
Du: *(Say you want one bill.)*
Die Kellnerin: Was hatten Sie?
Du: *(Say you had one lemonade, a coffee and a coke, one strawberry ice and a piece of cheesecake.)*
Die Kellnerin: Das macht neun Mark dreißig, bitte.

. Zum Lesen
1artin ist sechzehn. Er wohnt in der Nähe von aarbrücken und er hat zwei Geschwister. Sie eißen Ingrid und Peter. Heute fahren sie alle 1 die Stadt.

1artin will eine Landkarte kaufen, Peter sucht in neues T-Shirt und Ingrid will eine Kassette on Reinhardt Ingo kaufen. Dann wollen sie lle schwimmen gehen.

Gehen wir zum Kaufhof," sagt Martin. Dort kann man alles kaufen."

Peter kauft ein T-Shirt zu acht Mark, und Martin findet eine gute Landkarte. Es gibt aber keine Kassetten von Reinhardt Ingo im Kaufhof.

Im Schwimmbad gibt es ein Café, und sie bestellen Cola und Kuchen. Nach dem Schwimmen haben sie alle Hunger.

heute	*today*
nach dem Schwimmen	*after swimming*

Stefan und Karla sind in der Stadt. Stefan will Briefmarken kaufen und geht zur Post. Dann gehen sie zum Sportgeschäft, wo Karla einen Tennisschläger kauft.

„Hast du Durst?" fragt Karla.
„Ja. Gehen wir zum Café Heyne."

Im Café lesen sie die Karte.

„Ich trinke eine Limo."
„Und ich hätte gern einen Tee."

Karla bestellt. Sie ißt auch ein gemischtes Eis.

essen *to eat*

ich esse
du ißt
er ißt
sie ißt
wir essen
ihr esst
Sie essen
sie essen

11

Mit dem Bus, mit der Straßenbahn oder mit der U-Bahn?
By bus, tram or underground?

ERSTER TEIL

Fahrkarten
Tickets

This unit concerns travelling by public transport, and in this section you can learn how and where to buy tickets.

Wo kauft man eine Fahrkarte?

Man kauft sie im Bus am Automaten oder an der Bude.

Dann muß man die Fahrkarte entwerten. Wo?

Am Entwerter im Bus, in der Straßenbahn oder auf der Straße.

Vergiß nicht!

FAHRAUSWEISE
BITTE
SELBST ENTWERTEN

In der U-Bahn kauft man eine Fahrkarte (oder einen Fahrausweis) am Automaten.

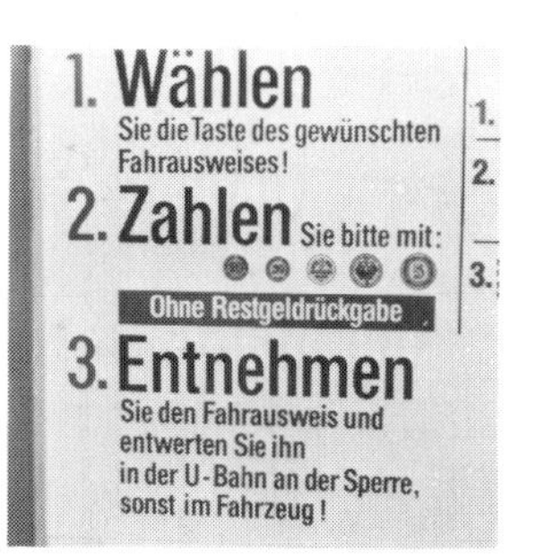

1. Wählen
Sie die Taste des gewünschten Fahrausweises!
2. Zahlen Sie bitte mit:
Ohne Restgeldrückgabe
3. Entnehmen
Sie den Fahrausweis und entwerten Sie ihn in der U-Bahn an der Sperre, sonst im Fahrzeug!

Man muß die richtige Fahrkarte wählen und dann kauft man sie.

Vergiß nicht!

FAHRSCHEINE VORHER KAUFEN UND HIER ENTWERTEN

Jetzt seid ihr dran!

1. Fahrkarten . . . Fahrausweise . . . Fahrscheine

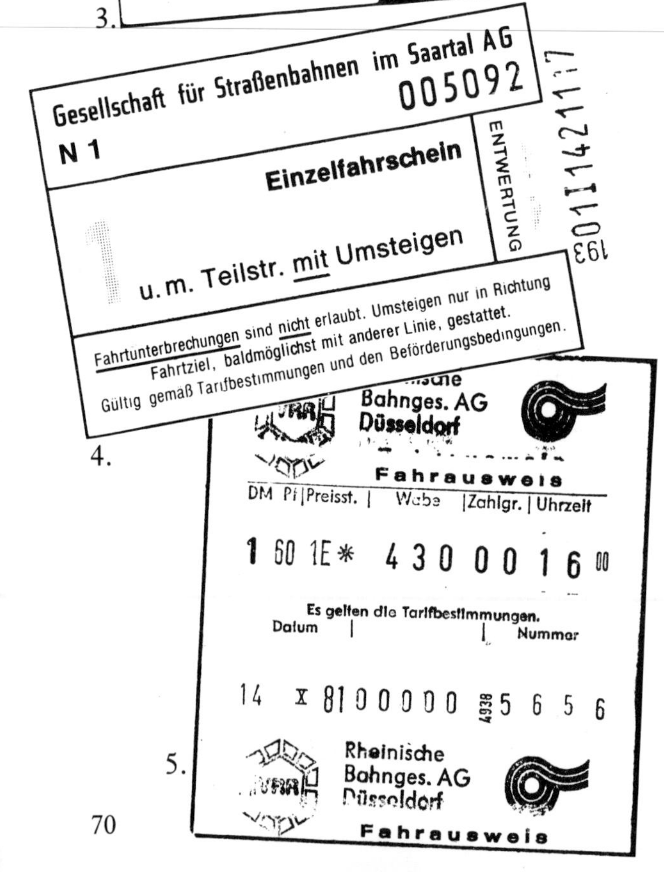

a. *In which towns were tickets 1, 3 and 5 bought?*

b. *Have all the tickets been used?*

c. *Look at ticket 3. What time was the person using this travelling?*

d. *Look at ticket 5. On what date was someone in Düsseldorf?*

e. *How much did ticket 2 cost?*

f. *What instructions are there on ticket 2?*

g. *Which ticket enables you to make a maximum of two journeys?*

h. *Which ticket is **not** a bus or a tram ticket?*

i. *Which ticket is the best value for money, and why?*

ZWEITER TEIL

Wie fährt man am besten zum Bahnhof, bitte?

How do you get to the station, please?

This section teaches you how to find out which form of public transport it is best to use to go to a particular place.

1.

Diese Leute sind in der Stadt. Sie sind hier fremd und sie wollen irgendwohin fahren. Sie fragen, wie sie am besten dorthin kommen können.

„Entschuldigung. Wie fährt man am besten zum Bahnhof?“

„Also, zum Bahnhof. . . . Fahren Sie am besten mit dem Bus. Mit der Linie 5.“

2.

3.

„Guten Tag. Mit welcher Linie fährt man zum Schloßplatz, bitte?“

„Fahren Sie mit der Linie 3. Richtung Neumaden.“

„Entschuldigung. Wie fahre ich am besten zur Uni? Mit der U-Bahn oder mit der Straßenbahn?“

„Fahren Sie entweder mit der Straßenbahn Linie 2 oder mit der U-Bahn.“

4.

„Wie komme ich am besten nach Völklingen, bitte?“

„Fahren Sie mit dem Bus. Die Haltestelle ist dort drüben.“

Wie	fahre ich fährt man komme ich	am besten	zum Bahnhof, zur Universität, nach Völklingen,	bitte?

Fahre Fahren Sie	mit dem Bus. mit der Straßenbahn. mit der U-Bahn. mit der Linie 5. entweder mit dem Bus oder mit der U-Bahn.

Jetzt seid ihr dran!

1. Hör zu!

Trage folgendes in dein Heft ein! Hör das Band an und zeichne die Bus-, Straßenbahn- und U-Bahnstrecken ein!
Listen to the tape and draw in the bus, tram and underground routes.

• Flughafen

Schloß •

Universität •

Dom •

• Stadion

Schwimmbad •

Arnweiler

• Zoo

Bieland

der Flughafen
der Zoo
der Dom
die Universität

2. Mit einem Partner oder einer Partnerin

a. „Wie fährt man am besten , bitte?"

„Fahren Sie 5."

b. „Wie komme ich am besten DB, bitte?"

„Fahren Sie  oder ."

c. „Wie fahre ich PLÖN, bitte?"

„Fahren Sie 17."

d. „Wie fährt man am besten , bitte?"

„Fahren Sie 3."

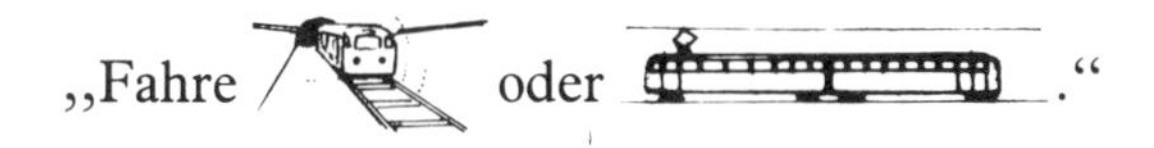

. „Dieter, wie fahre ich ORST, bitte?"

„Fahre oder ."

. „Petra, wie fahre ich am besten , bitte?"

„Fahre oder ."

:. „Lutz, ich möchte  fahren.
Wie komme ich am besten dahin?"

„Fahre ②."

. Stell einem Partner oder einer Partnerin
'ragen!
*Vork with a partner and put questions to each
ther.*

*'ou are trying to find your way to the following
laces in town:*

zum	zur	nach
'lughafen	Galerie	Neumaden
'heater	Jugendherberge	Lönz
'ilsiterplatz	Universität	Brebach
)om		Emsweiler
.andtag		
₹athaus		
nformationsbüro		
₹rankenhaus		
·chloß		
·chwimmbad		

*'ou ask your partner how to get to these places
nd he/she gives you the information by consulting
he map on page 148. Make a note of the
'irections you are given and, after five questions,
heck to see that you have understood correctly and
hat your partner has given you the right
'irections. Take turns asking the questions.*

Here is an example of the sort of dialogue you could have:

A: Wie fährt man am besten zum Schwimmbad, bitte?

B: Fahre entweder mit der Straßenbahn Linie 21 oder mit der U-Bahn.

A: Danke.

DRITTER TEIL

Wo ist die nächste Haltestelle?

Where's the nearest stop?

This section teaches you how to ask where the nearest stop or station is.

Sabine ist auf Urlaub und sie will in die Stadt fahren. Sie fragt, wo die nächste Haltestelle ist.

„Entschuldigung. Ich möchte zur Stadtmitte fahren. Wo ist die nächste Haltestelle, bitte?"

„Sie ist da. An der Post."

„Danke schön."

1.

Herr Brenner ist in Frankfurt und möchte zum Flughafen fahren.

„Ist hier in der Nähe eine U-Bahnstation, bitte?"

„Ja. Gehen Sie gleich hier um die Ecke. Sie ist in der Holzhausenstraße."

2.

Ralf besucht seinen Freund und sucht die Linie 8.

„Guten Tag. Ich möchte mit der Linie 8 fahren. Wo ist die nächste Haltestelle, bitte?"

„Am Hauptbahnhof ist eine."

3.

Wo ist die nächste	Haltestelle, U-Bahnstation,	bitte?

Sie ist	am Bahnhof am Dom am Landtag am Ilseplatz	an der Brücke an der Galerie an der Kirche an der Post an der Schule	am Café Hauke am Informationsbüro am Kino am Krankenhaus am Schloß am Schwimmbad am Stadion am Theater am Verkehrsamt

Jetzt seid ihr dran!

1. Hör zu!

Wo befinden sich die Haltestellen und die U-Bahnstationen?

Trage die Tabelle in dein Heft ein!

Put a tick in the right box to show where the stop or station is.

Haltestelle	Bus	Straßenbahn	U-Bahn
an der Schule			
am Dom			
an der Brücke			
am Schloßplatz			
an der Post			
am Bahnhof			
an der Kirche			
am Stadion			

2. Sieh dir den Stadtplan auf Seite 75 an! Stell einem Partner oder einer Partnerin Fragen!

Zum Beispiel:

A: Du bist am Jugendklub. Wo ist die nächste Haltestelle (U-Bahnstation)?

B: Sie ist an der Schule.

Du bist

am Stadion	am Café Denne
an der Brücke	am Theater
am Landtag	am Kino
am Schloß	am Hallenbad
an der Ampel	an der Jugendherberge

3. Übe Dialoge mit einem Partner oder einer Partnerin!

Zum Beispiel:

A: Wo ist die nächste Haltestelle, bitte?

B: Wohin möchtest (willst) du fahren?

A: Ich möchte (will) zum Dom.

B: Dann ist die Haltestelle an der Brücke.

Richtung	Haltestelle
Dom	Brücke
Stadtmitte	Schloß
Flughafen	Galerie
Schwimmbad	Post
Berliner Platz	Kaufhaus
Hauptpost	Schloß
Brebach	Rathaus
Völklingen	Jugendherberge

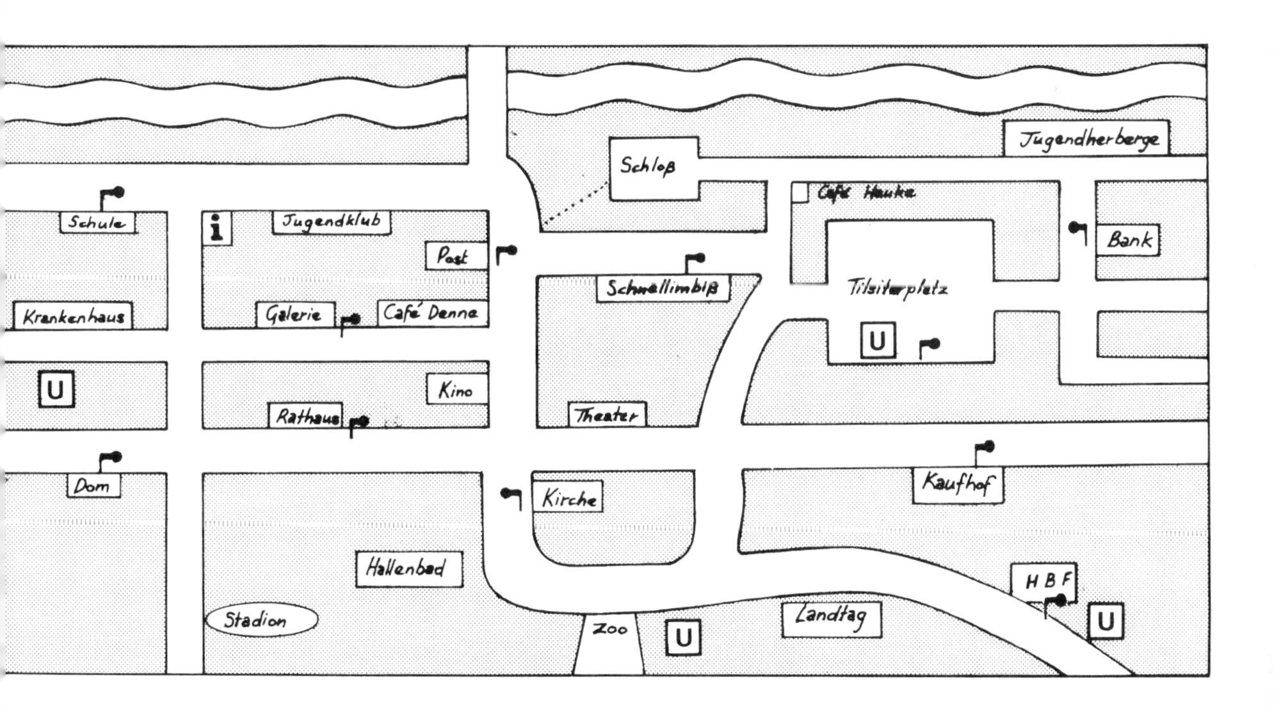

VIERTER TEIL

Einmal nach Malstatt, bitte.
Single to Malstatt, please.

This section is about buying a ticket on the bus, explaining where you want to go and asking where you should get off in order to get there.

Zwei Freunde gehen schwimmen. Sie wissen aber nicht, wo sie aussteigen müssen.

„Zweimal nach Fechingen, bitte."

„Zwei Mark achtzig. . . . Danke."

„Wir gehen schwimmen. Können wir am Schwimmbad aussteigen?"

„Nein. Sie steigen am Bahnhof aus. Das ist ganz in der Nähe."

Hier sucht ein Tourist das Informationsbüro.

„Ich will zum Informationsbüro. Kann ich dort aussteigen?"

„Nein. Da gibt es keine Haltestelle. Am besten steigen Sie am Bahnhof aus."

aussteigen (steigt aus) *to alight, to get off*

Ich möchte Wir möchten	zum Bahnhof zur Galerie	fahren.

Kann ich Können wir Kann man	dort aussteigen?

Steigen Sie	am Schwimmbad an der Kirche	aus.

Jetzt seid ihr dran!

1. Hör zu!

Wohin fahren diese Leute und wo steigen sie aus?

2. *The illustrations below show where you are trying to go. How do you:*
a: say where you are going;
b: ask if you can get off there?

3. Sieh dir den Stadtplan auf Seite 75 mit einem Partner oder einer Partnerin an. Übt Dialoge!
Imagine that you are with a friend and you are asking advice about where you should get off the bus. One of you puts the question and the other gives the busdriver's answer. Take turns to do this.

The one who asks the question should not look at the map at the time of asking the question. Once you have your answer, check to see if you have understood correctly.

Zum Beispiel:
A: Wir möchten zum Krankenhaus. Können wir dort aussteigen?
B: Nein. Steigen Sie an der Galerie aus.
A: An der Galerie. Danke.

i

Prepositions

An *is a preposition which is mostly followed by the Dative. If you are saying where something* **is** *and you are using the preposition* **an** *then you use the Dative. For example:*

Wo ist die Haltestelle?	Sie ist an der Galerie. Sie ist am Rathaus.
Wo ist Richard?	Er ist an der Haltestelle.
Wo ist Barbara?	Sie ist an der Wurstbude.

In *behaves in the same way.*

Wo ist Frieda?	Sie ist im Café.
Wo ist der Entwerter?	Er ist in der Straßenbahn. Er ist im Bus.
Wo liegt Pinneberg?	Es liegt in der Nähe von Hamburg.

Auf *behaves in the same way too.*

Wo ist der Automat?	Er ist auf der Straße.
Wo ist Klaus?	Er ist auf der Post. Er ist auf dem Postamt.
Wo ist die Bank?	Sie ist auf der rechten Seite.

Wir fahren . . .		
zum Jugendklub zum Landtag	zur Jugendherberge	zum Café Denne zum Café Hauke zum Hallenbad zum Informationsbüro zum Kino zum Schloß zum Stadion zum Theater

4. Zum Lesen
Gerd spricht mit seinem Bruder Erich.

„Ich fahre nach Saarbrücken."

„Warum?"

„Ich möchte mir einige Kassetten kaufen."

„Du kannst das aber hier machen."

„Nein. In der Stadt ist die Auswahl besser."

„OK. Kannst du dann etwas für mich kaufen?"

„Ja. Sicher. Was?"

„Ich brauche Tischtennisbälle für den Jugendklub. Kannst du mir zwei Schachteln kaufen?"

„Hast du das Geld da?"

„Was kosten denn zwei Schachteln?"

„Ich weiß nicht. Gib mir einen Zwanzigmarkschein."

„OK. Danke."

die Auswahl *choice*
die Schachtel (-n) *little box*

Gerd will nach Saarbrücken fahren. Er kann seine Kassetten im Kaufhaus kaufen. Er fährt mit dem Bus und er steigt am Rathaus aus. Er kann nicht am Kaufhaus aussteigen: dort gibt es eine Baustelle mit Umleitung.

Er kauft die Kassetten und die Tischtennisbälle für seinen Bruder. Dann geht er zum Café Schubert, wo er seine Freundin Barbara sieht. Er bestellt einen Kaffee.

„Kommst du heute zum Jugendklub?"

„Nein. Ich kann nicht. Ich habe einfach zu viel zu tun. Ich muß heute arbeiten."

die Baustelle *road works*
einfach *simply*
die Umleitung *diversion*

können *to be able to*

ich kann
du kannst
er kann
sie kann
es kann
wir können
ihr könnt
Sie können
sie können

können wollen möchten

Sie **können** am Bahnhof **aussteigen**.
Ich **möchte** ein Stück Käsekuchen **essen**.
Er **will** nach Saarbrücken **fahren**.

12

Wenn es regnet, wie gehst du zur Schule?

When it's raining, how do you get to school?

ERSTER TEIL

Gehst du immer zu Fuß?

Do you always go on foot?

This unit is about travel and weather; this section introduces you to the various forms of transport and teaches you how to ask which one people use in order to go to work or school.

Fährst du . . .

. . . mit dem Mofa?

. . . mit dem Wagen?

. . . mit dem Rad?

. . mit der Eisenbahn?

Oder gehst du zu Fuß?

Und wie oft fährst du mit dem Bus?

Ich fahre jeden Tag mit dem Schulbus. Immer mit dem Bus.

1.

Ich fahre meistens mit dem Bus. Ab und zu fahre ich mit dem Rad.

2.

Ich fahre nie mit dem Bus. Meine Schule ist ganz in der Nähe und ich gehe immer zu Fuß.

3.

Ich fahre meistens mit der Straßenbahn, aber ab und zu – vielleicht einmal die Woche – fahre ich mit dem Wagen.

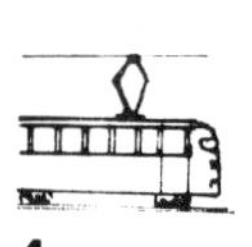

4.

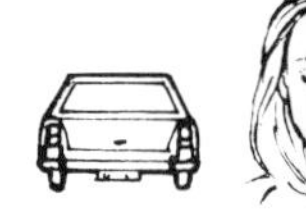

<table>
<tr><td>Ich fahre</td><td rowspan="2">jeden Tag
immer
meistens
ab und zu
nie</td><td>mit dem Bus.</td></tr>
<tr><td>Ich gehe</td><td>zu Fuß.</td></tr>
</table>

etzt seid ihr dran!

. Hör zu!
Vie fahren diese Jungen und Mädchen zur chule?
'rage die Tabelle in dein Heft ein!

Name	immer	meistens	ab und zu	nie
Gerd				
Sabine				
Gabi				
Horst				
Erich				
Karl				

= Bus E = Eisenbahn S = Straßenbahn
= Fuß M = Mofa R = Rad U = U-Bahn
/ = Wagen

etzt schreib sechs Sätze!
'ow write six sentences, one about each person.

um Beispiel:
Gerd fährt . . . .
orsicht! Gehen oder fahren?

. *How would these people describe their way of etting to work or to school?*
orsicht! Gehen oder fahren?

ZWEITER TEIL

Spielt das Wetter eine Rolle?

Does the weather affect things?

This section is about weather and how it affects what form of transport people use to go to work or school.

Wie gehst du zur Schule . . .

. . . wenn es regnet?

. . . wenn es schneit?

. . . wenn es sonnig ist?

. . . wenn es nebelig ist?

. . . wenn es windig ist?

. . . wenn das Wetter schön ist?

. . . wenn das Wetter schlecht ist?

Name	nie	ab und zu	meistens	immer
Christoph 				
Eva 				
Gudrun 				
Ulrich 				

Der Wennsatz

Wenn es regnet, fahre ich mit dem Bus.
Wenn das Wetter schön ist, gehe ich zu Fuß.

Jetzt seid ihr dran!

1. Hör zu!

On the tape people say how they travel to work or school in various weathers. How would the people travel if the weather were as follows?

Name	Wetter	Wie?
Frau Fell	Es regnet	
Herr Volkner	Die Sonne scheint	
Herr Forster	Es schneit	
Frau Gerber	Es regnet stark	
Lutz	Es regnet	
Frau Lauterbach	Es ist kalt aber sehr schön	
Herr Norheimer	Es schneit	
Frau Paulus	Es regnet	

2. Wie kommen diese Jungen und Mädchen zur Schule?

Zum Beispiel:
„Wenn das Wetter schön ist, gehe ich zu Fuß, aber wenn es regnet, fahre ich mit dem Bus."

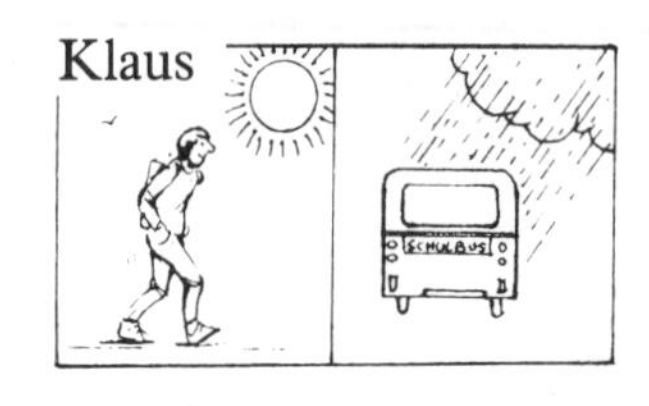

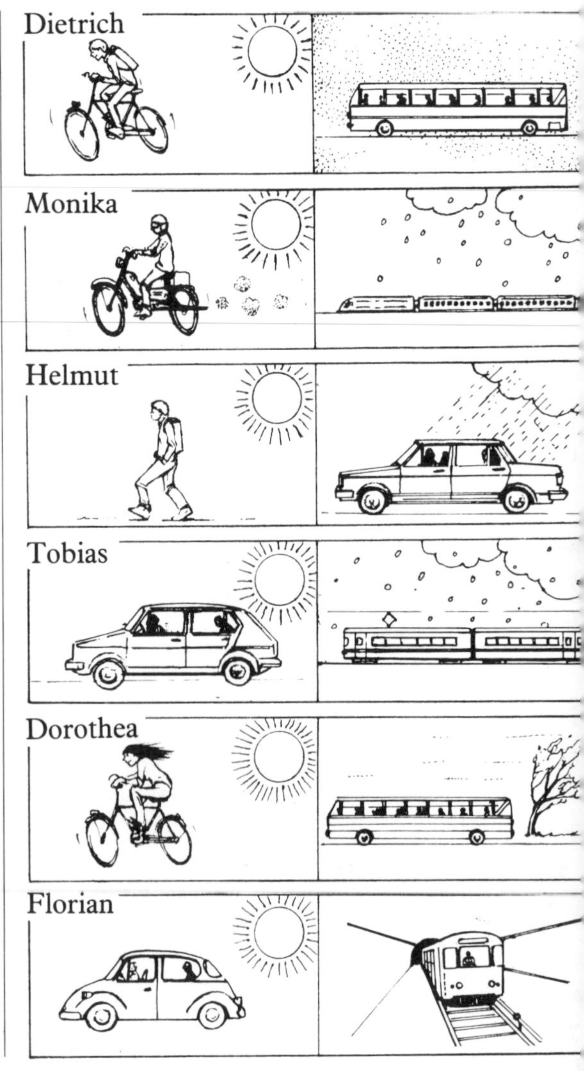

RITTER TEIL

er Wetterbericht

he weather forecast

his section teaches you how to understand erman weather forecasts.

Temperaturen heute früh, 10 Uhr

Frankfurt	10	Regen
Stuttgart	9	bedeckt
München	11	bedeckt
Berlin	7	heiter
Hamburg	5	heiter
Köln	11	bedeckt
Paris	11	Regen
London	9	bedeckt
Rom	21	bedeckt
Moskau	8	bedeckt
Nizza	17	wolkig
Genf	8	bedeckt

ie Deutschen messen die Temperatur ır in Grad Celsius. Anders Celsius 701–44) war Professor an der niversität von Uppsala in Schweden.)

Das Wetter

Regnerisch

Stark bewölkt bis bedeckt und zum Teil länger andauernder Regen.

WETTER: Ende des Dauerregens

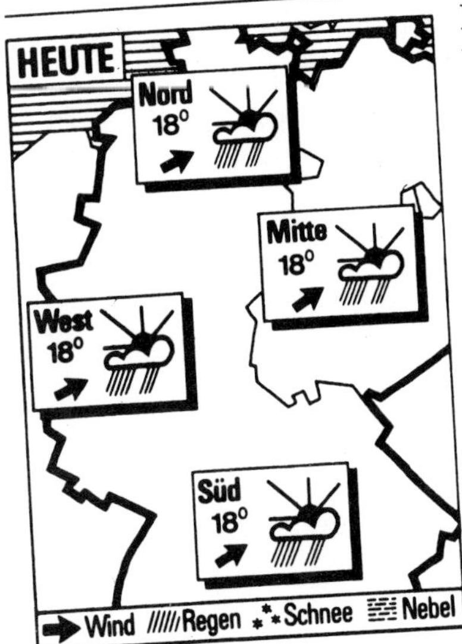

Es gibt Schauer überall – Sonne und Regen.
Im Norden und im Süden beträgt die Temperatur 18 Grad.
Der Wind kommt von Südwesten.
Es gibt keinen Nebel und keinen Schnee.

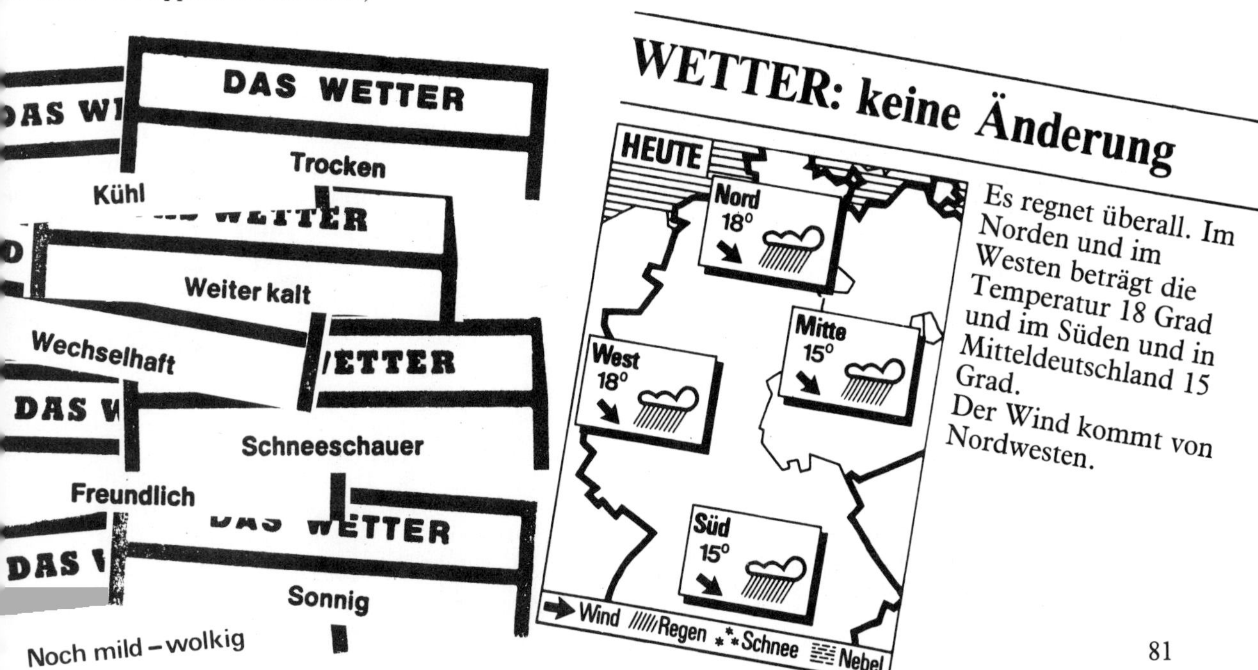

WETTER: keine Änderung

Es regnet überall. Im Norden und im Westen beträgt die Temperatur 18 Grad und im Süden und in Mitteldeutschland 15 Grad.
Der Wind kommt von Nordwesten.

Jetzt seid ihr dran!

1. Mach Kopien der Landkarte auf Seite 81 und trage die Informationen aus den Wetterberichten ein! ●

a. Im Norden und in Mitteldeutschland sonnig. Die Temperatur beträgt 4 Grad. Im Westen Ostwind. Regnerisch. Die Temperatur beträgt 4 Grad. Im Süden Schneeschauer. Wind von Nordosten. Die Temperatur beträgt minus 1 Grad.

b. Im Norden Regen. Die Temperatur beträgt 12 Grad. Im Westen und in Mitteldeutschland regnerisch mit Nebel. Die Temperatur beträgt 14 Grad. Im Süden Schauer. Die Temperatur beträgt 14 Grad. Überall Westwind.

2. [Kassette] Hör zu! ●
Internationaler Wetterbericht.

a. *Make a copy of these lists. Write in the temperatures given in the forecast. Then listen to the tape again and join the type of weather to the appropriate place with a line.*

Ort	Temperaturen	Wetter
London		bedeckt
Rom		heiter
Moskau		wolkig
Nizza		Regen
Paris		Schneefall
Wien		heiter
Spanien } Norden		sonnig
Portugal } Süden		Regen
Österreich } Norden		Schauer
Schweiz } Süden		bedeckt

b. Jetzt schreib Sätze!
Write a sentence about each place.

Zum Beispiel:
In London gibt es Regen.
In Nizza ist es heiter.
In Spanien im Norden . . .

der Norden	der Nebel	die Sonne
der Süden	der Schnee	die Wolke
der Osten	der Regen	die Temperatur
der Westen	der Wind	die Mitte

3. Zum Lesen

In der Woche . . .

Werner Glauben arbeitet als Kellner im Kaufhofcafé. Er wohnt in Dudweiler und fährt mit dem Bus in die Stadt. Er steigt am Rathaus aus und dann geht er zu Fuß zum Kaufhof. Ab und zu fährt er mit dem Wagen. Dann parkt er immer im Parkhaus beim Kaufhof. Dort kann er immer einen Parkplatz finden.

Dorothea Wiese arbeitet als Sekretärin beim Stahlwerk. Bei gutem Wetter fährt sie mit dem Mofa. Aber wenn es regnet, fährt sie mit dem Bus. Sie steigt direkt am Stahlwerk aus. Das ist sehr praktisch.

Dieter Lorsch ist Bademeister im Hallenbad Fechingen. Oft muß er am Wochenende arbeiten. Er braucht keinen Wagen. Er wohnt in der Stadtmitte und fährt mit der Linie 1 nach Fechingen. Ab und zu fährt er mit seinem Freund. Seine Arbeit ist nicht schwer, und er kann schwimmen so oft er will.

m Wochenende . . .

ertha BSC
chlägt Schalke

1:1
München 60 gegen Osnabrück

1:0
Kassel schlägt Hannover

3:1
Hertha schlägt Schalke

5:2
Offenbach schlägt Solingen

3:1
Köln schlägt Fürth

2:0
SC Freiburg schlägt Worms

eute spielt FC Saarbrücken am Stadion udwigspark gegen Schalke 04. Gerd und orothea gehen zum Spiel. Sie fahren zuerst ur Stadtmitte und dann fahren sie mit der inie 23 zum Stadion weiter. Die intrittskarten haben sie schon. Das Spiel ist icht besonders gut. Auch ist es kalt und es egnet. Nach dem Spiel gehen sie mit anderen ans zum Café, wo sie über das Spiel iskutieren. Es war kein gutes Spiel, und sie nd alle enttäuscht.
Nächste Woche komme ich nicht," sagt erd.

die Eintrittskarte(-n)	*entrance ticket*
enttäuscht	*disappointed*
schon	*already*
zuerst	*at first*

Word order
Look at the sentences given below in which there are similarities in the word order. What can you say about the word order as far as the verb in each sentence is concerned?

Wie komme ich am besten zum Schloß?
Wie fährt man nach Gießen?
Dann gehen sie zum Kaufhaus.
Heute spielt er gegen Manfred.
Dort kann man alles kaufen.
Im Schwimmbad gibt es ein Café.
Die Eintrittskarten haben sie schon.
Nach dem Schwimmen haben sie alle Hunger.
An der Brücke ist eine Haltestelle.

There are other examples of this word order in the passages in Exercise 3. Look through the passages to identify them. When you have studied the passages, see if you can work out what the rule about word order is in cases like these.

Die Bundesländer

Schleswig-Holstein

Schleswig-Holstein hat ungefähr 2 600 000 Einwohner und liegt im Norden an der dänischen Grenze. Es ist ein sehr flaches Land ohne Berge und mit wenigen Hügeln. Man findet hier keine großen Wälder wie im Süden. Die Landwirtschaft ist sehr wichtig, und der Besucher sieht Vieh und Schafe auf den Feldern.

about · *border* · *flat* · *mountains* · *few hills* · *woods* · *as* · *agriculture* · *important* · *visitor* · *cattle* · *sheep*

Da das Land zwei Meeresküsten hat – eine Küste an der Nordsee und eine an der Ostsee – sind Fischerei und Tourismus wichtige Industrien. Es gibt auch elektrotechnische Industrien, und das Land hat viel Öl und Gas. Der größte Fluß ist die Elbe. Kiel, am östlichen Ende des Nord-Ostsee-Kanals, ist die Hauptstadt. Es ist auch eine Seglerstadt.

sea-coasts

Die alten Bauernhäuser und die Kirchen in diesem Lande sind sehr groß.

farmhouses

Ierr Mextorf ist aus Schleswig-Holstein und vohnt in der Nähe von Husum.

Er ist Seemann und arbeitet auf einem kleinen, lten Schiff. Das Schiff heißt ‚Halle-Sand'.

Viele Leute verbringen die Ferien hier in Norddeutschland, und im Sommer macht Herr Mextorf jeden Tag drei Fahrten von Nordstrand aus. Die lange Fahrt kostet 1.–DM.

Venn man Hunger oder Durst hat, kann man ine Wurst oder Getränke auf dem Schiff aufen.

Die Touristen wollen die Seehunde sehen. Die Seehunde spielen und schlafen auf den Seebänken.

Herr Mextorf arbeitet im Winter nicht, weil es keine Touristen gibt. Er ist 69 Jahre alt und war früher Krabbenfischer. In der Nordsee gibt es viele Krabben, und die Leute hier essen gern Krabben und Fisch.

weil *because*

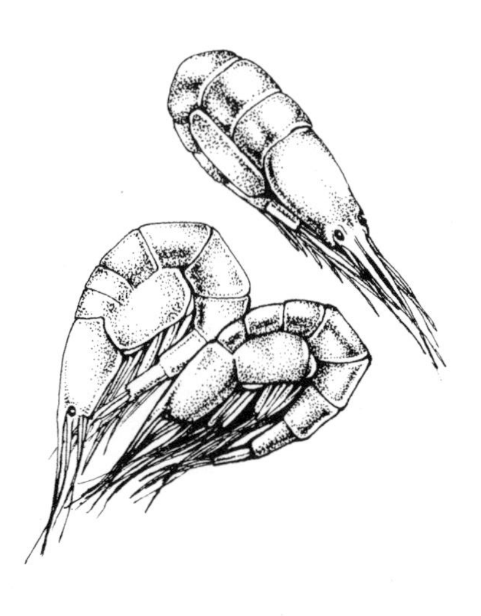

13

Die Bahn
The railway

SAARBRÜCKEN HBF

ERSTER TEIL

Auf dem Bahnhof
On the station

This unit is about travel by train, and this section teaches you how to read the various signs and notices to be found in a German railway station.

1. 2. 3.

5.

ZU DEN GLEISEN

7.

Wo finde ich den Zug?

ZWEITER TEIL

Wann fährt der nächste Zug?

When does the next train go?

This section teaches you how to find out when the next train to a certain place leaves, when it arrives at its destination and which platform it leaves from.

Diese Leute warten bei der Reiseauskunft auf dem Hamburger Hauptbahnhof.

Die erste an der Reihe ist Andrea. Sie bittet um eine Auskunft. Nächste Woche fährt sie nach Genf, und sie will wissen, um wieviel Uhr sie am besten fährt. Sie bekommt die Information und dann stellt sie noch eine Frage. Sie möchte heute nach Aachen fahren. Wann fährt der nächste Zug?

„Ich will heute nach Aachen fahren. Wann fährt der nächste Zug?"

„Der nächste fährt um 15.42 auf Gleis 5."

„Um wieviel Uhr kommt er in Aachen an, bitte?"

„Um 18.21."

„Danke."

„Bitte schön."

Sie geht auf den Bahnsteig, wo sie auf den Zug wartet.

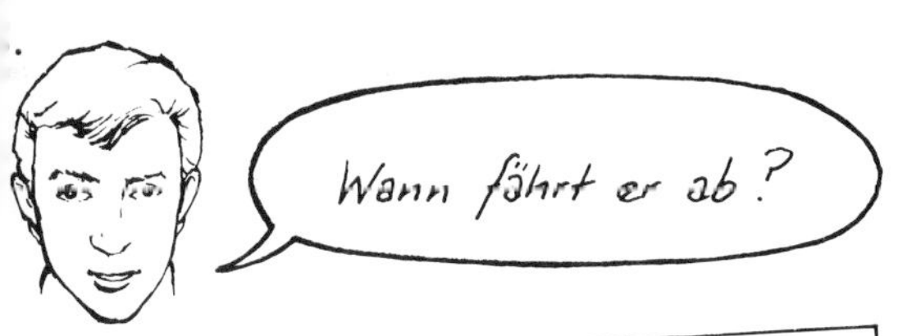

258

nkfurt (Main) - Mainz -
d Kreuznach -
iserslautern - Saarbrücken -
rbach - Metz - Paris

Die Deutsche Bundesbahn wünscht Ihnen eine angenehme Reise!

Die zweite an der Reihe ist Frau Behrens. Sie stellt einige Fragen über eine Reise in die Schweiz, die sie im August machen will. Dann fragt sie, wann der nächste Zug nach Köln fährt.

„Ich möchte gerade nach Köln fahren. Wann fährt der nächste Zug?"

„Er fährt um 12.46."

„Wo fährt er ab, bitte?"

„Auf Gleis 3."

„Danke sehr."

„Bitte schön."

der Bahnsteig (–e) *platform*
eine Frage stellen *to put a question*
(stellt eine Frage)
das Gleis (–e) *track*
an der Reihe *in the row*

Wann fährt der nächste Zug nach . . . ?
Wann kommt er in . . . an?
Wo fährt er ab?
Um wieviel Uhr fährt er ab?
Um wieviel Uhr kommt er an?

Jetzt seid ihr dran!

1. Hör zu!
Trage den Fahrplan in dein Heft ein!
Schreib die Abfahrts- und Ankunftszeiten und die Gleisnummern auf!

ABFAHRT	IN RICHTUNG	ANKUNFT	GLEIS
	Köln		
	Bayreuth		
	Flensburg		
	Ulm		

2. Stell einem Partner oder einer Partnerin di folgenden Fragen und gib Antworten!

ABFAHRT	IN RICHTUNG	ANKUNFT	GLEIS
02.34	Düsseldorf	04.02	4
16.35	Bremerhaven	17.50	18
13.02	Genf	14.45	6
21.15	Saarbrücken	22.49	5

a. Wann fährt der nächste Zug nach Düsseldorf? Um wieviel Uhr kommt er an?
b. Wo fährt der Zug nach Genf ab?
c. Wann fährt der nächste Zug nach Saarbrücken?
d. Wann kommt der Zug nach Bremerhaven an? Wo fährt er ab?
e. Wann kommt der Zug nach Genf an?

Könnt ihr jetzt noch andere Fragen aneinande stellen?

3. Mit einem Partner oder einer Partnerin
One of you copies the timetable given below into his/her book and the other copies the timetable on page 94. Neither of you has all the information: i is divided between you. Without looking at your partner's timetable, ask questions about the trains in order to be able to fill in the part of your timetable that is missing.

ABFAHRT	IN RICHTUNG	ANKUNFT	GLEIS
15.25	Hamburg	16.54	5
13.40	Berlin	20.36	2
	Dortmund		
	Hameln		

4. *Make up a timetable with two destinations on it and all other necessary details. Give the destinations* ***only*** *to your partner who has to ask questions to find out all the other details.*

bitten um + ***accusative***
warten auf + ***accusative***

Zum Beispiel:
Sie bittet um eine Auskunft.
Sie wartet auf ihren Freund.

DRITTER TEIL

Wo kauft man Fahrkarten?
Where do you buy tickets?

This section explains how and where to buy a train ticket.

Man kann Fahrkarten am Automaten . . .

. . . oder am Fahrkartenschalter kaufen.

Was macht dieser junge Mann?

Was macht dieser Herr?

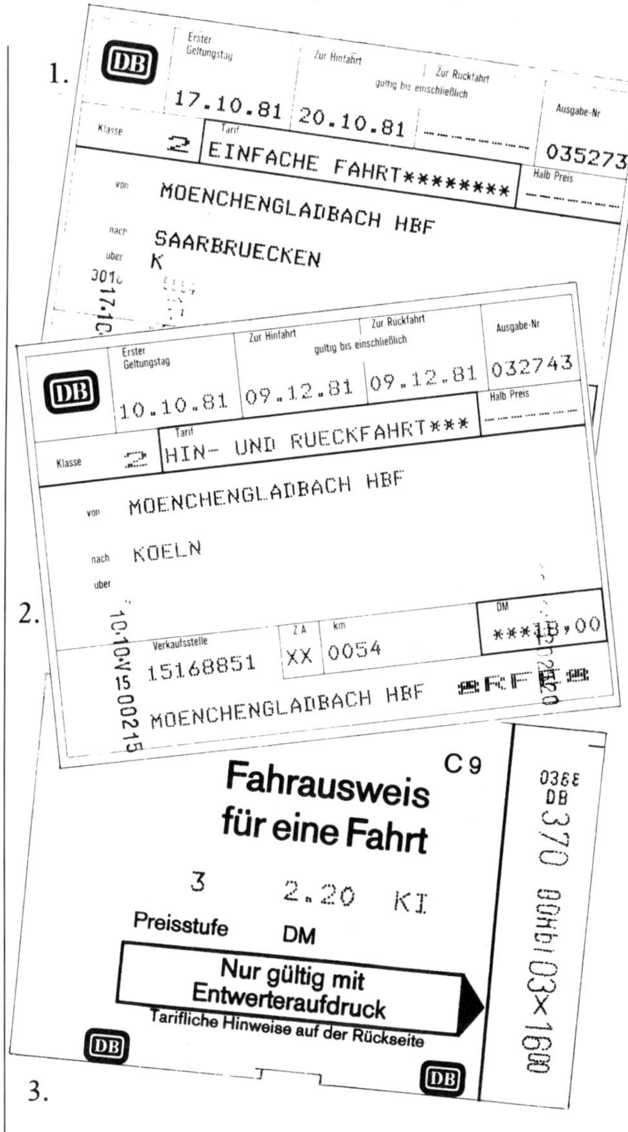

Man kauft eine einfache Fahrkarte . . .

einfach

. . . oder eine Rückfahrkarte.

hin und zurück

Klaus will nach Osnabrück fahren.

,,Einmal nach Osnabrück, einfach, bitte."

,,Vier Mark zwanzig, bitte."

,,Danke schön."

,,Bitte."

1.

2.

Claudia und Mark wollen nach Husum fahren. Sie kommen heute abend zurück. Was für Fahrkarten kaufen sie?

,,Zweimal nach Husum, bitte. Hin und zurück."

,,Fünfzehn Mark sechzig, bitte."

,,Danke schön."

,,Bitte sehr."

Maria steht am Schalter. Kauft sie eine einfache Fahrkarte oder eine Rückfahrkarte?

,,Nach Bremen, bitte."

,,Einfach oder hin und zurück?"

,,Einfach, bitte."

,,Acht Mark."

,,Danke."

,,Bitte."

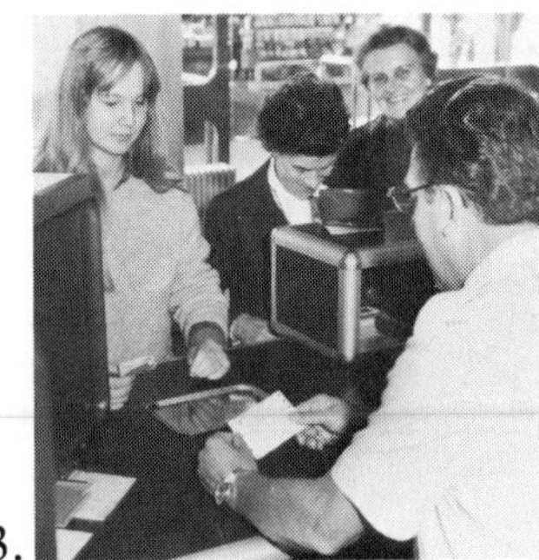

3.

Einmal Zweimal	nach ...	einfach. hin und zurück.

Jetzt seid ihr dran!

1. Übe Dialoge mit einem Partner oder einer Partnerin!

On a small station you can get information at the ticket office. Using the cue cards below, practise dialogues with your partner as shown in this example.

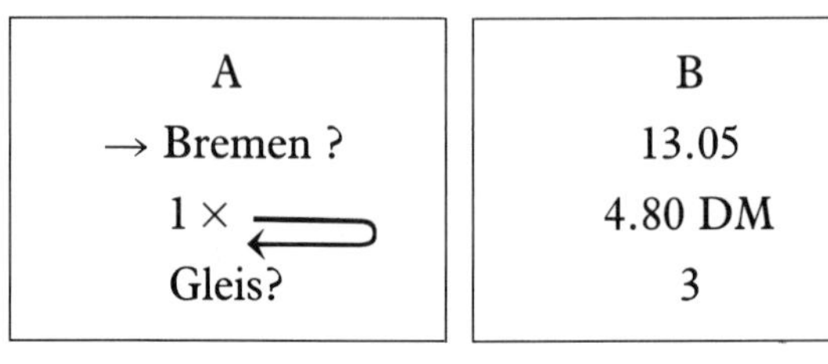

A
→ Bremen ?
1 ×
Gleis?
B
13.05
4.80 DM
3

,,Entschuldigung. Wann fährt der nächste Zug nach Bremen, bitte?"

,,Um dreizehn Uhr fünf."

,,Einmal hin und zurück, bitte."

,,Vier Mark achtzig."

,,Wo fährt er ab, bitte?"

,,Auf Gleis 3."

,,Danke."

,,Bitte."

A	B
→ Saarbrücken ?	15.08
2 × →	14.00 DM
Gleis?	4

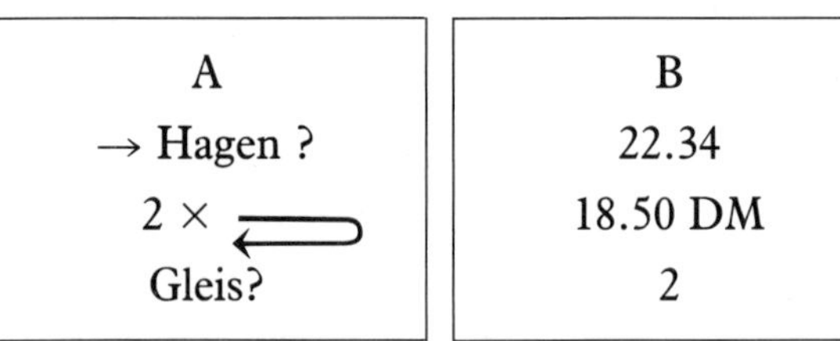

A	B
→ Ulm ?	16.50
1 × →	22.40 DM
Gleis?	8

Make up more cue cards along the same lines.

IERTER TEIL

ahrpläne
imetables

his section explains how to understand the formation given on the timetables in German ailway stations.

aarbrücken Hbf

Départ **Abfahrt** **Departure**

Abfahrt der Busse siehe besonderen Aushang

Zeit	Zug-Nr.	in Richtung	Gleis
13 Uhr			
X 13.03	3223	Sulzbach 13.15 · Neunkirchen 13.33 · Idar Oberstein 14.30 · Bad Kreuznach 15.20 Bingerbrück 15.43 ab St. Wendel als E-Zug	19
! 13.11	D 860	Saarlouis 13.24 · Merzig 13.36 Trier 14.13 → (D Koblenz 15.43) Hält nicht in Völklingen	12 a/b
13.12	5747	St. Ingbert 13.28 · Homburg 13.45 · Kaiserslautern 14.21	3
13.18	5832	Völklingen 13.29 ⑥ 2. Kl	11 ⑥ und † 1
X 13.23	4229	St. Ingbert 13.40 · Bierbach 14.11 · Zweibrücken 14.20 1)	8
X 13.31	4061	Brebach 13.37 Saargemünd 13.56 1)	6
X 13.32 außer ⑥	4854	Völklingen 13.43 · Saarlouis 13.55 · Merzig 14.12 · Saarhölzbach 14.23	1
⑥ 13.32	4854	Völklingen 13.43 · Saarlouis 13.55 · Merzig 14.12 · Trier 15.06 1)	1
X 13.32	4353	Sulzbach 13.43 · Neunkirchen 13.59 · St. Wendel 14.19 · Türkismühle 14.37 1)	3
13.34	E 895	Landau 15.06 · Karlsruhe 15.48 · Stuttgart 17.13 · Ulm 18.25 · Augsburg 19.17 München 19.57 X außer ⑥ = Ab Karlsruhe als D-Zug	5
X 13.38	4645	Wemmetsweiler 14.00 → (Lebach 14.27) · ⑥ = 1) Neunkirchen 14.10 X außer ⑥ =	17
! 13.47	D 257	Homburg 14.06 · Kaiserslautern 14.26 · Mannheim 15.09 → (IC Basel 16.46) → (IC München 19.10) → (IC Hamburg 21.09) Frankfurt (M) 16.22	5
X 13.56 außer ⑥	5749	St. Ingbert 14.11 · Kirkel 14.20 · Homburg 14.28 1)	4

Zeichenerklärung:

! vor der Abfahrtzeit = zuschlagpflichtiger Zug
IC Intercity-Zug mit besonderem Komfort
(IC Zuschlag erforderlich, Platzreservierung unentgeltlich)
D = Schnellzug (zu Fahrausweisen bis 50 km sowie zu Streckenzeitkarten ist Schnellzugzuschlag erforderlich).
E = Eilzug
ohne Buchstaben = Zug des Nahverkehrs
† = an Sonn- und allgemeinen Feiertagen
Als allgemeine Feiertage gelten: Neujahr, Karfreitag, Ostermontag, 1. Mai, Christi Himmelfahrt, Pfingstmontag, 17. Juni, Bußtag, 1. und 2. Weihnachtsfeiertag. Im Saarland auch: Fronleichnam, Maria Himmelfahrt, Allerheiligen.

X = an Werktagen
① = Montag
② = Dienstag
③ = Mittwoch
④ = Donnerstag
⑤ = Freitag
⑥ = Samstag
⑦ = Sonntag
X außer ⑥ = werktags außer samstags
täglich außer ⑥ = täglich außer samstags
X auß. vor † = werktags außer vor Sonn-und Feiertagen
= durchlaufende Wagen (Kurswagen)
X = Speisewagen
= Büffetwagen
= Speisen und Getränke im Zug erhältlich
= Schlafwagen
= Liegewagen 2. Klasse
(Liegewagen 1. oder 1.2. Klasse sind besonders gekennzeichnet)

Züge und Kurswagen ohne Angabe der Wagenklasse fuhren 1. und 2. Klasse.
Änderung der angegebenen Gleise aus betrieblichen Grunden vorbehalten.
Nachdruck mit Genehmigung der Bundesbahndirektion Saarbrücken gestattet.

(Die Werktage sind Montag, Dienstag, Mittwoch, Donnerstag, Freitag und Samstag. Sonntag ist kein Werktag. In Norddeutschland sagt man ‚Sonnabend' und nicht ‚Samstag'.)

Jetzt seid ihr dran!

1. Sieh dir den Fahrplan an! Sind folgende Sätze richtig oder falsch?

a. Der Zug um 13.03 fährt nicht an Werktagen.
b. Der E 895 fährt um 13.36 ab.
c. Der Zug um 13.23 fährt nach Zweibrücken.
d. Der 4353 nach Türkismühle kommt in Neunkirchen um 14.58 an.
e. Der Zug um 13.32 nach Trier fährt am Sonntag.
f. Der Zug um 13.56 fährt auf Gleis 6 ab.

2. *Look at the timetable and answer these questions.*

a. *Which train runs only on Saturdays?*
b. *Which trains do not run at weekends?*
c. *Which trains are fast trains?*
d. *If you wanted to go to* Basel *where would you change?*
e. *What is an* IC *?*

außer *except for*
täglich *daily*

Arrivée **Ankunft** Arrival

Zeit	Zug-Nr.	aus Richtung	Gleis
		23 Uhr	
⚒ 23.00 außer ⑥	4898	Homburg 22.29 Kirkel 22.36 · St. Ingbert 22.44	21
⑥ 23.00	5794	Homburg 22.29 Kirkel 22.36 · St. Ingbert 22.44	19
⚒ 23.02	4396	Türkismühle 21.59 St. Wendel 22.16 · Neunkirchen 22.37 · Sulzbach 22.52	1
† 23.02	4396	St. Wendel 22.16 Neunkirchen 22.37 · Sulzbach 22.52 2. Kl	1
▮ 23.31	D 354	Berlin Friedrichstraße 12.37 Berlin Zoo 13.01 · Bebra 18.40 · Frankfurt 20.40 · Mannheim 21.45 · Kaiserslautern 22.46 · Heidelberg 21.55 1., 2.	12 a/b
▮⑥ 23.54	D 1719	Paris Est 19.51 Metz 22.58 · Forbach 23.47	4
23.56	E 3718	Koblenz 21.09 Trier 22.36 · Merzig 23.18 · Saarlouis 23.33 · Völklingen 23.45	5
▮ 23.58	IC 594 Saar-Kurier	München 18.43 Augsburg 19.14 · Stuttgart 21.03 · Mannheim 22.30 · Kaiserslautern 23.19 2. Kl Klagenfurt 19.52	✕ 3
Am 5.VI. und 15.VIII. Verkehr wie †			

Zeichenerklärung:

▮ vor der Abfahrtzeit = **zuschlagpflichtiger Zug**
IC **Intercity-Zug mit besonderem Komfort**
(IC Zuschlag erforderlich, Platzreservierung unentgeltlich)
D = **Schnellzug** (zu Fahrausweisen bis 50 km sowie zu Streckenzeitkarten ist Schnellzugzuschlag erforderlich).
E = **Eilzug**
ohne Buchstaben = Zug des Nahverkehrs
† = **an Sonn- und allgemeinen Feiertagen**
Als allgemeine Feiertage gelten: Neujahr, Karfreitag, Ostermontag, 1. Mai, Christi Himmelfahrt, Pfingstmontag, 17. Juni, Bußtag, 1. und 2. Weihnachtsfeiertag. Im Saarland auch: Fronleichnam. Maria Himmelfahrt, Allerheiligen.

⚒ = **an Werktagen**
① = **Montag**
② = **Dienstag**
③ = **Mittwoch**
④ = **Donnerstag**
⑤ = **Freitag**
⑥ = **Samstag**
⑦ = **Sonntag**
⚒ außer ⑥ = **werktags außer samstags**
täglich außer ⑥ = **täglich außer samstags**
⚒ auß. vor † = **werktags außer vor Sonn-und Feiertagen**
= **durchlaufende Wagen (Kurswagen)**
✕ = **Speisewagen**
= **Büffetwagen**
= **Speisen und Getränke im Zug erhältlich**
= **Schlafwagen**
= **Liegewagen 2. Klasse**
(Liegewagen 1. oder 1.2, Klasse sind besonders gekennzeichnet)

Züge und Kurswagen ohne Angabe der Wagenklasse fuhren 1. und 2. Klasse.
Änderung der angegebenen Gleise aus betrieblichen Gründen vorbehalten.
Nachdruck mit Genehmigung der Bundesbahndirektion Saarbrücken gestattet.

The first train on this timetable leaves **Homburg** *at 22.29 and arrives at* **Saarbrücken** *at 23.00.*

3. Richtig oder falsch?

a. Der 4396 kommt auf Gleis 5 an.
b. Der D 1719 fährt über *(via)* Mettlach.
c. Der E 3718 fährt um 22.46 in Trier ab.

4. *Answer the following questions.*

a. Which train is the Inter-City?
b. Which train has a sleeper?
c. Which train has the longest journey to make?
d. I want to meet the train from Homburg *late on Saturday night. Which platform do I wait on?*
e. What is the German for:
arrival departure
platform time train?

Der neue Hit für junge Leute:
Tramper-Monats-Ticket
für 198 DM einen Monat lang mit der Bahn quer durch Deutschland.
Übrigens:
Die Bahn hat noch zwei dufte Angebote: Mit dem JUNIOR-PASS für 98 DM ein Jahr lang zum halben Preis fahren.
Und wer gern ins Ausland fährt, kommt mit INTER-RAIL günstig durch 21 Länder.

5. ABFAHRTSZEITEN
Fahren diese Züge am Vormittag, am Nachmittag oder am Abend?

▮ 10.11	D 450	Forbach 10.18 · Metz 11.06 Paris Est 14.05 ab Forbach besonderer Zuschlag erforderlich	✕	12 a/b

Dieser Zug fährt am Vormittag ab. Er kommt am Nachmittag in Paris an.

▮ 15.37	D 861	Kaiserslautern 16.18 · Mannheim 17.07 · Heidelberg 17.22 ⑦Stuttgart 18.46 am 17.VI. bis Heidelberg, am 15.VI. bis Stuttgart Stuttgart 19.06 · München 21.58	5

Dieser Zug fährt am Nachmittag ab. Er kommt am Abend in Stuttgart an.

② und ⑦ 21.33	D 9452	Forbach 21.43 · Bordeaux 8.35 · Bayonne 10.43 · Biarritz 11.05 Autoreisezug nur und Reservierung erforderlich ② am 24.VI., 15., 29.VII., 12.VIII., ⑦ 8.VI. · 7.IX.	5

Dieser Zug fährt am . . . ab.
Er kommt am . . . in Biarritz an.

▮ 5.34	D 355	Kaiserslautern 6.23 · Mannheim 7.20 · Frankfurt 8.3 → (Frankfurt Flughafen 8.54) Bebra 10.42 · Berlin Zoo 16.10 Berlin Friedrichstraße 16.32 Mannheim 7.20 · Heidelberg 7.43	5

Dieser Zug fährt am . . . ab.
Er kommt am . . . in Berlin an.

▮ 16.46	D 806	Saarlouis 16.59 · Merzig 17.10 · Trier 17.47 · Gerolstein 18.5 Köln Hbf 20.31 ⚒ außer ⑥ =	5

Dieser Zug . . . .
Er kommt . . . .

FÜNFTER TEIL

Wann fahren Sie, bitte?

When are you travelling, please?

This section teaches you how to use travel information offices in German railway stations to find out the necessary details for a train journey.

1.

Sehr geehrte Kunden!
Wir bitten hier um diese Reihenfolge:
Wohin : Ziel, Ort ?
Wann : Wochentag, Datum?
Tageszeit: morgens, mittags ?
Vielen Dank, Ihre DB-Reiseauskunft

2. Gudrun will am Samstag nach Mannheim fahren. Sie geht zur Reiseauskunft auf dem Bahnhof und sie erkundigt sich. Sie möchte am Vormittag fahren. Der Beamte sagt ihr die Ankunfts- und Abfahrtszeiten und sie nimmt einen Zettel vom Schalter und schreibt die Zeiten darauf.

„Ich möchte nach Mannheim fahren."

„Wann, bitte?"

„Am Samstagvormittag."

„Ein Zug fährt um 10.30 auf Gleis 4. Sie müssen in Kaiserslautern umsteigen."

„Wann komme ich in Mannheim an, bitte?"

„Um 11.53. Wollen Sie das aufschreiben?"

„Bitte."

„Also ... ab Homburg 10.30. Ankunft Kaiserslautern 10.50. Ab Kaiserslautern 11.02. Ankunft Mannheim 11.53."

„Danke sehr."

„Bitte schön."

der Beamte	*official*
sich erkundigen (erkundigt sich)	*to find out, to obtain information*
ob	*whether*

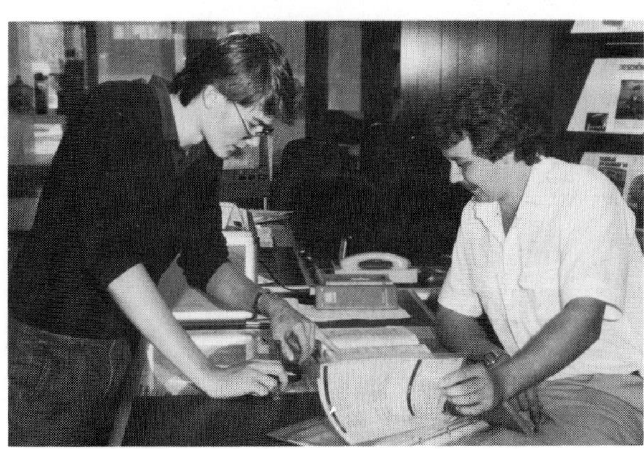

3. Konrad fährt morgen vormittag nach München. Er will fragen, ob er umsteigen muß.

„Entschuldigung. Ich fahre morgen um 06.00 nach München. Muß ich umsteigen, bitte?"

DB

Reiseverbindungen Connections Horaires des trains

Auskunft ohne Gewähr
Information without guarantee
renseignements non garantis

Reisetag/Wochentag date/day date/jour		Uhr time heure	Uhr time heure	Uhr time heure	Uhr time heure	Bemerkungen notes observations
Station						
Homburg	ab dep	10.30				
Kaiserslautern	an arr	10.50				
	ab dep	11.02				
Mannheim	an arr	11.53				

„Nein. Der Zug fährt durch.“

„Danke.“

„Bitte.“

IC 611 Gutenberg

Hamburg-Altona-Bremen-
Münster-Dortmund-Essen-Düsseldorf-
Köln-Bonn-Mainz-Mannheim-Stuttgart-
München

DB Bww K-Bbf 15 341
W 16 02 01

4.

5.

Sabine fährt am Donnerstag nach Innsbruck. Sie will auch wissen, ob sie umsteigen muß.

„Guten Tag. Ich fahre am Donnerstagnachmittag um 15.00 nach Innsbruck. Muß ich umsteigen, bitte?“

„Ja. Sie steigen in Landeck um.“

„Danke schön.“

„Bitte sehr.“

Sieh dir Seite 88, Übung 3 an! ●

ABFAHRT	IN RICHTUNG	ANKUNFT	GLEIS
	Hamburg		
	Berlin		
22.30	Dortmund	23.18	6
04.50	Hameln	06.17	8

Word order

	When	*Where*
Ich fahre	am Samstag	nach Bremen
	am Samstagmorgen	in die Stadt.
	morgen	
	morgen vormittag	
	morgen nachmittag	
	morgen abend	
	jeden Tag	
	ab und zu	
	um 15.00	

*Notice that in such sentences the **time** you do something is put before the **place** you go to.*

Jetzt seid ihr dran!

1. In vielen Bahnhöfen kann man kleine Fahrpläne bekommen. Sie sind für bestimmte Reiseziele in Deutschland oder im Ausland.

Der Fahrplan auf Seite 95 ist für Fahrgäste, die nach Paris fahren wollen.

bestimmt	*specific*
der Fahrgast (⸚e)	*passenger*
die Reise (–n)	*(long) journey*

Du bist am Hamburger Hauptbahnhof (Hamburg Hbf).
Sieh dir den Fahrplan auf Seite 95 an!
Beantworte folgende Fragen!

Es ist 07.00 Uhr.

a. Wann fährt der nächste Zug nach Paris?
b. Wann kommt er in Paris an?
c. Wo fährt er ab?
d. Wo steigt man um?
e. Kann man in Hamburg-Harburg einsteigen?
f. Kann man im Zug etwas zu essen bekommen?

Es ist 20.00 Uhr.

a. Wann fährt der nächste Zug?
b. Wo fährt er ab?
c. Kann man in Hamburg-Harburg einsteigen?

. Wann kommt der Zug in Paris an?
Kann man unterwegs essen und schlafen?

unterwegs *on the way*

plan gültig vom 31. Mai bis 26. September 1981

Hamburg nach Paris **947 km**

reise (Tarifstand 1. Mai 1981)
sse einfache Fahrt 204,60 DM (196,60 DM), Rückfahrkarte 409,20 DM (393,20 DM)
sse einfache Fahrt 136,40 DM (131,40 DM), Rückfahrkarte 272,80 DM (262,80 DM)
lag für IC 10,— DM (1. Klasse) und 5,— DM (2. Klasse)
Klammern gesetzte Fahrpreis gilt ab Hamburg-Harburg

	Hamburg-Altona ab	Gleis	Hamburg Hbf ab	Gleis	Hamburg-Harburg ab	Gleis	Paris Nord an	Bemerkungen
2	—	—	3.19	13	—	—	14.34	Nordexpress ⫪ ab Aachen
515	6.19	11	6.35	13	6.48	2	17.00	Senator ✕: U Köln und Brüssel Midi
613	8.21	11	8.35	13	8.48	2	18.56	Gorch Fock ✕: U Köln IC; über Brüssel ⫪
519	{10.19	9	{10.35	14	—	—	{21.06	Patrizier ✕: U Köln u Brüssel Midi TEE ✕; verk ① bis ⑤, nicht 29. VI. bis 4. IX.
615	11.21	9	11.35	14	—	—	21.53	Theodor Storm ✕: U Köln ✕
632	17.19	9	17.35	14	—	—	6.25	Graf Luckner ✕: U Köln
634	{18.21	9	{18.35	13	{18.48	2	{6.25	Hanseat ✕: U Köln; verk täglich außer ⑥/⑦, nicht 7./8. VI.
34	22.19	10	22.40	11	—	—	8.40	Schlaf- und Liegewagenzug
38	{23.23	10	{23.45	14	{0.01	2	{12.34	1); U Köln ✕; verk ⑦/① bis ④/⑤, sowie täglich vom 21./22. VI. bis 10./11. IX.
38	23.23	10	23.45	14	0.01	2	13.52	, 1); U Köln und Brüssel Midi

ichenerklärung siehe Rückseite

Was würden diese Leute bei der
eiseauskunft sagen?

	heute		morgen			Dienstag			Mittwoch			
Name	12-18	18-22	6-12	12-18	18-22	6-12	12-18	18-22	6-12	12-18	18-22	**nach**
Gisela							✓					Mannheim
Harald		✓										Genf
Kurt			✓									Passau
Barbara											✓	Bingen
Sabine									✓			Boppard

3. Kannst du die Fragen stellen?

a. „ . . . . . . ?"
„Nein, der Zug fährt durch."

b. „ . . . . . . ?"
„Er kommt um 13.40 in Düsseldorf an."

c. „ . . . . . . ?"
„Ja. Sie müssen in Köln umsteigen."

d. „Ich will morgen nachmittag nach Bamberg fahren. . . . . . . ?"
„Ein Zug fährt morgen um 15.00."

e. „ . . . . . . ?"
„Auf Gleis 3."

f. „ . . . . . . ?"
„Nein. Sie müssen umsteigen."

4. Bei der Reiseauskunft.

a. *(Say that you want to go to Mannheim.)*
„Wann wollen Sie fahren, bitte?"
(Say that you want to travel tomorrow morning.)
„Sie haben einen Zug um 09.20."
(Ask if you have to change.)
„Augenblick mal. Ja, Sie müssen in Kaiserslautern umsteigen."
(Ask when you arrive in Mannheim.)
„Um 11.50."
(Say thanks.)
„Bitte sehr."

b. *(Ask when the next train goes to Geneva.)*
„Sie haben einen Zug um 15.30."
(Ask if you have to change.)
„Nein, er fährt durch."
(Ask when it arrives.)
„Um 18.51."
(Say thanks.)
„Bitte."

c. *(Ask when the next train goes to Mainz.)*
„Um 10.26."
(Ask which platform it goes from.)
„Auf Gleis 3."
(Ask for a single ticket.)
„Acht Mark zwanzig."
(Say thanks.)
„Bitte sehr."

d. *(Say you want to go to Bonn on Thursday morning.)*
„Sie haben einen Zug um 09.50."
(Ask if you have to change.)
„Ja. Sie müssen in Düren umsteigen."
(Ask when you arrive in Bonn.)
„Um 12.40."
(Say thank you.)
„Bitte sehr."

müssen *to have to*
ich muß
du mußt
er muß
wir müssen
ihr müßt
Sie müssen
sie müssen

This verb belongs in a group with:
können
‚möchten' (Sieh auch Seite 226.)
wollen.

These verbs frequently require a second verb, which always goes to the end of the sentence. For example:

Sie müssen in Kaiserslautern umsteigen.
Sie können entweder mit dem Bus oder mit der Bahn fahren.
Ralf möchte in die Stadt gehen.
Anna will morgen vormittag nach Köln fahren.

5. Zum Lesen
Am Wochenende
Es ist Wochenende, und Kirsten und Frank fahren nach dem Süden. Im Winter ist es meistens so – am Wochenende, wenn es schneit, fahren sie mit der Bahn in die Berge. Am Freitag hören sie immer den Wetterbericht oder lesen den Schneebericht in der Zeitung. Wenn es Schnee und gutes Wetter in den Bergen gibt, fahren sie am Samstagmorgen los.

Der Zug fährt um 07.00 Uhr. Sie parken im Parkhaus am Bahnhof und kaufen die Fahrkarten. Im Zug kaufen sie auch etwas zu essen und einen Kaffee. Sie müssen in Rosenberg umsteigen. Die Fahrt ist aber nicht sehr lang und um 10.00 Uhr sind sie schon im Hotel.

Die beiden Freunde sind sehr gute Skifahrer und verbringen das ganze Wochenende im Freien.

Kostet es aber nicht sehr viel, jedes Wochenende in die Berge zu fahren? Kirsten meint, daß es nicht besonders viel kostet. Sie haben schon die Skier und die Kleider, und das kleine Hotel ist sehr preiswert.

„Im Sommer sparen wir auch," sagt sie. „Im Sommer fahren wir nicht in Urlaub, sondern verbringen die Ferien zu Hause. Wir haben unsere Sommerferien am Wochenende im Winter!"

Meteorologen: Weite
Schnee und Kältegra

Schneebericht

sl. Saarbrücken, 23. Dezember
Nach einer Umfrage der SZ und des ADAC unter den Fremdenverkehrsämtern der Skigebiete bestehen zur Zeit im Südwesten folgende Wintersportmöglichkeiten:
Saarland: Peterberg bei Nonnweiler-Braunshausen, 15 cm Altschnee, Lifte sind am 24. Dezember von 10 bis 15 Uhr, an den Weihnachtsfeiertagen ab 9 Uhr in Betrieb.
Rheinland-Pfalz: Erbeskopf, cirka 35 cm Altschnee mit dünner Pulverschneedecke, Lifte am 24. Dezember von 10 bis 14 Uhr, an den Feiertagen ab 10 Uhr in Betrieb.
Vogesen: Schneehöhen um 1 m, Lifte in Betrieb, bei Anfahrt mit dem Auto Winterausrüstung (Schneeketten) erforderlich.
Schwarzwald: Über 1 m Schnee mit guter Pulverschneeauflage, alle Lifte in Betrieb, Loipen gespurt (Alle Angaben ohne Gewähr).

DAS WETTER

Schneeschauer und kalt

Vereinzelt Schneeschauer. Tageshöchsttemperaturen 0 bis 3 Grad; Tiefstwerte nachts minus 2 bis minus 7 Grad. Gefahr von Straßenglätte durch Eis und Schnee. Aussichten für Sonntag: Temperaturrückgang.

im Freien	*in the open air*
meinen (meint)	*to have an opinion, to think (that)*
nicht ... sondern	*not ... but ...*
in Urlaub fahren	*to go away on holiday*
unser	*our*
verbringen (verbringt)	*to spend (time)*

Richtig oder falsch?

a. Sie fahren nach dem Norden.
b. Sie hören am Samstag das Radio.
c. Sie fahren bei schlechtem und bei gutem Wetter.
d. Sie fahren mit der Bahn.
e. Sie fahren mit dem Bus zum Bahnhof.
f. Der Zug fährt durch.
g. Sie essen im Zug.
h. Das Hotel kostet viel Geld.
i. Sie verbringen die Sommerferien in einem Hotel.

Trennbare Verben ***Separable verbs***

Nächste Woche will Karin nach Zürich fahren. Sie geht zum Bahnhof und fragt bei der Reiseauskunft, wann sie am besten fahren kann. Es gibt zwei Züge. Der erste **fährt** sehr früh **ab**, und sie muß einmal **umsteigen**. Der zweite fährt um 15.00 und **fährt durch**. Wenn sie mit diesem Zug fährt, braucht sie nicht **umzusteigen**. Er **kommt** aber spät **an**, und sie will nicht spät in Zürich **ankommen**. Sie **schreibt** alles **auf** und dann geht sie wieder nach Hause.

Here are some examples of separable verbs that you have already met:

abfahren	Der nächste Zug fährt gleich ab.
aussteigen	Sie steigen am Rathaus aus.
ankommen	Der Zug kommt um 10.00 in Zürich an.
aufschreiben	Schreibt das auf, bitte.
aufmachen	Macht die Bücher auf!
durchfahren	Der Zug fährt durch.
einwerfen	Sie wirft den Brief ein.
fernsehen	Siehst du gern fern?
radfahren	Ich fahre sehr gern rad.
umsteigen	Sie steigen in Regensburg um.
zuhören	Hört mal zu!
zumachen	Macht die Hefte zu!

	Maskulinum	**Femininum**	**Neutrum**	**Plural**
Dativ	dem	der	dem	**den**

Note that in the Dative Plural an **-n** *is always added to the noun:*

der Berg die Berge in **den** Bergen

6. Zum Lesen
Einige Uhrzeiten

ÖFFNUNGSZEITEN
Montag-Freitag von 9 Uhr bis 18 30 Uhr
Sonnabend von 9 Uhr bis 18 Uhr
Sonntag von 10 Uhr bis 18 Uhr

Imbiss
geöffnet
11 30 13 30
17 00 – 21 00

8 30 – 12 00 h
14 00 – 15 30 h
18 30 – 6 30 h

BADEZEITEN

MO-	15 00 21 00	
DI - DO - FR	15.00 22.00 UHR	FAMILI
MI	15 00 - 18.30 UHR	FAMIL
MI	19.00 - 22.00 UHR	FRAUE
SA	14 00 - 20.00 UHR	FAMILI
SO	10.00 - 12.00 UHR	FAMILI
VORMITTAGS	8.00 - 12.00 UHR	SCHUL

BADEDAUER: 3 STUNDEN EINSCHLIESSLICH UMKLEIDEZEIT

EINTRITTSPREISE:

ERWACHSENE	2.00 DM
JUGEND 6 - 18 JAHRE	1.00 DM

Heilige Messe
Sonntag
10 00
Samstag
19 30

DAS MUSEUM IST VOM
1. MÄRZ – 30. NOVEMBER
TÄGLICH VON 10–18 UHR
GEÖFFNET
CAFE VON 9–19 UHR

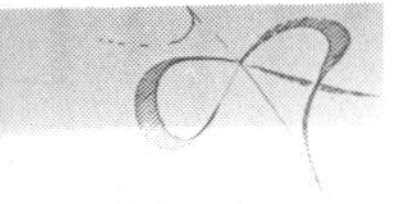

ÖFFNUNGSZEITEN
WERKTAGS VON 10 00 – 22 00 UHR
SONN- UND FEIERTAGS VON 8 00 – 20 00 UHR

GESCHÄFTSZEITEN

TÄGLICH	7 00	12 30	15 00	18 00	UHR
SAMSTAG	7 00	12 30			UHR
SONNTAG	■	■			UHR

MITTWOCH 12 00 NACHMITTAG GESCHLOSSEN

Answer the following questions:

a. *What is the word for 'open'?*
b. *What is the word for 'closed'?*
c. *Which of these signs comes from north Germany?*
d. *If it were 6pm could you get a snack?*
e. *What time is church on Sunday?*
f. **h** *stands for* **hora**. *Can you find out which language this is? (It's not Spanish!)*
g. *Can you visit the museum at 9am on 29 November? If not, what could you do instead?*
h. *Can you visit the museum on a Sunday?*
i. *What is the German for 'public holiday'?*
j. *Would you be able to swim on Wednesday evening? Give reasons for your answer.*
k. *When and on what days are schools allowed to use the pool?*
l. *What would you need to pay to get into the swimming-pool?*
m. *What would an adult need to pay?*
n. *On which days can you swim for the longest time?*
o. *What is the longest time you can swim for on one payment?*
p. *How would you explain to an English person what the swimming times were on:*
   Mondays
   Tuesdays
   Wednesdays
   Saturdays?

Öffnungszeiten des Hallenbades

wab. Wadern. Das Waderner Hallenbad ist am 24. Dezember (Heiligabend) von 8 bis 11 Uhr geöffnet. Das Bad ist am ersten Weihnachtsfeiertag geschlossen. Am zweiten Feiertag ist es von 8 bis 11 Uhr geöffnet. Am Sonntag, 27. Dezember ist das Hallenbad von 8 bis 11 Uhr geöffnet. An Silvester und Neujahr bleibt das Bad geschlossen.

14

Ferien in Deutschland
Holidays in Germany

	Mo	Di	Mi	Do	Fr	Sa	So	Mo	Di	Mi	Do	Fr	Sa	So	Mo	Di
Januar						1	2	3	4	5	6	7	8	9	10	11
Februar		1	2	3	4	5	6	7	8	9	10	11	12	13	14	
März		1	2	3	4	5	6	7	8	9	10	11	12	13	14	
April					1	2	3	4	5	6	7	8	9	10	11	
Mai							1	2	3	4	5	6	7	8	9	
Juni			1	2	3	4	5	6	7	8	9	10	11	12	13	
Juli					1	2	3	4	5	6	7	8	9	10	11	
August	1	2	3	4	5	6	7	8	9	10	11	12	13	14	15	
September				1	2	3	4	5	6	7	8	9	10	11	12	
Oktober						1	2	3	4	5	6	7	8	9	10	
November		1	2	3	4	5	6	7	8	9	10	11	12	13	14	
Dezember				1	2	3	4	5	6	7	8	9	10	11		

ERSTER TEIL

Die Schulferien

This section is about the school holidays in Germany and it also teaches you how to say and write dates in German.

Welche Ferien haben Schüler und Schülerinnen im Jahr?

Wir haben drei längere Ferien: im Sommer, im Winter und im Frühling.

Die Sommerferien sind im Juli und August.
Die Weihnachtsferien sind im Dezember und Januar.
Die Osterferien sind im März und April.

Die Herbstferien sind kürzer – vielleicht eine Woche lang.

Wann beginnen die nächsten Ferien?

Hier ist ein Beispiel der Sommerferientermine für die Bundesländer:

Baden-Württemberg	vom 1.7 bis zum 14.8.
Bayern	vom 29.7 bis zum 13.9.
Berlin	vom 24.6 bis zum 7.8.
Bremen	vom 24.6 bis zum 7.8.
Hamburg	vom 18.6 bis zum 31.7.
Hessen	vom 18.6 bis zum 31.7.
Niedersachsen	vom 24.6 bis zum 4.8.
Nordrhein-Westfalen	vom 15.7 bis zum 28.8.
Rheinland-Pfalz	vom 22.7 bis zum 1.9.
Saarland	vom 22.7 bis zum 4.9.
Schleswig-Holstein	vom 18.6 bis zum 31.7.

Jetzt seid ihr dran!

1. Richtig oder falsch?

a. In Baden-Württemberg beginnen die Ferien am zweiten Juli und enden am vierzehnten September.
b. In Bayern beginnen die Osterferien am neunundzwanzigsten Juli.
c. In Hessen enden die Sommerferien am einunddreißigsten Juli.
d. Die Ferien in Niedersachsen beginnen am fünfundzwanzigsten Juni.
e. Die Ferien im Saarland beginnen am zweiundzwanzigsten Juli.
f. Die Ferien in Bayern enden am dreizehnten September.
g. Die Ferien in Rheinland-Pfalz enden am dritten Mai.
h. Die Ferien in Hessen beginnen am achtzehnten Juni.

2. Verbessere die falschen Sätze in der ersten Übung!
Correct the false sentences in Exercise 1.

Wann hast du Geburtstag?
Ich habe am zehnten Oktober Geburtstag. Und heute ist der neunte!!!

Das Datum *The date*
In order to say 'first', 'second', 'third' etc, in German:
... add **-te(n)** *to all numbers up to 19, with the exception of* **erste(n)**, **dritte(n)**, **siebte(n)** *and* **achte(n)**;
... add **-ste(n)** *to all numbers from 20.*

Talking about the date in German
Heute ist der dritte Januar (der 3. Januar).
Heute haben wir den fünften Mai (den 5. Mai).
Ich habe am zwanzigsten Juli Geburtstag.

Von + *dative*. Vom 3. August

Im Januar, im Februar, usw.

ZWEITER TEIL

Wie wäre es mit einer Jugendherberge?

How about a youth hostel?

This section is an introduction to German youth hostels and explains how to make a booking at a youth hostel by letter.

Gerda und Martin wohnen in Linz in Österreich. Sie sind gerade dabei, Pläne für di Sommerferien zu machen. Wohin fahren sie dieses Jahr?

„Was machen wir in den nächsten Sommerferien?"

„Wie wäre es mit Norddeutschland? Dort gibt es viele gute Jugendherbergen."

„Gute Idee! Dann müssen wir hinschreiben."

„Sicher! Aber wohin? Zuerst müssen wir di Ferien planen."

ı der Bundesrepublik gibt es rund ɛchshundert Jugendherbergen. Sie sind für lle da – für junge Leute wie auch für ɪrwachsene. Nur in Bayern muß man unter 27 ahre alt sein, um in einer Jugendherberge bernachten zu können. Man muß einen ɩusweis haben und dann kann man überall in Deutschland, in der Schweiz und in Österreich bernachten.

Venn man in der Hauptreisezeit – das heißt, ı Ostern oder im Sommer – nach Deutschland fährt, muß man natürlich ühzeitig schreiben. Man kann einen Brief, ne Postkarte oder ein Formular schicken und nan muß eine frankierte Postkarte für die ntwort beilegen.

beilegen (legt bei)	*to enclose*
der Erwachsene	*adult*
das Formular	*form*
frankiert	*stamped*
frühzeitig	*in good time*
übernachten (übernachtet)	*to stay the night*

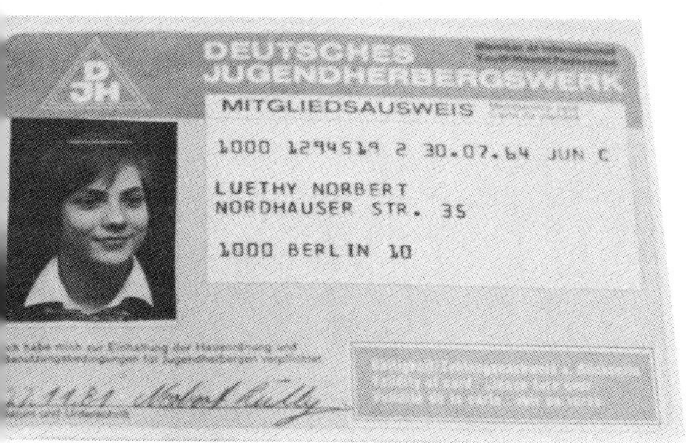

Auskunft über die DJH bekommt man von:
DJH, Bülowstraße 26, 4930 Detmold.
Und wie macht man eine Reservierung? Man schreibt an den Herbergsvater.

Julia und ihre Freundinnen beschließen, in den nächsten Sommerferien nach Deutschland zu fahren und dort eine Radtour zu machen. Julia kann Deutsch, deshalb schreibt sie Briefe.

beschließen (beschließt)	*to decide*
deshalb	*for that reason, so*

Scunthorpe, den 17. Februar

Liebe Herbergseltern,

ich fahre im Juli mit zwei Freundinnen nach Deutschland. Wir hoffen, am 3. Juli in Husum anzukommen und möchten in der Jugendherberge übernachten. Haben Sie am 3. und 4. Juli Platz frei? Wir sind drei Mädchen.

Ich danke Ihnen im voraus,

Mit bestem Gruß,

Julia Bannerman

Die Jugendherberge – Husum

Graham macht im nächsten Sommer eine Deutschlandreise mit seinem Freund. Sie möchten in der Jugendherberge in Weiskirchen übernachten.

Felixstowe, den 8. Mai

Lieber Herbergsvater,

ich habe vor, im kommenden Sommer mit meinem Freund eine Deutschlandreise zu machen. Wir kommen in Weiskirchen am 3. August an. Wir möchten drei Nächte bleiben. Haben Sie zu diesem Zeitpunkt Platz frei, bitte?

mit bestem Gruß,

Ihr,

Graham Norris

Die Jugendherberge – Weiskirchen

Corinne Herbert ist aus Frankreich. Sie hofft, in den Osterferien mit ihrem Bruder nach Deutschland zu fahren. Sie wollen drei Nächte in Saarbrücken bleiben.

Rouen, den 3. Januar

Lieber Herbergsvater,

ich habe vor, im Sommer mit meinem Bruder nach Deutschland zu fahren. Wir hoffen, am 2. April anzukommen und haben vor, am 5. April weiter zufahren. Bitte reservieren Sie zwei Plätze für die drei Nächte vom 2. bis zum 4. April. Ihre, Corinne Hubert

Jetzt seid ihr dran!

1. Sieh dir Seiten 101 und 102 an!

Julia

a. Julia hat vor,:
(i) zu Ostern zu fahren.
(ii) in den Sommerferien zu fahren.
(iii) in den Herbstferien zu fahren.

b. Sie will:
(i) mit ihrem Bruder fahren.
(ii) mit zwei Freunden fahren.
(iii) mit zwei Freundinnen fahren.

c. Sie hofft,:
(i) am 5. Juli weiterzufahren.
(ii) am 3. Juli weiterzufahren.
(iii) am 8. Juli weiterzufahren.

Graham

a. Graham fährt:
(i) allein.
(ii) mit seiner Schwester.
(iii) mit seinem Freund.

b. Er hofft,:
(i) am 8. August anzukommen.
(ii) am 4. August anzukommen.
(iii) am 3. August anzukommen.

c. Er möchte:
(i) drei Plätze reservieren.
(ii) einen Platz reservieren.
(iii) zwei Plätze reservieren.

Corinne

a. Corinne hat vor,:
(i) in den Herbstferien zu fahren.
(ii) im August zu fahren.
(iii) in den Osterferien zu fahren.

b. Sie macht die Reise:
(i) mit ihrem Freund.
(ii) mit ihrer Schwester.
(iii) mit ihrem Bruder.

c. Sie will:
(i) zwei Nächte bleiben.
(ii) eine Nacht bleiben.
(iii) drei Nächte bleiben.

2. Jetzt kannst du einige Briefe schreiben. Vergiß nicht das Datum!

a. Lieber  ,

wir haben vor, 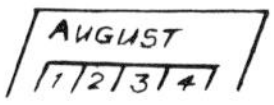 nach

zu .

Haben Sie vom  bis

August Platz frei?

Wir sind und

b. Lieber  ,

wir hoffen, im 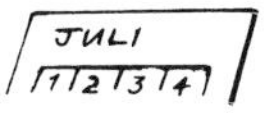 nach

. Wir kommen  an.

Wir möchten bleiben.

Bitte reservieren Sie Plätze.

Wir sind

c. Liebe  ,

wir haben vor, im 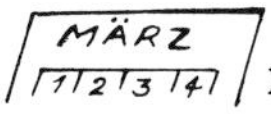 nach

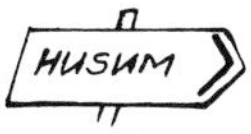

.

Haben Sie vom  bis zum

? Wir sind

d. hoffen ankommen

möchten bleiben

?

e. vorhaben ankommen

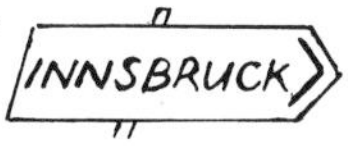

reservieren

f.

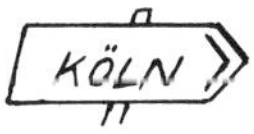

The date on a letter is put in the accusative:
Scunthorpe, den 3. Januar

Wie beginnt man einen Brief?

Maskulinum	Lieber Frank (Herr Braun, Herbergsvater),
Femininum	Liebe Doris (Frau Braun, Herbergsmutter),
Plural	Liebe Freunde (Herbergseltern),

Verbs with **zu**

hoffen zu
vorhaben zu
beschließen zu
kosten zu
brauchen zu

Wir **hoffen,** am Dienstag an**zu**kommen.
Ich **habe vor,** eine Deutschlandreise **zu** machen.
Inge **beschließt,** drei Nächte **zu** reservieren.
Es **kostet** nicht viel, in die Berge **zu** fahren.
Sie **brauchen** nicht, in Nürnberg um**zu**steigen.

Note the position of **zu** *when the second verb is separable.*

mein *my*
sein *his*
ihr *her*
These words all behave like **ein** *and* **kein**.

	Maskulinum	**Femininum**	**Neutrum**
Nominativ	mein	meine	mein
Akkusativ	meinen	meine	mein
Dativ	meinem	meiner	meinem

DRITTER TEIL

Was nimmt man mit?
What do you take with you?

This section is about packing for a holiday and checking that you have everything you need.

Mit Schlafsack Dosenöffner und Löffel auf Tour

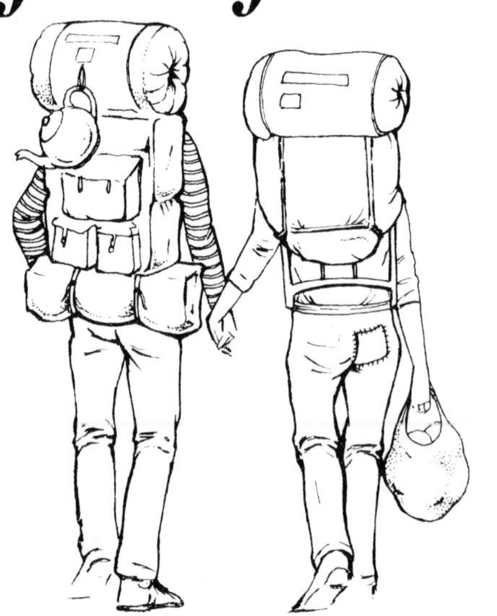

Klaus und Bettina sind gerade beim Packen.

„Hast du die Landkarte?"

„Ja. Ich habe sie hier."

„Und den Dosenöffner?"

„Nein. Ich kann ihn nicht finden."

„Da ist er. Und das Messer?"

„Ich habe es nicht. Du . . . du hast es in der Hand!"

„Ach, ja. Wie blöd! Und die Adressen? Hast du die?"

„Ja. Ich habe sie hier in der Tasche."

Nominativ	er	sie	es	sie
Akkusativ	ihn	sie	es	sie

etzt seid ihr dran!

Kannst du beim Packen helfen?

	Hast du den Stadtplan da?	Ja, ich habe ihn hier.
	Hast du die Gabel?	Nein, ich kann sie nicht finden.
	Hast du die Ausweise?	Ja, ...
	Hast du den Apparat?	Ja, ...
	Wo ist das Handtuch?	Ich habe . . . .
	Hast du denn die Seife?	Ja, ...
	Hast du die Schlafsäcke?	Ja, ...
	Hast du meine Badehose?	Nein, ...
	Ich suche meinen Paß.	Ich . . . .
	Hast du den Löffel?	Nein, ...
	Hast du die Taschenlampe?	Ja, ...
	Hast du das Badetuch?	Nein, ...

VIERTER TEIL

Haben Sie meinen Brief bekommen?
Did you get my letter?

This section is about arriving at a German youth hostel and checking on a reservation you have made there by post.

Die Menschen, die hier am Schalter stehen, haben im voraus an den Herbergsvater geschrieben. Sie sind am späten Nachmittag in der Jugendherberge angekommen und sie fragen, ob der Herbergsvater die Briefe bekommen hat.

Mary wartet zehn Minuten am Schalter. Dann kommt der Herbergsvater und macht das Büro auf. Mary fragt, ob er ihren Brief bekommen hat.

„Guten Tag. Haben Sie meinen Brief bekommen? Ich habe Ihnen vor drei Wochen geschrieben."

„Wie heißen Sie?"

„Kent. Ich habe zwei Betten reserviert."

„Ja. Ich habe ihn hier. Sie haben Betten fü zwei Mädchen reserviert. In Ordnung."

Der nächste am Schalter ist Roger Packer.

„Guten Abend. Mein Name ist Packer. Ich habe vor zwei Wochen geschrieben und eine Reservierung gemacht."

„Augenblick mal. Ja. Das ist der Brief. Ich habe Betten für einen Jungen und ein Mädchen reserviert."

Dann kommt John Reed. Er hat eine Reservierung für einen Jungen und zwei Mädchen gemacht.

„Guten Abend. Mein Name ist Reed. Ich hab eine Postkarte geschickt."

„Wie war der Name, bitte?"

„Reed. Vor vierzehn Tagen habe ich die Postkarte geschrieben."

„Reed . . . ja. Ich habe sie bekommen. Das ist für einen Jungen und zwei Mädchen, nicht wahr? In Ordnung. Ich habe die Betten reserviert."

der Mensch (–en) *person, human being*
spät *late*
im voraus *in advance*

Ich habe			
	zwei Betten die Plätze	vor einer Woche vor acht Tagen vor zwei Wochen vor vierzehn Tagen vor einem Monat vor zwei Monaten	reserviert.
	den Brief die Postkarte		bekommen.
	einen Brief eine Postkarte		geschrieben geschickt.
	eine Reservierung		gemacht.

'etzt seid ihr dran!

.[cassette] Hör zu! ●
'rage die Tabelle in dein Heft ein und füll sie us!

	Was geschickt? ? ?	Wann?	Was reserviert?
1			
2			
3			
4			
5			
6			

. Übe Dialoge mit einem Partner oder einer 'artnerin!

,um Beispiel:

? 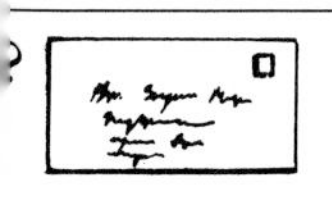	A: Haben Sie meinen Brief bekommen, bitte?
Wann?	B: Wann haben Sie geschrieben?
1 Woche.	A: Vor einer Woche.
? × 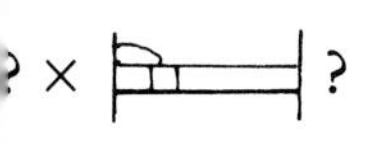 ?	B: Was haben Sie reserviert?
2 × .	A: Zwei Betten.

A: 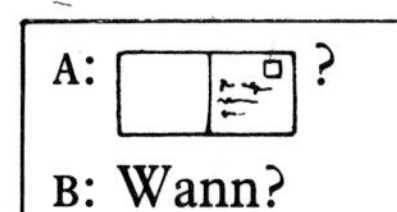 ?
B: Wann?
A: 1 Woche.
B: ? × ?
A: 4 × 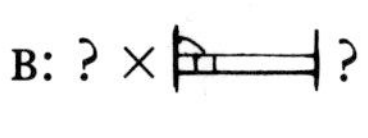 .

b.
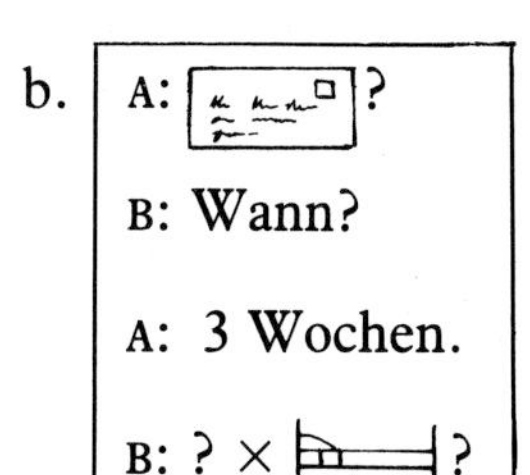
A: ?
B: Wann?
A: 3 Wochen.
B: ? × ?
A: 6 × .

c.
A:  ?
B: Wann?
A: 2 Monaten.
B: ? × ?
A: 3 × .

d.
A: ?
B: Wann?
A: 1 Monat.
B: ? × ?
A: 1 × .

A: ?
B: Wann?
A: 8 Tagen.
B: ? × ?
A: 2 × ?

f.
A: ?
B: Wann?
A: 14 Tagen.
B: ? × ?
A: 1 × .

3. Sieh dir Seiten 101 und 102 an! Lies die Briefe und ergänze die folgenden Sätze!

a. (i) Julia hat am 17. Februar . . . .
(ii) Sie hat drei Betten . . . .
(iii) Sie hat Plätze für zwei Nächte . . . .

b. (i) Graham hat einen Brief . . . .
(ii) Er hat am 8. Mai . . . .

c. (i) Corinne hat am . . . .
(ii) Sie hat Betten für . . . .

vor

With expressions of time, **vor** *takes the dative.*
vor einem Monat
vor einer Woche
vor einem Jahr

FÜNFTER TEIL

Haben Sie noch Platz frei, bitte?
Have you any room left, please?

This section explains how to book into a German youth hostel if you arrive without having made a reservation in advance.

Wenn man ohne Reservierung in der Jugendherberge ankommt, kann man vielleicht Betten bekommen.

1.

Drei Freunde kommen gerade an. Sie suchen Unterkunft für eine Nacht.

„Guten Abend. Haben Sie noch Platz frei, bitte?"

„Ja. Für wieviele Personen?"

„Für drei. Zwei Jungen und ein Mädchen."

„Für wieviele Nächte?"

„Nur für eine Nacht."

2.

Die nächsten wollen drei Nächte bleiben.

„Guten Tag. Haben Sie noch Platz frei, bitte?"

„Ja. Für wieviele Personen?"

„Für zwei Jungen."

„Und wie lange wollen Sie bleiben?"

„Drei Nächte, bitte."

„In Ordnung."

„Kann man hier Bettwäsche leihen?"

„Ja. Für zwei Personen?"

„Ja, bitte."

Gerd, Heidrun und Manfred haben eine Unterkunft bekommen. Jetzt möchte der Herbergsvater ihre Ausweise sehen. Er will auch wissen, welche Mahlzeiten sie einnehmen wollen.

3.

„Eure Ausweise, bitte. ... Danke."

„Wir möchten Bettwäsche leihen."

„Alle drei?"

„Bitte."

„OK. Und welche Mahlzeiten wollt ihr?"

„Frühstück und Abendessen, bitte."

„Also. Kein Mittagessen. Nun ... da sind di Schlafsäcke. Wenn ihr mitkommen wollt, zei ich euch die Schlafräume."

das Abendessen	*evening meal*
die Bettwäsche	*sheets*
einnehmen (nimmt ein)	*to take (a meal)*
das Frühstück	*breakfast*
leihen (leiht)	*to hire*
die Mahlzeit (-en)	*meal*
das Mittagessen	*lunch*
die Person (-en)	*person*
der Schlafraum (¨-e)	*dormitory*
zeigen (zeigt)	*to show*

Jetzt seid ihr dran!

1. Hör zu!
Wer kommt an, wie lange bleiben sie, w brauchen sie?

. Füll die Lücken mit den passenden Wörtern
ıs!

Platz	abend	Bettwäsche	willst	wollen
Sie	Ausweise	bleiben	Frühstück	

. Der Text steckt voller Unsinn: verbessere
ın!

leven words are in the wrong place in this
nversation: change their position to make sense
f what is said.

Haben Sie noch Bettwäsche frei?"

„Ja. Wieviel sind Sie?"

„Vier. Zwei Schlafsäcke und zwei Mittagessen."

„Wie lange wollen Sie einnehmen?"

„Drei Mädchen, bitte."

„OK. Ihre Nächte, bitte. ... Danke. Unterschreiben Sie, bitte."

„Kann man hier Platz leihen?"

„Ja. Das kostet zwei Mark."

„Zwei, bitte. Wir haben schon zwei Jungen."

„Welche Mahlzeiten bleiben Sie?"

„Frühstück und Abendessen – kein Mädchen, bitte."

„OK. In Ordnung. Die Schlafräume ... 6 für die Jungen und 2 für die Ausweise."

4. Lies folgenden Dialog mit einem Partner oder einer Partnerin!

[Bett]	„Haben Sie noch Platz frei, bitte?"
	„Ja. Für wieviele Personen?"
3	„Drei."
	„Sind das Jungen oder Mädchen?"
♂ ♀ ♀	„Ein Junge und zwei Mädchen."
	„Wie lange wollen Sie bleiben?"
3 × ☽	„Drei Nächte."
	„Brauchen Sie Bettwäsche?"
2 × [Schlafsack]	„Zwei Schlafsäcke, bitte."
	„Welche Mahlzeiten wollen Sie?"
F ✓ A ✓ M ×	„Frühstück und Abendessen: kein Mittagessen."

5. Jetzt übt Dialoge!

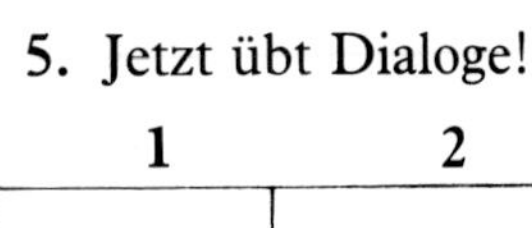

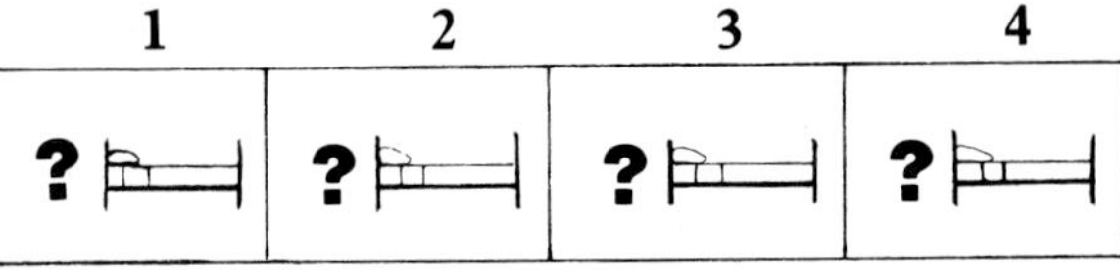

„Ja. Für wieviele Personen?"

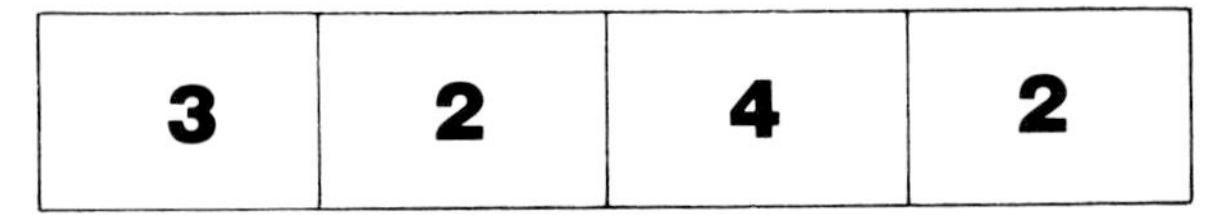

„Sind das Jungen oder Mädchen?"

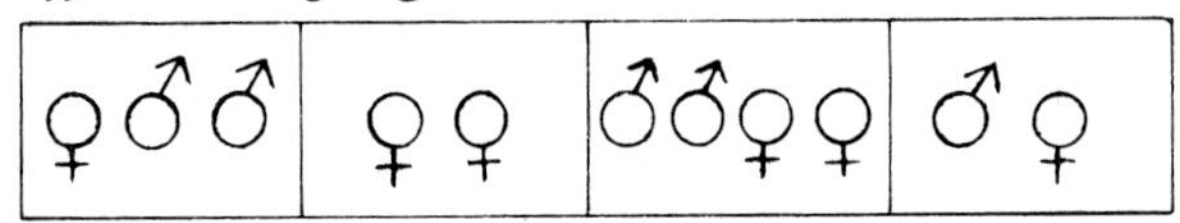

„Wie lange wollen Sie bleiben?"

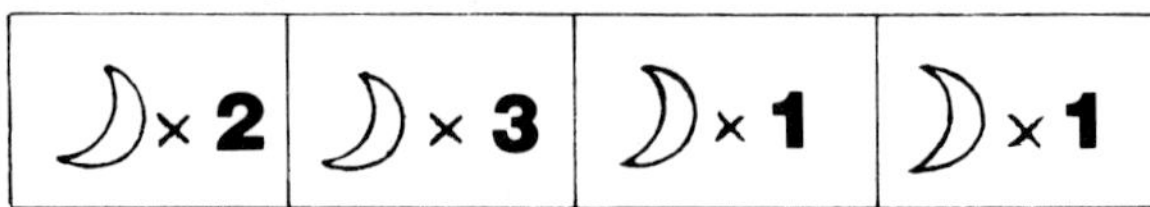

„Brauchen Sie Bettwäsche?"

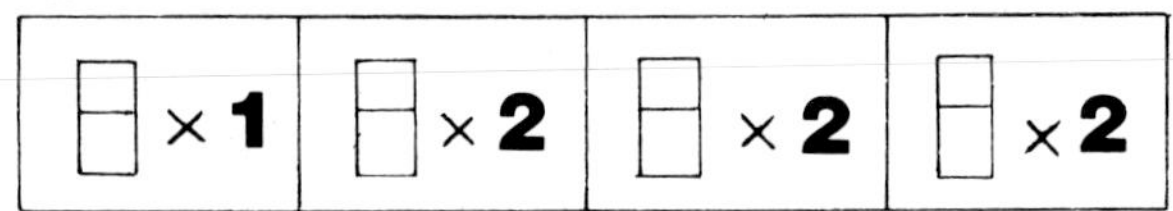

„Welche Mahlzeiten nehmen Sie ein?"

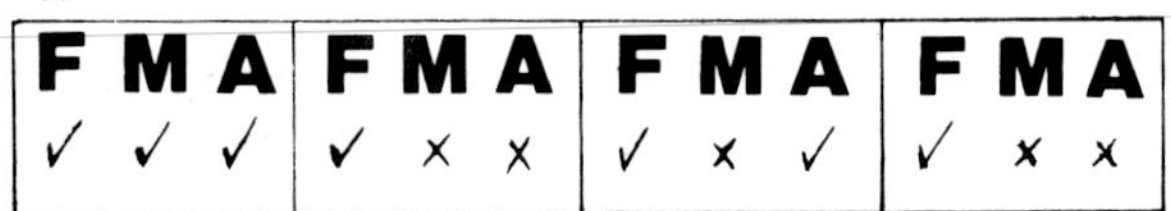

SECHSTER TEIL

In der Jugendherberge

This section is an introduction to the various rooms and facilities to be found in a youth hostel.

Die Schlafräume sind im ersten Stock.

Die Waschräume sind im Erdgeschoß.

Die Jungenduschen sind im Keller.

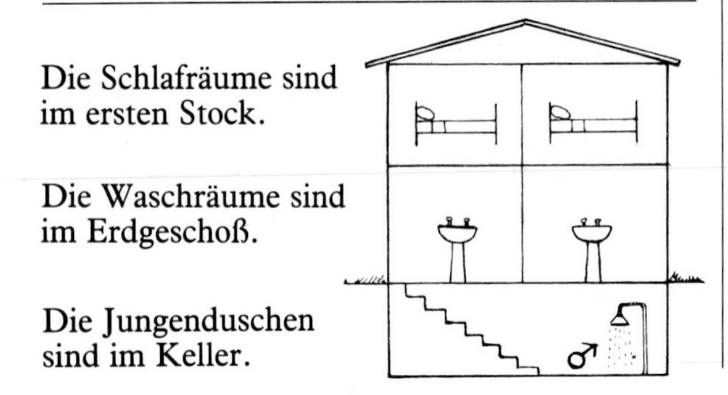

In welchem Stock sind:

die Duschen
die Mädchenduschen
die Jungenduschen
die Toiletten
die Mädchentoiletten
die Jungentoiletten
die Waschräume
die Mädchenschlafräume
die Jungenschlafräume?

Wo ist:

der Aufenthaltsra
das Büro
der Fernsehraum
die Küche
der Speiseraum?

Jetzt seid ihr dran!

1. Mit einem Partner oder einer Partnerin
Design your own youth hostel. Each of you draws a diagram like the one above, putting the rooms wherever you please. The other person has to reproduce the drawing you have made by asking questions and using your answers.

Zum Beispiel:
A: Wo sind die Mädchentoiletten?
B: Sie sind im Erdgeschoß.

Stell einem Partner oder einer Partnerin
·agen und gib die Antworten!
ıagine that you are standing at the entrance of
ıs youth hostel: answer your partner's questions
·out where the rooms are. Take it in turns to ask
ː questions.

ım Beispiel:
Wo sind dic Jungcnduschcn, bittc?
Sie sind oben im zweiten Stock.

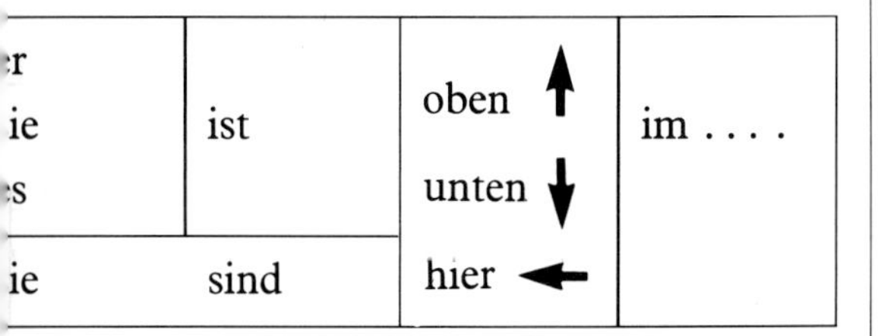

·r	ist	oben ↑	im ....
ie		unten ↓	
·s		hier ←	
ie	sind		

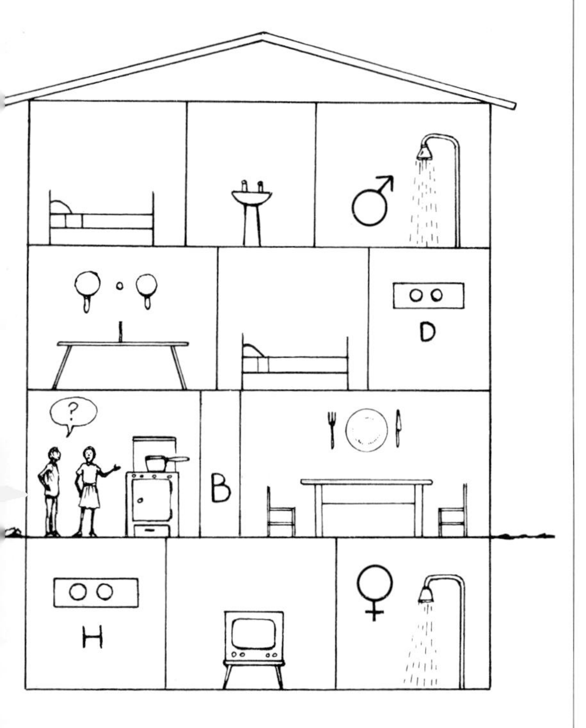

Sieh dir die Saarlandkarte an und
·antworte folgende Fragen!

Welcher Staat liegt im Süden?
Welcher Staat liegt im Westen?
Welches Land liegt im Norden?

d. Liegt die westliche Grenze an der Saar oder an der Mosel?
e. Wo liegt Weiskirchen?
f. Wieviele Jugendherbergen hat das Land?

Die Landkarte des
Saarlandes mit
Jugendherbergen

4. *Answer the following questions.*

a. Has the youth hostel below got room for seven, eight or twelve group leaders?
b. How many rooms has the youth hostel got for lessons: two, three or four?
c. What do you think Schullandheim *means?*
d. Can everyone eat together at one sitting?
e. How many swimming baths has the village got? Describe them.

Jugendherberge und Schullandheim Weiskirchen
6619 Weiskirchen, Jugendherbergsstraße 12
Tel. 06876/231
Herbergseltern Ernst und Wilma Sauer

120 Betten, 19 Schlafräume
5 Doppelzimmer, 2 Einzelzimmer für Gruppenleiter
1 Tagesraum (Speiseraum) mit 77 Plätzen
1 Tagesraum (Schul- oder Tagungsraum) mit 52 Plätzen
1 Tagesraum (Schul- oder Tagungsraum) mit 32 Plätzen
1 separater Tagesraum mit 36 Plätzen
1 Leseraum, große Eingangshalle
1 Hobbyraum für Bastler

Herbergseigener Spielplatz

Beheiztes Hallenbad 5 Minuten entfernt

Freibad, Sportplatz, Turnhalle und Minigolfanlage in unmittelbarer Nähe der Jugendherberge

Waldlehrpfad

Trimm-Dich-Pfad

Kneipp-Anlage

5. Zum Lesen

Ulrike und Wolfgang kommen zu Fuß in Weiskirchen an. Sie suchen die Jugendherberge. Vor einem Monat haben sie schon geschrieben und Betten reserviert. Sie kennen aber Weiskirchen nicht und wissen nicht, wo die Jugendherberge ist. In einem Café fragen sie nach dem Weg. Fünf Minuten später sprechen sie schon mit dem Herbergsvater.

Der Herbergsvater hat Ulrikes Brief bekommen und hat die Betten reserviert. Sie wollen drei Nächte bleiben. Er nimmt die zwei Ausweise und die jungen Leute unterschreiben. Da sie schon Bettwäsche haben, brauchen sie keine Schlafsäcke zu leihen. Der Herbergsvater sagt welche Schlafräume sie haben und sie gehen nach oben. Ulrike ist in einem Vierbettzimmer mit zwei Mädchen aus Belgien und einem aus der Schweiz. Wolfgang ist in einem großen Zimmer mit vielen anderen Jungen zusammen.

Vor dem Abendessen duschen sie sich und si essen um 19.00 Uhr.

kennen (kennt)	*to be acquainted with, to know*
sie duschen sich	*they have a shower*
später	*later*

nach

Er fährt nach Dresden.

Er fährt nach Deutschlan

Er geht nach oben (nach unten).

Nach *is always followed b the Dative.*

Zum Beispiel:

nach dem Schwimmen

nach dem Weg

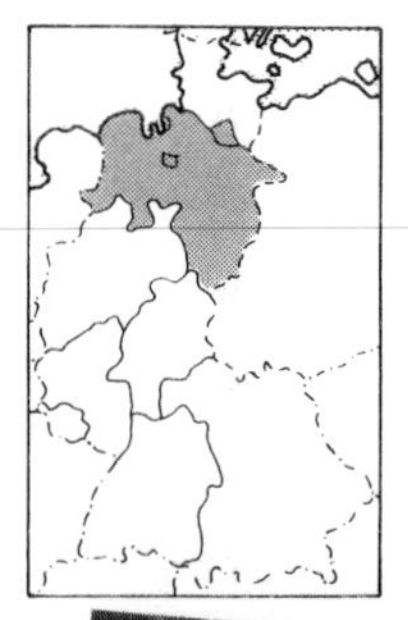

Die Bundesländer

Niedersachsen   Bremen   Hamburg

only

Niedersachsen liegt in Norddeutschland. Es ist ein großes Land mit nur sieben Millionen Einwohnern. Im Nordwesten ist es flach und im Südosten hat es sehr schöne Berge: das Harzgebirge. Es hat eine Küste zur Nordsee und große Flüße. Der Wassertransport ist für die Industrie des Landes wichtig.

eas — Die Industriegebiete liegen zum größten Teil im Osten. In Salzgitter gibt es Stahl- und Eisenindustrie und in Wolfsburg Automobilindustrie (Volkswagen). Hannover ist für die Jahrmesse sehr bekannt. — *mostly*

nual
de fair
well known

Das Land hat keine Energieprobleme: es hat Erdgas und Öl.

Im Sommer und im Winter macht man im Harzgebirge Urlaub. Man kann die schönen mittelalterlichen Städte, wie Goslar, besuchen und im Winter skilaufen. Die Nordseeküste und die Inseln werden von Touristen sehr gern besucht.

ands

Für Ferien auf dem Lande besuchen viele Leute die Lüneburger Heide im Nordosten.

in the country
ath

Gut bekannt ist Hameln, wo der Rattenfänger die Kinder entführte, und Hildesheim, wo es einen Rosenstock gibt, der über tausend Jahre alt ist.

away — *rose-bush*

Bremen ist das kleinste Land. Neben Hamburg und Lübeck war diese Stadt einmal sehr reich als Hansestadt und sie ist immer noch sehr wichtig als Deutschlands zweiter Hafen. Die Stadt hat also eine lange Handelstradition. Heute ist die Flugindustrie hier wichtig.

along with
l — *harbour*
trade

Bremerhaven liegt etwa 40 Kilometer nördlich von Bremen. Dieser Hafen ist groß, und von hier aus fahren die Fischer weit in die Nordsee und in den Atlantischen Ozean hinaus.

Hamburg ist Deutschlands größter Hafen und wurde von 811 von Karl dem Großen gegründet. Die Stadt war als Hansestadt sehr reich.

nded

In Hamburg ist man nie weit vom Wasser entfernt. Die Stadt liegt an der Elbe, und mitten in der Stadt gibt es schöne Seen, wo man Schiffsreisen machen kann.

lakes

15

Bei einer Familie
In a family

ERSTER TEIL

Ein Brief an Freunde
A letter to friends

This unit is about holidays with German families, and in this section you can learn how to contact a family, by letter and by phone, to let them know when you will be arriving.

Diese Leute haben ihre Ferien schon geplant. Sie schreiben an ihre Freunde und geben Ankunftszeiten.

den 21 Juni

Liebe Familie Simmer,
ich komme am Sonntag 4. Juli an. Ankunft um 17.30 am Saarbrücker Bahnhof. Ich fahre über Forbach. Könnt Ihr mich mit dem Wagen abholen?? Mit meinen zwei großen Koffern!!!

Bis dann,
Euer Chris

PLYMOUTH 21 JUNE 1983 DEVON

Be properly addressed
POSTCODE IT

PRINTED IN ENGLAND — DO DESIGNS

an die Familie Simmer,
Langenstraße, 4,
Saarbrücken.
Fed. Rep. of Germany

1.

2.

den 26. Juni

Lieber Chris

Vielen Dank für Deine Postkarte. Natürlich holen wir Dich (und Dein Gepäck) ab.

Alle freuen sich auf Deinen Besuch.

Deine
Claudia

Titisee-Neustadt

Chris Hamps
35 Loughborough
Twytchcroft
Leics
ENGLAND

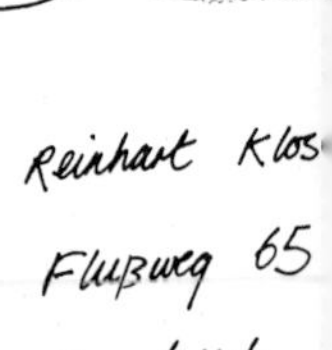

NEWCASTLE UPON TYNE 26 JUL 1983

Lieber Reinhardt!

Ankunft 10.20 Sonntag.
Freue mich sehr auf unser Wiedersehen.

Grüße an alle,
Deine Sally

Reinhart Klos
Flußweg 65
Osnabrück
Fed. Rep. of G

3.

den 4. März

14 Wanstead Way
Croydon,
Surrey.

Liebe Brigitte,
weißt du wann wir ankommen?
2.10!! Wir steigen in Venlo um, und
nüssen dort eine ganze Stunde
varten. Wir freuen uns sehr auf
nseren Besuch. Habt Ihr gutes Wetter?
ier ist es ganz furchtbar. Es
gnet den ganzen Tag – nein, die
anze Woche lang!
Unsere Eltern lassen Dich grüßen – und
er Ben auch natürlich. Er ist jetzt
nz dick – ohne Dich geht er nicht
ehr spazieren!
Bis nächste Woche,
Deine Val,
Dein Ralph

8, Hendon Drive
Liverpool
den 30. August

Liebe Familie Emmerich,
vielen Dank für Ihren Brief. Ich
habe schon meine Fahrkarte
gekauft. Ich komme am 18.
September in Geldern an – um 23.30.
Ich freue mich sehr auf
meinen Besuch – vier Wochen
in einer deutschen Schule!
Haben Sie unsere Telefonnummer?
051 ist die Vorwahl für
Liverpool, und dann 184572.
Mit bestem Gruß,
Ihr
Malcom

You will have seen from these letters and postcards that the following words behave like **ein** *and* **kein***:*

mein	*my*
dein	*your*
unser	*our*
euer	*your (familiar plural)*
Ihr	*your (polite form)*

Note that some words which are normally written with a small letter have a capital letter when written on a postcard or in a letter. For example:

Wann kommst **Du** an?
Ich habe **Deinen** Brief bekommen.
Wann sehen wir **Dich** wieder?
Habt **Ihr** gutes Wetter in England?

Liebe Val, lieber Ralph,
danke für **Euren** lieben Brief.

Notice that these are the words for 'you' and 'your'.

Jetzt seid ihr dran!

1. Kannst du diese zwei Briefe verstehen? Schreib sie richtig aus!
Make sense of these letters, by putting the jumbled-up lines back into their correct order. (Remember that, when writing letters in German, you start the first line of writing with a ***small*** *letter.)*

a. Lieber Richard,
reserviert. Wir steigen in
Ihr uns am Bahnhof abholen, bitte?
Besuch. Wir haben Fahrkarten
Frankfurt um und kommen
Wir freuen
gekauft und sogar Plätze
um 10.54 Uhr in Fulda an. Könnt
uns sehr auf unseren
danke sehr für Deine
Deine Jane, Dein Thomas.
Postkarte.

b. Liebe Familie Bossart,
Kassel um 21.30 an. Ich
danke sehr für Euren
habe ihn gestern bekommen. Ja, ich
unser Wiedersehen. Meine Eltern
geplant. Ich fahre am Samstag den
Brief. Ich
lassen Euch herzlich grüßen.
4. August und komme in
Euer Mark.
habe meine Reise schon
freue mich sehr auf

2. Briefe und Postkarten

a. Schreib eine Postkarte an die Familie Kiefer!

Du fährst am 3. Juli.
Du fährst über Zeebrugge.
Du kommst um 15.45 Uhr in Bingen an.
Du willst wissen, ob die Familie dich abholen kann.
Natürlich freust du dich auf deinen Besuch.

b. Jetzt schreib einen kurzen Brief an deinen Freund (deine Freundin)!

Du dankst für seinen (ihren) Brief.
Du hast deine Reise geplant und die Fahrkarte gekauft.
Du fährst am Donnerstag den 8. August, über Dover.
Du kommst um 23.15 Uhr in Essen an.
Du willst wissen, ob die Familie dich abholen kann.
Du willst wissen, wie das Wetter in Deutschland ist. Bei dir ist es gut.
Deine Eltern lassen grüßen.

3. [cassette] Hör zu!
Beantworte folgende Fragen auf Deutsch oder auf Englisch!

a. (i) Wo ist Malcolm?
(ii) Warum hat er angerufen?
(iii) Um wieviel Uhr kommt er an?
(iv) Wo kommt er an?
(v) An welchem Tag kommt er an?

b. (i) Wo ist Regina?
(ii) Was fragt sie?
(iii) Warum muß sie mit dem Bus fahren?
(iv) Mit welchem Bus muß sie fahren?
(v) Wo muß sie aussteigen?

c. (i) Wo ist Wolfgang?
(ii) Wann fährt sein Zug?
(iii) Wann kommt er in Victoria an?
(iv) Was muß er dort machen?
(v) Was muß er in Kettering machen?

. Übe Dialoge mit einem Partner oder einer artnerin!
ist Deutscher (Deutsche).
ist Brite (Britin).
ie sind am Telefon.

Practise dialogues with your partner. One of you is German and the other is British; you are talking on the telephone. What the 'German' student has to say is given on the left of this page; what the 'British' student has to say is given on the right. Take it in turns to play the 'German' student and consult only your own part in each dialogue.

Dialog A

Der (Die) Deutsche

Telefon klingelt.

1. *Answer the phone and give your name.*
2.
3. *Say you are fine. Ask where he/she is.*
4.
5. *Ask when he/she is arriving.*
6.
7. *Say yes, you can meet him/her by car.*
8.
9. *Say that you are too. Say goodbye till Friday.*
10.
11. *Say goodbye.*

Dialog A

Der Brite (Die Britin)

1.
2. *Give your name and ask how he/she is.*
3.
4. *Say that you are at home.*
5.
6. *Say that you arrive at Cologne at 14.16 and ask whether they can pick you up.*
7.
8. *Say that you are looking forward to the visit.*
9.
10. *Say goodbye till Friday. Goodbye.*
11.

Dialog B

Der (Die) Deutsche

Telefon klingelt.

1. *Answer the phone and give your name.*
2.
3. *Say you're fine and ask how he/she is.*
4.
5. *Ask what time he/she is arriving and where.*
6.
7. *Say no, you can't, but tell him/her you'll go to the station and you can both take the bus home.*
8.
9. *Say that you're looking forward to his/her visit.*
10.
11. *Say goodbye till Wednesday and wish him/her a good journey.*
12.

Dialog B

Der Brite (Die Britin)

1.
2. *Give your name and ask how he/she is.*
3.
4. *Say you're fine and tell him/her that you're coming on Wednesday.*
5.
6. *Say that you arrive at 13.46 in Koblenz and ask if they can meet you by car.*
7.
8. *Say that's fine.*
9.
10. *Say that you are too and say goodbye.*
11.
12. *Thank him/her and say goodbye.*

ZWEITER TEIL

Man stellt sich vor.
Introductions.

This section is about meeting a German family for the first time and being introduced to the various members in it.

1. **Auf dem Bahnhof.**
Hilary Saunders hat die Reise jetzt hinter sich. Ihre deutschen Freunde sind am Bahnhof und warten auf sie. Als Hilary aus dem Zug aussteigt, steht die Familie Schildt schon auf dem Bahnsteig. Sie begrüßen sich und stellen sich vor.

Frau Schildt: Guten Tag. Sind Sie vielleicht Hilary Saunders?
Hilary: Ja.
Frau Schildt: Ich bin Frau Schildt. Herzlich willkommen! Das ist mein Mann.
Herr Schildt: Guten Tag, Hilary.
Hilary: Guten Tag, Herr Schildt.
Herr Schildt: Das ist die Sabine, unsere Tochter. Die anderen sind noch zu Hause. Es war natürlich kein Platz für alle im Wagen.
Sabine: Hallo, Hilary.
Hilary: Hallo.

2.

Zu Hause
Sie fahren nach Hause, wo Hilary die anderen Familienmitglieder, Sabines Brüder und die Oma, kennenlernt.

Frau Schildt: Hilary. Da sind wir. Das ist der Robert.
Robert: Hallo.
Hilary: Hallo.
Frau Schildt: Und das ist Karl, unser zweiter Sohn.
Karl: Tag, Hilary.
Hilary: Hallo.
Frau Schildt: Kommen Sie bitte herein, Hilary. ... Das ist die Oma, meine Mutter, Frau Bauer.
Hilary: Guten Tag, Frau Bauer.
Frau Bauer: Grüß Gott, Hilary.

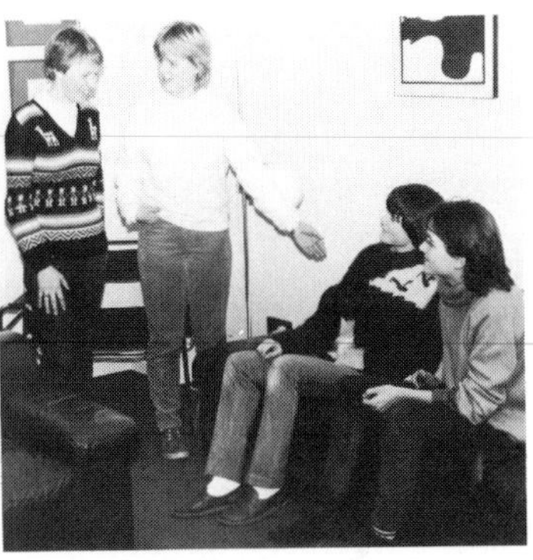

3.

Die Freunde
Später lernt Hilary einige Freunde kennen.

Sabine: Also, Hilary, das ist meine Schwester Inge.
Inge: Hallo.
Hilary: Hallo.
Sabine: Und das ist Inges Freundin, Ingrid.
Ingrid: Tag, Hilary.
Hilary: Tag, Ingrid.

sie begrüssen sich	*they greet each other*
hinter	*behind*
<u>kennen</u>lernen (lernt kennen)	*to get to know*
das Mitglied (-er)	*member*
sich <u>vor</u>stellen (stellt sich vor)	*to introduce oneself*
warten auf + *acc* (wartet)	*to wait for*

Das ist	mein	Mann Sohn Vater Großvater Opa
	meine	Frau Tochter Mutter Großmutter Oma
	unser Sohn	
	unsere Tochter	

Das sind	meine	Eltern Brüder Schwestern
	unsere	Kinder Söhne Töchter

etzt seid ihr dran!

. Einige Familienfotos

i) ,,Wer ist das?"

,,Das ist meine Schwester Sirgit."

ii) ,,Und wer ist das?"

,,Das ist ihre Freundin Shilla."

ii) ,,Und das?"

,,Mein Bruder Kaldip."

(iv) ,,Und das?"

,,Das ist unsere Hündin Tess."

(v) ,,Und das?"

,,Das ist unsere Katze Flo."

(vi) ,,Und das bist du?"

,,Ja. Das bin ich."

How would these people answer the questions about their photos?

b.

(i) Wer ist das?
(ii) Wer ist das?
(iii) Ist das dein Bruder? Wie alt ist er?
(iv) Und das hier?

c.

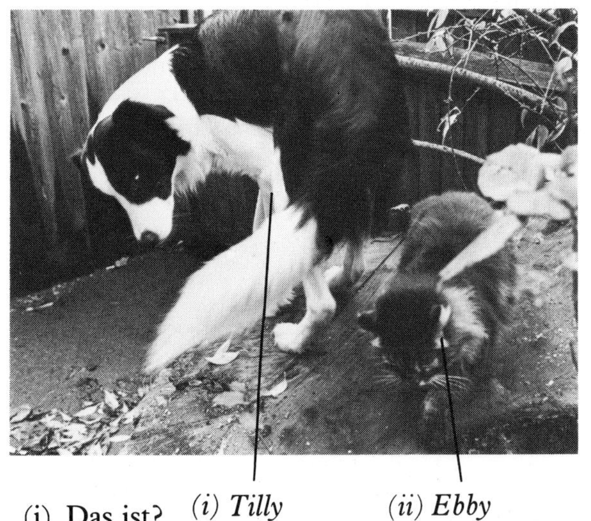

(i) Das ist?
(ii) Und das?

What could you say about these photos if they were yours?

c.

d.

2. Stell einem Partner oder einer Partnerin Fragen und gib Antworten!

Ist das dein . . . ?	Ja. Das ist mein . . . .
Ist das deine . . . ?	Ja. Das ist meine . . . .
Sind das deine . . . ?	Ja. Das sind meine . . . .

The feminines and the plurals are underlined.

a.

b.

c.

Bruder? Fahrrad? Schwester?

d.

3. Hör zu!

The pictures on the next page are being described by people. Make notes of their descriptions and then describe the pictures yourself, going into as much detail as possible about the people and the situations in which they are involved.

Zum Beispiel:

Das ist . . . . Sie war auf Urlaub mit ihrem Bruder . . . in . . . .

4. Was hast du letztes Jahr gemacht?
Bist du in Urlaub gefahren?

Ja?
Nein?

Wo hast du letztes Jahr Urlaub gemacht?

In Skegness?
In der Schweiz?
In Spanien?
Zu Hause?

Wann war das?

Letzten Mai?
Im Juli letztes Jahr?
Letzten Sommer?

Mit wem bist du gefahren?

Allein?
Mit deiner Familie?
Mit deinem Freund?
Mit deinen Freunden?

Wie war das Wetter?

???

i

	Maskulinum	**Femininum**	**Neutrum**	**Plural**
Nominativ	mein	meine	mein	meine
Akkusativ	meinen	meine	mein	meine
Dativ	meinem	meiner	meinem	meinen

The following behave in the same way as mein:

dein *your*
sein *his*
ihr *her*
unser *our*
euer *your (familiar form)*
Ihr *your (polite form)*
ihr *their*

Note that **euer** *loses an* **e** *when it has an ending added to it:*
Wir haben eure Telefonnummer.

The accusative with 'last' and 'every' in expressions of time in German.

Maskulinum	**Femininum**	**Neutrum**
letzten Sommer	letzte Woche	letztes Jahr
letzten Winter		
letzten Frühling		
letzten Herbst		
letzten Monat		
letzten Mai		
jeden Tag	jede Woche	jedes Jahr
jeden Vormittag, usw.		
jeden Monat		
jeden Mai		
jeden Sommer, usw.		

DRITTER TEIL

Was möchtest du machen?
What would you like to do?

This section explains how to say what you would like to do when you arrive at someone's home after a long journey.

Wenn man in einer Familie ankommt, fragen die Gastgeber was man machen möchte.

Möchtest du gleich auspacken?
Möchtest du auf dein Zimmer gehen?

Möchtest du dic frisch machen? Möchtest du dic waschen?
Möchtest du zu Hause anrufen?
Möchtest du dich dusche

der Gastgeber (-) *host*
die Gastgeberin (-nen) *hostess*

ɜtzt seid ihr dran!

Hör zu!
annst du das passende Symbol auswählen?
an you choose the right symbol?

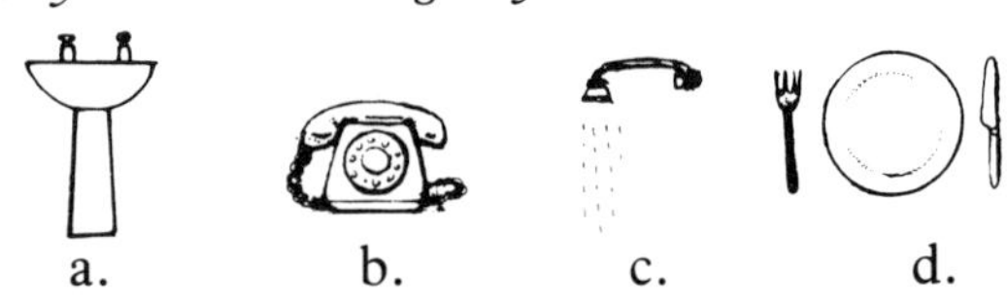

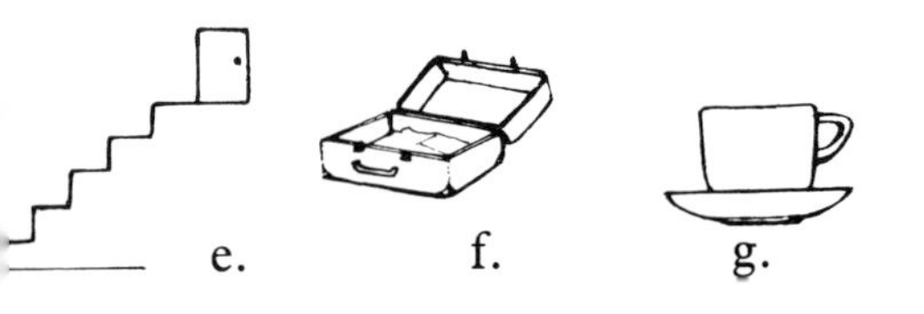

. Kannst du die richtigen Fragen und
ntworten auswählen?

ɔie Fragen:
. Möchten Sie sich frisch machen oder zuerst etwas essen?
. Möchtest du zuerst auf dein Zimmer gehen oder lieber eine Tasse Tee trinken?
. Möchten Sie eine Limonade oder möchten Sie gleich auf Ihr Zimmer gehen?
. Möchtest du eine Tasse Kaffee oder möchtest du lieber gleich essen?
. Möchten Sie sich duschen oder lieber gleich etwas zu trinken haben?
Möchtest du dich frisch machen oder lieber gleich zu Hause anrufen?

ɔie Antworten:
(i) Ich möchte gern eine Tasse Tee, bitte.
ii) Ich möchte mich gern duschen.
ii) Danke schön. Ich hätte gern eine Tasse Kaffee.
ıv) Ich möchte gern auf mein Zimmer gehen.
v) Ja. Danke schön. Wo ist das Telefon, bitte?
vi) Ich möchte mich gern waschen, bitte.

. Ergänze die folgenden Sätze!
. Ich möchte gern etwas . . . .
. Ich möchte mich gern . . . .
. Ich möchte mich gern . . . .
d. Ich möchte gern . . . .
e. Ich möchte gern . . . .
f. Ich möchte gern . . . .
g. Ich möchte gern . . . .

4. Was möchtest du machen?
Welche Antwort geben diese Leute?

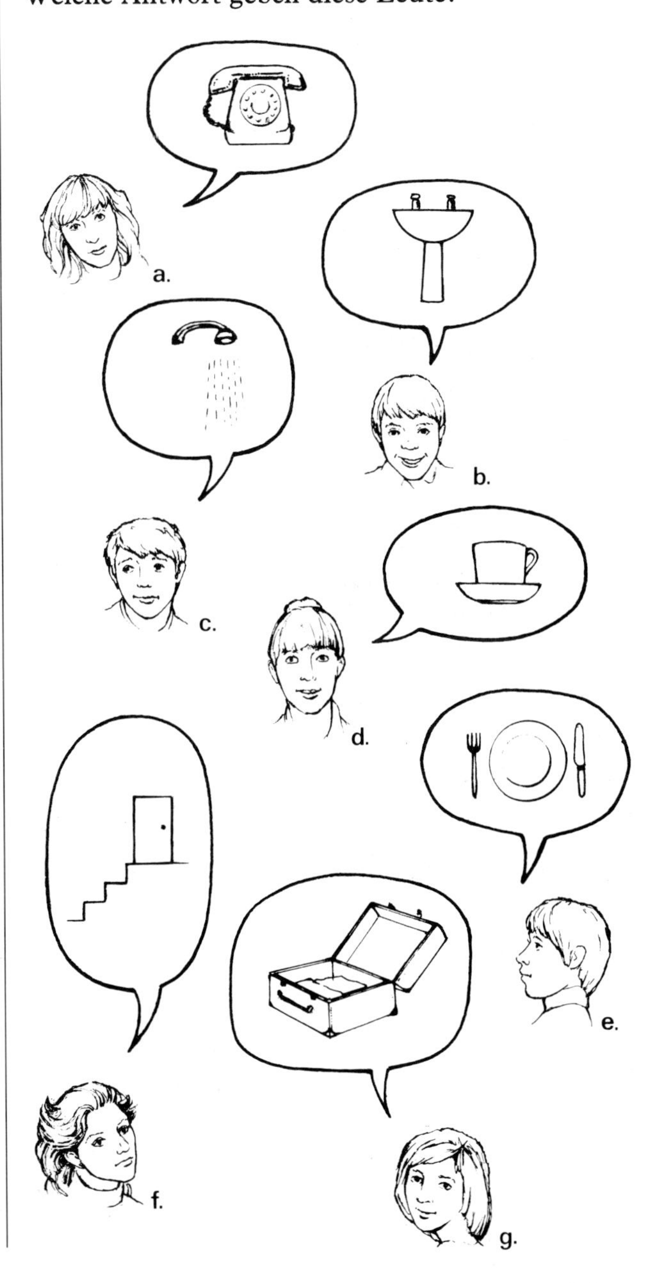

5. Ein Spiel für zwei Personen

a. *Each player copies the symbols and the ticks and crosses as shown here.*

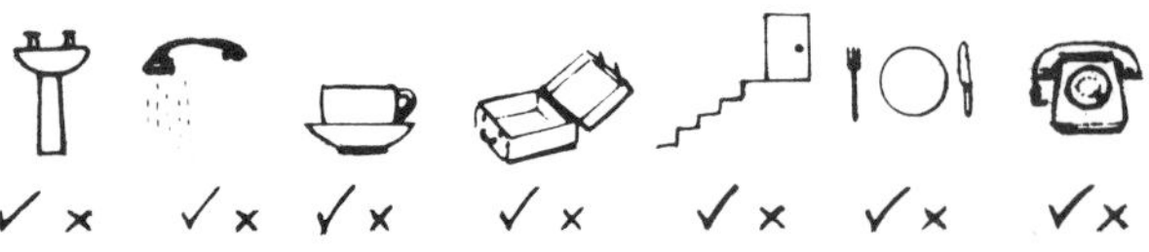

✓ × ✓ × ✓ × ✓ × ✓ × ✓ × ✓ ×

b. *Under* ***each*** *symbol each player puts a 1* ***and*** *a 2 in any order, so that each cross and each tick has a 1 or a 2 under it, for example:*

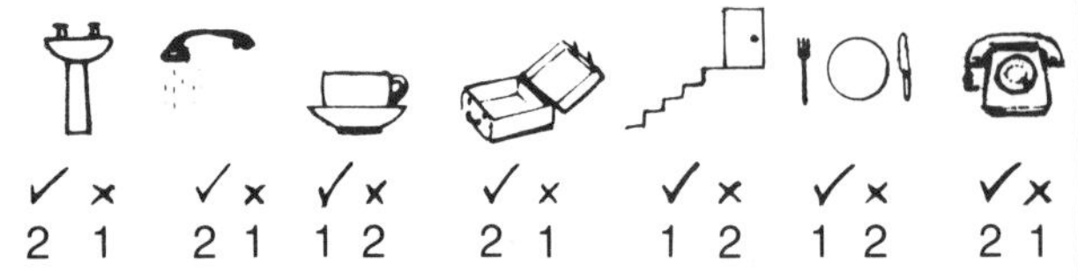

✓ × ✓ × ✓ × ✓ × ✓ × ✓ × ✓ ×
2 1 2 1 1 2 2 1 1 2 1 2 2 1

c. *Each player alters* ***one*** *of his/her 2s to a 3.*

d. *How to play the game:*

A *asks a question:* Möchtest du dich duschen?

B *answers either* **Ja** *or* **Nein**. *If the answer is* **Ja**, *he/she is given the score which is under the tick on* A*'s sheet; if the answer is* **Nein**, *he/she is given the score which is under the cross.*

Zum Beispiel:

B: Nein.

A: Das sind zwei Punkte.

B *records the score he/she has won and then, in turn, asks* A *a question.*

When each player has asked a question for each of his/her symbols then they both add the totals to see who has won.

6. Zum Lesen

Tim hat vor drei Wochen an die Familie Norheimer geschrieben und seine Ankunftszeit gegeben. Sie haben ihn am Bahnhof abgeholt und jetzt ist er bei der Familie zu Hause.

„Tim, was möchtest du machen? Wir essen gleich. Möchtest du auf dein Zimmer gehen oder möchtest du dich vielleicht duschen?"

„Ja. Danke. Ich möchte mich gern waschen."

„OK. Du gehst unter die Dusche und dann essen wir. Ulrich, gehst du mit und zeigst Tim sein Zimmer?"

Tim geht auf sein Zimmer, wo er seine Sachen auspackt. Dann wäscht er sich. Nach der langen Reise ist er müde und er hat auch Hunger.

geben (gibt, gegeben)	*to give*
die Sache (-n)	*thing*
müde	*tired*
unter die Dusche gehen	*to have a shower*

FRÄNZI
Fränzi, möchtest du dich frisch machen?

Ja. Sicher!

Jetzt geht's besser!!

ach dem Essen fragt Herr Norheimer, ob
im zu Hause anrufen möchte.

Möchtest du zu Hause anrufen?"

,,Bitte."

Kennst du die Vorwahl für England?"

,,Nein."

Also, du wählst zuerst 00 und dann die
orwahl für England. Das ist 44. Und du
ohnst in Birmingham, nicht wahr? Das ist
. Augenblick mal ... 021. Man wählt aber
e Null nicht."

,,Die Nummer ist also 00 44 21, und dann
kommt meine Telefonnummer."

Richtig."

,,Danke. Ich rufe gleich an."

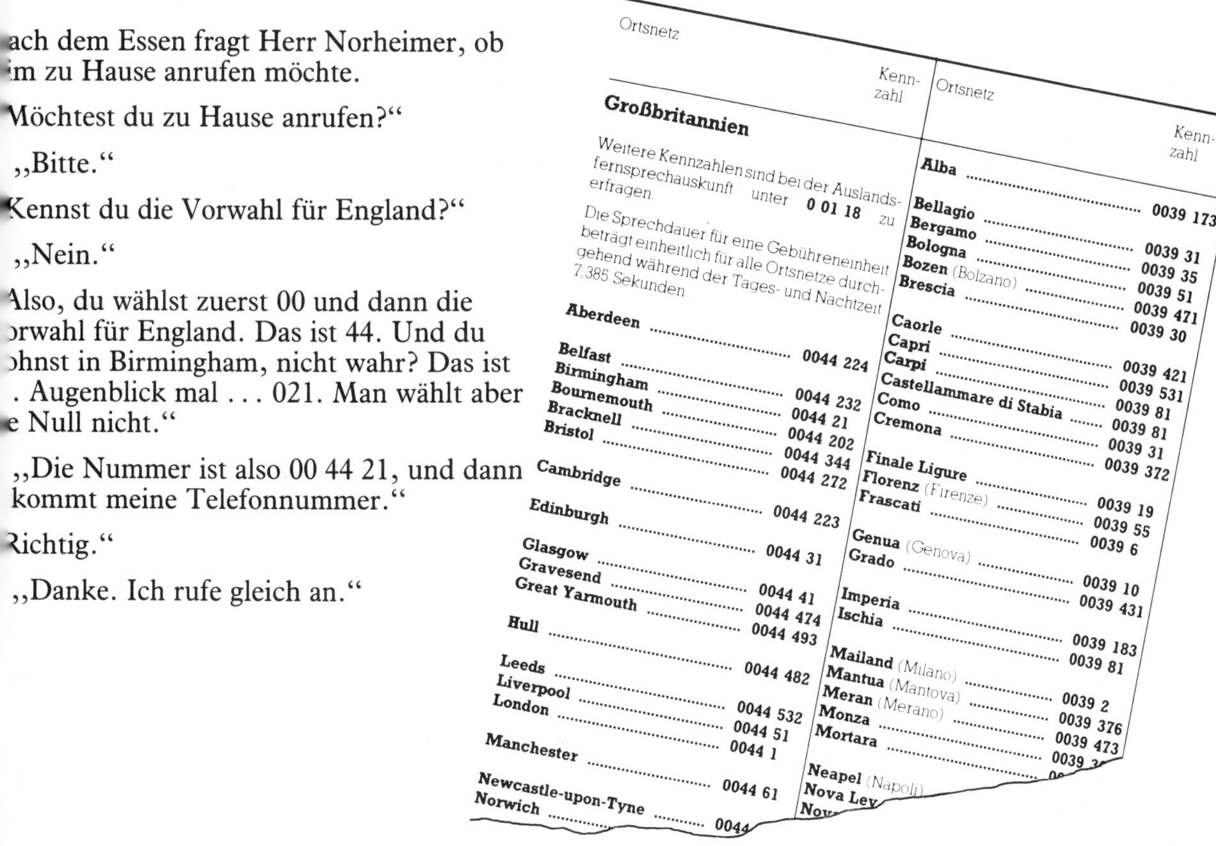

Ortsnetz	Kennzahl
Großbritannien	
Weitere Kennzahlen sind bei der Auslandsfernsprechauskunft unter **0 01 18** zu erfragen.	
Die Sprechdauer für eine Gebühreneinheit beträgt einheitlich für alle Ortsnetze durchgehend während der Tages- und Nachtzeit 7,385 Sekunden	
Aberdeen	0044 224
Belfast	0044 232
Birmingham	0044 21
Bournemouth	0044 202
Bracknell	0044 344
Bristol	0044 272
Cambridge	0044 223
Edinburgh	0044 31
Glasgow	0044 41
Gravesend	0044 474
Great Yarmouth	0044 493
Hull	0044 482
Leeds	0044 532
Liverpool	0044 51
London	0044 1
Manchester	0044 61
Newcastle-upon-Tyne	0044
Norwich	

Ortsnetz	Kennzahl
Alba	0039 173
Bellagio	0039 31
Bergamo	0039 35
Bologna	0039 51
Bozen (Bolzano)	0039 471
Brescia	0039 30
Caorle	0039 421
Capri	0039 531
Carpi	0039 81
Castellammare di Stabia	0039 81
Como	0039 31
Cremona	0039 372
Finale Ligure	0039 19
Florenz (Firenze)	0039 55
Frascati	0039 6
Genua (Genova)	0039 10
Grado	0039 431
Imperia	0039 183
Ischia	0039 81
Mailand (Milano)	0039 2
Mantua (Mantova)	0039 376
Meran (Merano)	0039 473
Monza	0039 3
Mortara	
Neapel (Napoli)	
Nova Lev	
Nov	

Reflexivverben *Reflexive verbs*
sich duschen
sich freuen
sich waschen
sich frisch machen
sich vorstellen

Ich freue mich sehr auf meinen Besuch.	ich ... mich
Möchtest du dich waschen?	du ... dich
Er wäscht sich.	er/sie/es ... sich
Wir freuen uns auf unseren Besuch.	wir ... uns
Möchten Sie sich duschen?	Sie ... sich
Möchtet ihr euch frisch machen?	ihr ... euch
Sie stellen sich vor.	sie... sich

Points about the accusative:

schreiben an + *acc*:
Er hat an die Familie geschrieben.
Sie schreibt an den Herbergsvater.

sich freuen auf + *acc*:
Ich freue mich sehr auf meinen Besuch.

VIERTER TEIL

Und wie war die Reise?
And what was the journey like?

This section teaches you how to describe what kind of journey you had.

Es gibt verschiedene Reisemöglichkeiten, wenn man nach Deutschland fährt. Man kann die Überfahrt mit der Fähre oder mit dem Luftkissenboot machen und dann mit der Bahn weiterfahren. Man kann auch fliegen.

die Fähre (–n)	*ferry*
fliegen (fliegt)	*to fly*
das Luftkissenboot (–e)	*hovercraft*
die Reise-möglichkeiten	*ways and means of travelling*
die Überfahrt (–en)	*crossing*

1.

Lucy hat die Fähre genommen.

„Wie war die Reise?"

„Ein bißchen lang."

„Bist du über Calais gekommen?"

„Nein. Über Zeebrugge. Mit der Fähre von Harwich aus."

„Wie war sie denn, die Überfahrt?"

„Sie war ziemlich stürmisch. Ich habe aber gut geschlafen."

stürmisch *stormy*

2.

Kevin hat die Überfahrt mit dem Luftkissenboot gemacht.

„Hast du eine gute Reise gehabt?"

„Ja, danke. Sie war sehr gut."

„Du bist aber sicher müde. Bist du über Hoek van Holland gefahren?"

„Nein, über Calais. Ich bin mit dem Luftkissenboot gefahren."

„Aha, mit dem Luftkissenboot. Und dann?"

„Dann bin ich mit der Bahn über Paris gefahren."

3.

Jill hat das Flugzeug genommen.

„So, wie war die Reise?"

„Sehr angenehm, danke."

„Du bist nach Luxemburg geflogen?"

„Nein, nach Frankfurt und dann bin ich umgestiegen und mit der Bahn weitergefahren."

„Wann hast du denn London verlassen?"

„So um zehn Uhr."

angenehm *pleasant*

X82
NJ46

. . . DER KLUGE
LIEST IM ZUGE
Presse und Buch
im Bahnhof

nd Andy, wie hat er die Reise
macht?

Wie war sie denn, diese lange
eise?"

„Nicht so schlimm, danke. Ich habe gelesen und geschlafen."

Wann bist du abgefahren?"

„Gestern abend."

Du hast also auf dem Schiff
ernachtet?"

„Ja. Wir sind mit der Fähre von Harwich nach Zeebrugge gefahren. Busfahrer möchten auch schlafen!"

Jnd wie bist du dann
itergefahren?"

„Über Brüssel und Namur."

gestern *yesterday*
schlimm *bad*

Ich bin	mit dem Bus	gefahren. gekommen.
	um 10.00 Uhr	abgefahren.
	in Venlo	umgestiegen.
	nach Luxemburg	geflogen.
*fahren *kommen *abfahren *umsteigen *fliegen		

Ich habe	die Fähre	genommen.
	eine gute Reise	gehabt.
	London um 10 Uhr	verlassen.
	auf dem Schiff	gelesen. geschlafen. übernachtet.
nehmen haben verlassen lesen schlafen übernachten		

Mallorca
ch möchte
ern dahin.

Ist es
weit ?

Ja. Du mußt
fliegen.
FLIEGEN?!

Vielleicht
nächstes
Jahr...

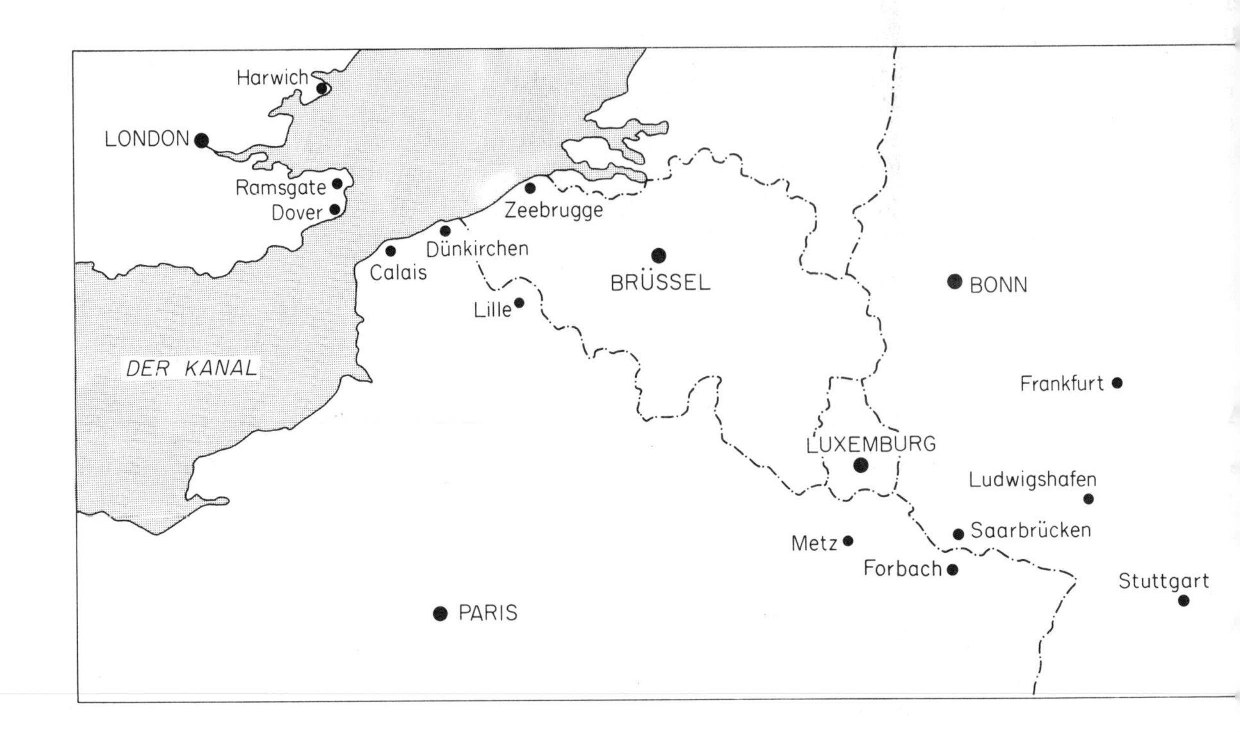

Jetzt seid ihr dran!

1. Hör zu!
Welche Reise haben diese Leute gemacht und wie sind sie gefahren?

2. Hör zu!
Mach eine Kopie der Landkarte oben und trage die Reiserouten ein!

3. Kannst du diesen Dialog mit folgenden Wörtern vollenden?

Fähre	stürmisch	gekommen	geschlafen
gefahren	über	Überfahrt	

„Bist du mit dem Luftkissenboot . . .?"

„Nein. Mit der . . . . Ich bin von Dover nach Dünkirchen . . . ."

„Und wie war die . . .?"

„Sie war . . ., aber ich habe . . . ."

„Und dann bist du über Paris oder über Brüssel weitergekommen?"

„Über Brüssel und dann . . . Luxemburg."

4. Kannst du den Text ergänzen?

Brian ist nach Deutschland gefahren. Er ist

mit der  von Dover nach Calais

gefahren und hat dann den

genommen. Unterwegs hat er  und

. Er ist um in

Saarbrücken angekommen.

Kannst du die Fragen
:ines Freundes beantworten?
u hast die folgende Reise gemacht.

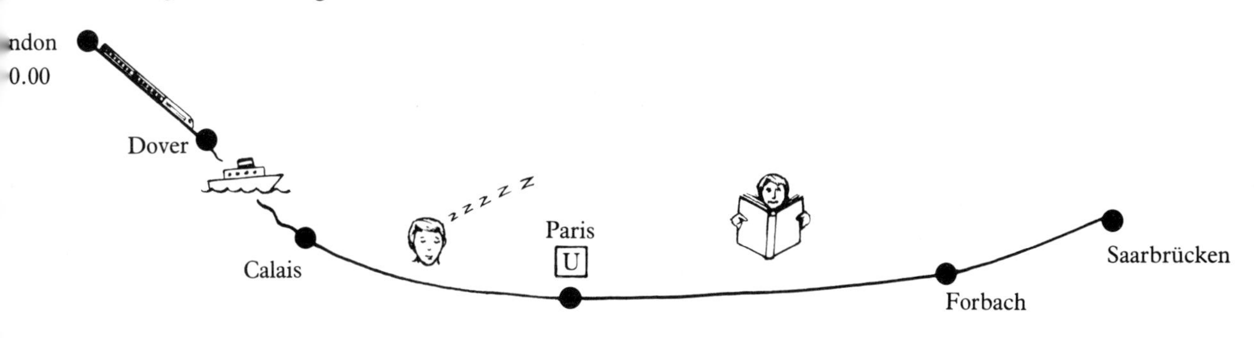

\lso, wie hast du die Überfahrt gemacht?"

„. . . . . . ."

Jnd bist du dann über Luxemburg
kommen?"

„Nein, ich . . . ."

Vo bist du umgestiegen?"

„In . . . ."

Das ist eine lange Reise. Was hast du
terwegs gemacht?"

„. . . . . . ."

„Und wann bist du abgefahren?"

„. . . . . . ."

„Und was möchtest du jetzt machen?"

„ ."

„OK."

---

id diese Reise?

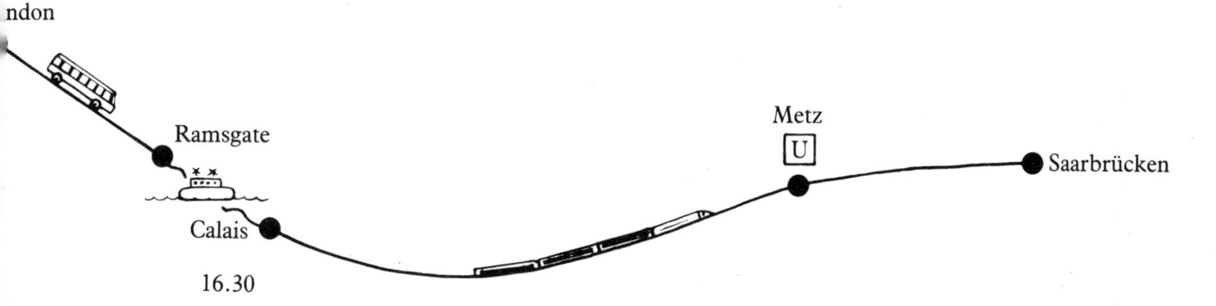

3ist du über Paris gekommen?"

„Nein, ..."

Jnd hast du die ganze Reise mit der Bahn
nacht?"

„. . . . . . ."

Jnd wie hast du die Überfahrt gemacht?"

„. . . . . . ."

„Wann bist du in Calais angekommen?"

„. . . . . . ."

„Und bist du umgestiegen?"

„. . . . . . ."

„Das ist eine lange Reise, nicht wahr?
Möchtest du etwas essen?"

„Nein, danke, aber ."

Und diese?

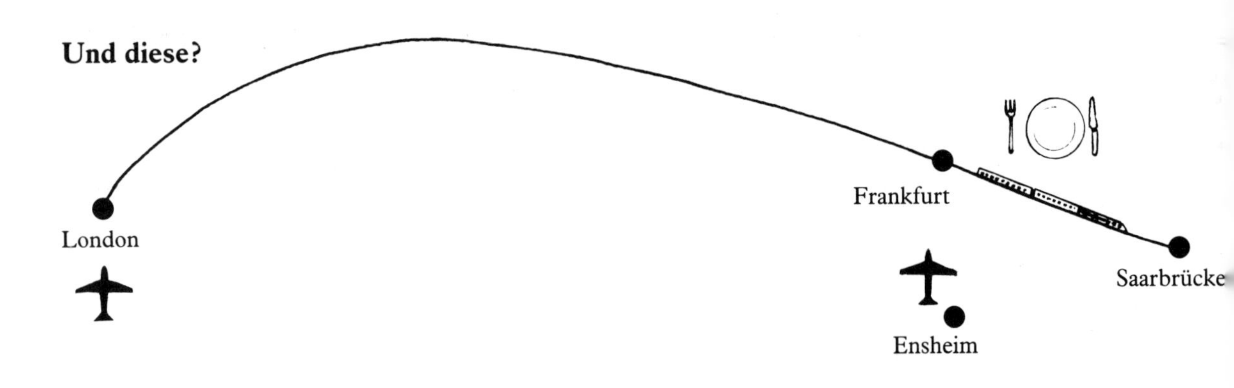

,,Wie war denn die Reise?"

,,Sehr angenehm, danke."

,,Bist du nach Luxemburg geflogen?"

,,. . . . . . ."

,,Ah ja, und dann weiter nach Ensheim geflogen?"

,,. . . . . . ."

,,Hast du Hunger?"

,,Nein, danke. Ich . . . ."

Heut' kommt der Hans nach Haus'

Heut' kommt der Hans nach Haus'
Freut sich die Lies.
Ob er aber über Oberammergau,
Oder aber über Unterammergau,
Oder aber überhaupt nicht kommt,
Ist nicht gewiß.

6. Mach eine Kopie der Landkarte auf Seite 128 mit einem Partner oder einer Partnerin!

Each of you draws the route of a journey on the map, showing where you ate, changed, left, arrived, slept, read, and also how you travelled.

Now discuss the journey with your partner, as though you had just arrived in Germany, or as though you were receiving a German guest at home. Ask each other what the journey was like, when you left, what you did on the way, etc.

Mit dem Taxi von Schweden nach Mallorca unterwegs

Ystad. Nach Mallorca reisen auch die Schweden üblicherweise mit dem Flugzeug. Eine Frau aus der Nähe von Ystad in Südschweden ist seit gestern dorthin mit dem Taxi unterwegs. Die beiden Chauffeure hoffen, am Sonntag auf der Mittelmeerinsel zu sein, meldete gestern die schwedische Agentur TT. Wenn sie Ende nächster Woche zurückkommen, werden sie vielleicht sagen, was die Reise gekostet hat . . .

i

Das Perfekt *The Perfect Tense*
In German the perfect tense of verbs is composed of two parts: the present tense of either **sein** *or* **haben**, *and the past participle:*

Er **ist geflogen.**	Ich **bin gefahren.**
Sie **hat übernachtet.**	Wir **haben geschlafen.**

In most cases verbs which indicate ***movement*** *take* **sein**:

Du **bist gegangen**.
Der **Zug ist abgefahren**.
Die Gäste **sind angekommen**.

The past participles of ***weak verbs*** *end in* **-t**:

Er hat 10 Mark **verdient**.
Ich habe in der Jugendherberge **übernachtet**.
Sie sind nach Deutschland **gereist**.

The past participles of ***strong verbs*** *end in* **-en**:

Ihr seid mit dem Zug **gefahren**.
Du hast einen Kuchen **genommen**.

There is also a small group of verbs which are called ***mixed verbs***, *because their past participle ends in* **-t** *(like the weak verbs), but they also have a vowel change (like a strong verb):*

bringen	Er hat ein Buch **gebracht**.
verbringen	Wir haben drei Tage in der Schweiz **verbracht**.

Most verbs add **ge-** *to make the past participle:*

Ich habe **getanzt**.
Sie ist **gegangen**.

This remains the case when a verb is separable:

Wir sind in Paris **umgestiegen**.
Er hat sein Heft **zugemacht**.

There are some verbs which do not add **ge-**. *These are:*

a. *verbs which end in* **-ieren**.

studieren   Er hat in Deutschland **studiert**.

b. *verbs which have a prefix which is* ***not*** *separable.*

Er hat seine Großmutter **besucht**.
Sie hat ihre Fahrkarte **entwertet**.
Ich habe London um 8.00 Uhr **verlassen**.

*These prefixes (***be-**, **ent-**, **ver-***) are the most common in this group.*

Die Bundesländer

Rheinland-Pfalz

Rheinland-Pfalz liegt in Südwestdeutschland westlich des Rheins.

des – *of the*

Rheinland-Pfalz ist ein romantisches Land mit vielen Legenden von alten Schlössern am Rhein, einige mit komischen Namen, wie Burg Katz und Burg Maus bei St. Goarshausen. Die schöne Lorelei, zum Beispiel, sitzt auf einem Felsen und lockt die Rheinschiffer in den Tod, und bei Worms hat Hagen das Nibelungengold in den Rhein geworfen.

Burg – *fortress*
Felsen – *rock*
lockt – *lures*
Tod – *death*
geworfen – *threw*

Die Hauptstadt des Landes ist Mainz, Geburtsort von Johannes Gutenberg (1397–1468). Gutenberg war der Erfinder des Buchdrucks.

Geburtsort – *place of birth*
Erfinder des Buchdrucks – *inventor of the printing p*

Trier, Geburtsort von Karl Marx, ist in Rheinland-Pfalz. Sie ist die älteste Stadt Deutschlands mit vielen römischen Resten.

Resten – *remains*

Rheinland-Pfalz ist aber auch ein modernes Land mit Industriestädten wie Ludwigshafen. Hier gibt es wichtige chemische Industrien und einen großen Hafen am Rhein.

Der Weinbau ist auch wichtig: der Wein ‚Liebfraumilch' kommt aus dieser Gegend und hat seinen Namen von der Liebfrauenkirche bei Worms genommen.

Weinbau – *wine-growing*
Gegend – *district*

16

;uten Appetit!

RSTER TEIL

ie drei Mahlzeiten

'he three meals

iis unit concerns eating in a German family; s section explains what is commonly eaten at ch meal in Germany and gives the German for lividual items of food.

e erste Mahlzeit ist das Frühstück. Zum ühstück trinkt man Kaffee, Tee, Kakao oder ilch und man ißt Brot oder Brötchen mit itter und Marmelade oder mit Käse oder urst. Vielleicht ißt man auch Obst, Jogurt er ein Ei dazu.

is ‚zweite' Frühstück nimmt man mit in die hule oder zum Arbeitsplatz: ein Stück Brot t Käse, Wurst, usw. Dann, wenn man um Uhr Hunger hat, hat man etwas zu essen.

Die zweite Mahlzeit ist das Mittagessen. Zu Mittag ißt man meistens warm: entweder in der Kantine oder zu Hause. Man ißt, zum Beispiel, Kartoffeln, Gemüse und Fleisch mit Soße, und vielleicht auch Suppe und einen Nachtisch. Die Deutschen essen viel Fleisch – mehr als die Engländer – aber nur in Norddeutschland ißt man viel Fisch.

Die dritte Mahlzeit heißt das Abendessen oder Abendbrot. Zu Abend ißt man meistens kalt. Wenn man kalt ißt, ißt man Brot mit Aufschnitt, Käse oder Wurst und so weiter, und vielleicht auch einen Salat.

In Deutschland ißt man viele verschiedene Salate; die Salate werden mit Mayonnaise, Öl, Essig, Zucker, Jogurt oder Sahne gemacht. Einige Salatsorten sind:

Nudelsalat

Kartoffelsalat

grüner Salat

Bohnensalat

Tomatensalat

Und was trinkt man? Oft trinkt man Tee und dann und wann Bier, Limonade oder Wein. Viele trinken auch Mineralwasser oder ‚Sprudel'. Das ist Wasser aus der Flasche: es ‚sprudelt' wie Limonade.

Jetzt seid ihr dran!

1. Was ist das?
Kannst du die passenden Nummern neben de betreffenden Buchstaben schreiben?

a.  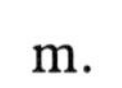

b. 

c. 

d. 

e.

f. 

g.

h. 

i. 

j.

k. 

l.

m. 

n. 

o. 

p. 

q.

r. 

s.

t. 

u. 

v. 

w. 

x. 

1 Kartoffeln
2 grüner Salat
3 Soße
4 Fleisch
5 Milch
6 Brot
7 Bohnen
8 Spiegelei
9 Birne
10 Flakes
11 Fisch
12 Salami
13 Apfel
14 Kaffee
15 Butter
16 Marmelade
17 Erbsen
18 Tomaten
19 Bananen
20 ein gekochtes Ei
21 Käse
22 Karotten
23 Apfelsine
24 Aufschnitt

. Was magst du? Was magst du nicht? Frag ıal deinen Partner oder deine Partnerin!
ʼhat do you like? What don't you like? Using the ›ods given in the previous exercise, find out what ɔur partner does and does not like.

Magst du Erbsen?	Ja.
	Nein, gar nicht.

ch mag	Salami, Wurst,	aber ich mag	Eier Yogurt	(gar) nicht.

. Hör zu!
ʼas essen diese Leute zum Frühstück, zu ıittag und zu Abend?

. Kannst du sagen, was du gestern gegessen ıst?

um Frühstück habe ich u Mittag habe ich u Abend habe ich	? Was ?	gegessen. getrunken.

WEITER TEIL

ıöchtest du noch etwas?

ʼould you like some more?

his section teaches you how to reply when offered ɔre food, how to ask for more yourself and how say what you do, and do not, like.

Darf ich Möchtest du Möchten Sie	noch ein Stück	Brot Kuchen	haben?
	noch eine Tasse	Tee Kaffee	
	noch ein Glas	Wein Bier	
	noch	Erbsen Käse Kartoffelsalat	

Darf ich . . . ?
Aber natürlich!
Bitte.
Sicher!

Möchtest du . . . ?
Ich kann nicht mehr.
Das reicht.
Nur ein paar, danke.

Jetzt seid ihr dran!

1. Mit einem Partner oder einer Partnerin. Der (die) eine bietet etwas an und der (die) andere reagiert.

Zum Beispiel:
A: Möchtest du noch Bohnen?
B: Danke. Das reicht.

2. Und jetzt kannst du fragen!

A: Darf ich noch ein Stück Brot haben, bitte?
B: Aber sicher!

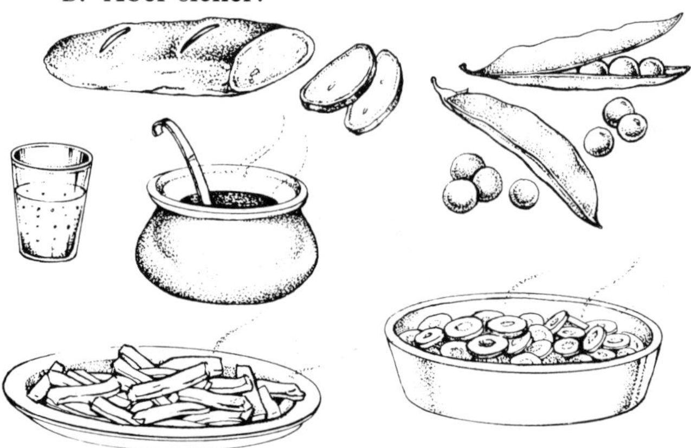

3. *Now you are offered one thing, but you would prefer another.*

Zum Beispiel:
A: Käse?
B: ×. Salami?
A: ✓.

A: Noch Käse?
B: Nein, danke. Darf ich aber noch Salami haben?
A: Aber natürlich!

a. A: Nudelsalat?
B: ×. Tomatensalat?
A: ✓.

b. A: Salami?
B: ×. Käse?
A: ✓.

c. A: Pommes Frites?
B: ×. Karotten?
A: ✓.

d. A: Fisch?
B: ×. Pommes Frites?
A: ✓.

e. A: Sprudel?
B: ×. Suppe?
A: ✓.

f. A: Erbsen?
B: ×. Bohnen?
A: ✓.

g. A: Brot?
B: ×. Kuchen?
A: ✓.

h. A: Bohnen?
B: ×. Kartoffeln?
A: ✓.

4. Ein Deutscher oder eine Deutsche in Großbritannien.

Erkläre die Speisekarte!
Explain the menu.

a. Du bist in einem Café mit einem deutschen Freund oder einer deutschen Freundin. Er (sie) stellt Fragen zur Speisekarte.

Kannst du mir bitte die Speisekarte klar machen? 'Toast' haben wir in Deutschland, aber was ist das hier, bitte?

Egg, chips and peas
Sausage, egg and chips
Egg and chips
Fish and chips
Baked beans on toast
Tea
Coffee

Heute abend hat die Familie folgendes zu essen. Dein Freund (Deine Freundin) fragt, was es heute zu Abend gibt. Deine Mutter sagt:

"Well, there's tomato soup, and then we've got lamb with sauce and potatoes."
"No vegetables?"
"Oh yes, beans."
"Any pudding?"
"No, I think we'll have fruit today."

g das deinem Freund (deiner Freundin)!

Deine Mutter möchte wissen, was dein Freund (deine Freundin) gern und nicht gern ißt. Kannst du fragen?

„Was magst du?"
„Was magst du nicht?"
„Was magst du sehr?"

Mach das mit einem Partner oder einer Partnerin und schreib eine Liste auf!

Was hast du probiert?
hat have you tried?
ell einem Partner oder einer Partnerin agen und gib Antworten!

m Beispiel:
Hast du die Erbsen probiert?
Ja. Ich habe sie probiert. Sie schmecken sehr gut.

Hast du den Käse probiert?
Ja. Ich habe ihn probiert. Er schmeckt sehr gut.

Hast du die Wurst probiert?
Hast du das Fleisch probiert?
Hast du die Salami probiert?
Hast du die Kartoffeln probiert?
Hast du den Tomatensalat probiert?
Hast du den Fisch probiert?
Hast du die Bohnen probiert?
Hast du die Marmelade probiert?
Hast du den Bohnensalat probiert?
Hast du die Soße probiert?

DRITTER TEIL

Man kauft Lebensmittel ein.
Buying food.

This section is about buying food in shops and about the various measurements and quantities used to describe items of food.

Heute geht Irene einkaufen. Hier siehst du ihre Liste. Wohin geht sie, um diese Sachen zu kaufen?

Um das Brot zu kaufen, geht sie zur Bäckerei.
Um den Aufschnitt zu kaufen, geht sie zur Metzgerei.
Um die Äpfel zu kaufen, geht sie zum Gemüsehändler.
Um die Milch zu kaufen, geht sie zum Lebensmittelgeschäft.

Irene ist beim Bäcker.

„Was möchten Sie?“

„Ein Graubrot, bitte.“

„Ein großes oder ein kleines?“

„Ein kleines. Ich nehme ein Pfundbrot.“

Jetzt ist sie beim Metzger.

„Guten Tag. Was darf es sein?“

„Aufschnitt, bitte. So ungefähr 150 Gramm.“

„Geht es so?“

„Nein. Etwas mehr, bitte. . . . Ja, das geht.“

„Danke.“

Beim Gemüsehändler.

„Tag. Ich möchte ein Kilo Äpfel, bitte.“

„Ja. Welche Äpfel möchten Sie?“

„Die grünen da, bitte.“

„Sonst noch etwas?“

„Ja. Geben Sie mir noch ein halbes Pfund Champignons.“

Im Lebensmittelgeschäft.

„Wer ist der nächste, bitte?“

„Ich bin daran. Ich möchte einen Liter Milch, eine Dose Bockwürste und zwei Schachteln Streichhölzer.“

„Wäre das alles?“

„Nein. Ich möchte zwei Gläser Kirschen und drei Pakete Chips.“

Auf ihrer Liste hat Irene zwei Stücke Käsekuchen. Wohin geht sie, um sie zu kaufen, und was sagt sie dort?

der Champignon (-s) *mushroom*
die Chips *crisps*
die Dose (-n) *tin, can*
die Kirsche (-n) *cherry*
das Paket (-e) *packet*
das Streichholz (¨er) *match*
etwas mehr *a little more*
etwas weniger *a little less*

500 Gramm ein halbes Pfund ein Pfund *(Neutrum)* zwei Pfund ein halbes Kilo ein Kilo *(Neutrum)* zwei Kilo	Äpfel Aufschnitt Brot Tomaten Wurst
ein halbes Liter ein Liter zwei Liter	Öl Milch
eine Dose zwei Dosen	Würste Sardinen
ein Glas zwei Gläser	Marmelade Kirschen
ein Paket zwei Pakete	Chips Kaffee

(In Deutschland entsprechen 500 Gramm eine Pfund.)

Jetzt seid ihr dran!

1. Verbessere diesen Unsinn!
Put this list right by giving the appropriate measurements, etc to the items to be bought.

eine Flasche Käse
ein Pfund Milch
ein halbes Pfund Wein
ein Liter Käsekuchen
eine Flasche Frankfurter
250 Gramm Chips
eine Tube Brot
ein Kilo Sprudel
eine Dose Zahnpasta
zwei Stücke Kartoffeln
drei Pakete Aufschnitt

Hör zu!

welchen Geschäften befinden sich diese
eute und was kaufen sie?
Helga b. Bernd c. Gabi
Heidrun e. Richard

Sieh dir diese Einkaufsliste an! Wohin geht
hristoph, um diese Sachen zu kaufen?

um Beispiel:
m . . . zu kaufen, geht er . . . .

eißbrot (500 gr.)
pfelsinen (9)
ffee – 250 gr
hnpasta
riefmarken 2 × 80 Pfg.
Koteletts
Apfeltorte
Eintrittskarten
für Fußballspiel (Sam

'as sagt er in den verschiedenen Geschäften?

das Kotelett (-s) *chop*

Auf diesem Bild gibt es nur zweierlei von
nigen Sachen. Welche Sachen sind das?

um Beispiel:
s gibt zwei . . . .

Sieh dir das Bild genau an und dann mach das Buch zu! Sag mit deinem Partner oder deiner Partnerin, wieviele Pakete, Flaschen, usw, es von jeder Sache gibt!

Zum Beispiel:
Es gibt drei . . . .

5. Mit einem Partner oder einer Partnerin.
Zuerst – Jeder/Jede schreibt sich eine Einkaufsliste auf, ohne sie dem Partner oder der Partnerin zu zeigen.
Dann – Jeder/Jede sagt dem Partner oder der Partnerin, was auf der Liste steht. Der oder die andere muß das aufschreiben.
Dann – Übt Einkaufsdialoge mit jeder Liste!

6. Heute macht ihr eine Radtour mit drei Freunden. Ihr müßt für alle vier Leute einkaufen. Ihr wollt folgendes essen und trinken:
Wurstbrote
Käsebrote
Chips
Obst
Apfelsaft
Schokolade
Tomaten.

a. In welchen Geschäften könntest du das einkaufen?

b. Was würdest du in den Geschäften sagen? Übe Dialoge mit einem Partner oder einer Partnerin!

das Käsebrot(-e) *cheese sandwich*
das Wurstbrot(-e) *sausage sandwich*

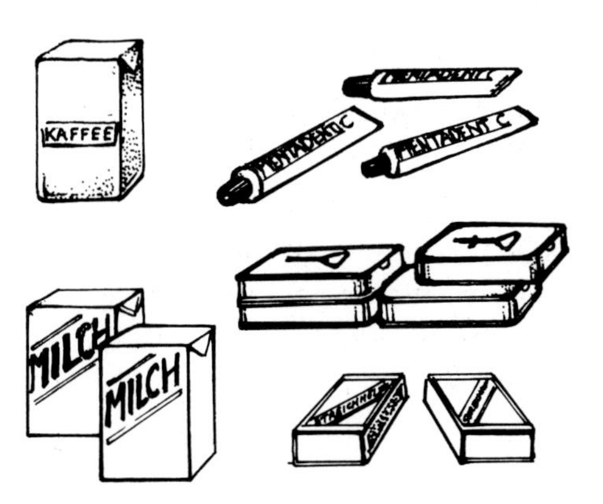

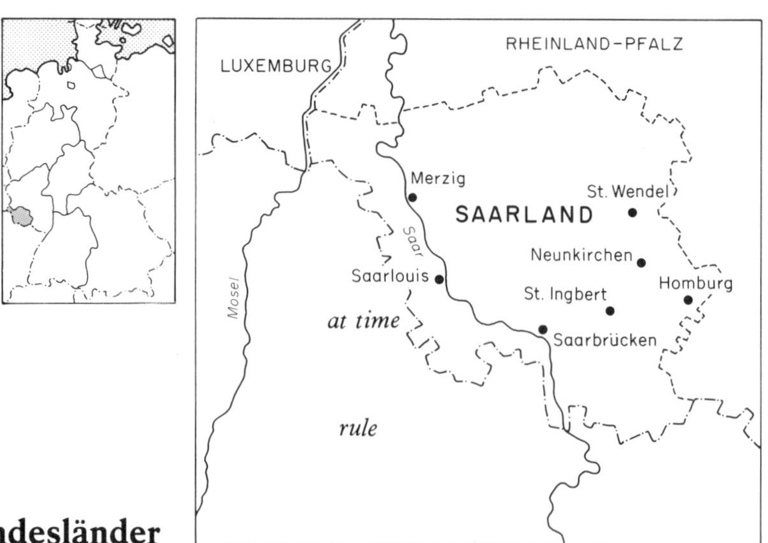

Die Bundesländer

Das Saarland

Südlich von Rheinland-Pfalz liegt das Saarland. Es ist ein kleines Land mit ungefähr einer Million Einwohner und ist für seine Stahl- und Kohlcnindustrie bekannt. Dieses Land grenzt an Frankreich und Luxemburg.

Die Industriegebiete liegen im Südwesten und im Süden des Landes, und ungefähr 10% der Gesamtproduktion von Stahl und Kohle der Bundesrepublik kommt aus dieser Gegend. Eine weitere wichtige Industrie ist die Keramikindustrie.

Das Saarland liegt an der Grenze zu Frankreich und Teile davon waren Mal unter französischer Herrschaft. Jeden Tag kommen viele Franzosen in das Land, um zu arbeiten: es gibt sogar eine Buslinie, die bei Saarbrücken über die Grenze geht.

Mal – at times; *Herrschaft* – rule

Auch für die Deutschen ist es leicht, nach Frankreich zu fahren, um vielleicht einkaufen zu gehen oder am Abend dort zu essen. Die Grenzen in Europa sind heute nicht mehr so wichtig.

leicht – easy

Im Norden des Landes gibt es sehr schöne Wälder mit Campingplätzen und Feriendörfern für Touristen.

Feriendörfern – holiday villages

17

Vas ist los? Bist du krank?
Vhat's the matter? Are you ill?

RSTER TEIL

Vas hast du?
Vhat's the matter?

is unit is about being ill, and in this section you n learn how to say what is wrong with you.

Was hast du? Bist du krank?"

„Ja. Ich habe Kopfschmerzen."

1.

„Was ist los? Ist dir schlecht?"

„Ja. Ich habe Halsschmerzen. Ich gehe zur Apotheke was kaufen."

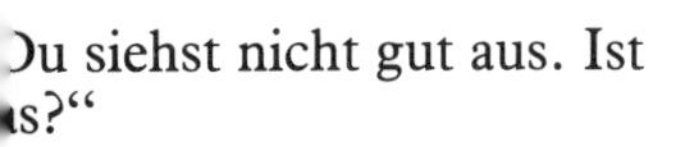

Du siehst nicht gut aus. Ist s?"

„Ja. Ich habe Bauchschmerzen, weißt du."

3.

4. „Hast du eine Schmerztablette?"

„Ja. Warum? Was hast du?"

„Ich habe starke Zahnschmerzen."

„Was ist mit Dieter los?"

„Wir wissen nicht. Vielleicht hat er etwas gegessen. Er hat Bauchschmerzen und Durchfall."

„Das war vielleicht der Fisch von gestern."

„Kann sein."

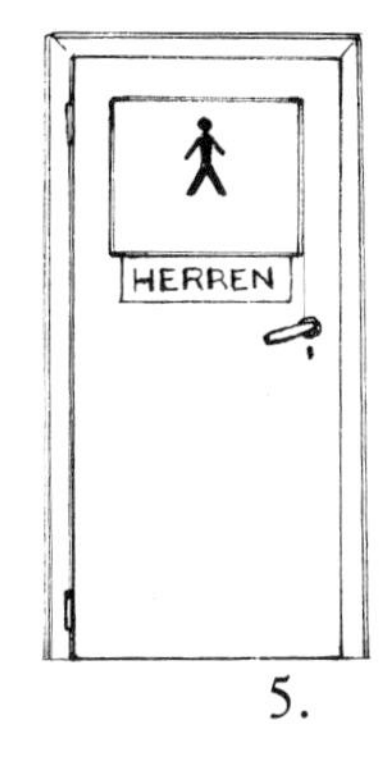

5.

In der Apotheke

„Guten Tag. Haben Sie ein Mittel gegen Halsschmerzen?"

„Ja. Dies hier. Es ist sehr gut."

„Was kostet es, bitte?"

„Drei Mark achtzig."

„Ich nehme es. Danke schön."

„Bitte sehr."

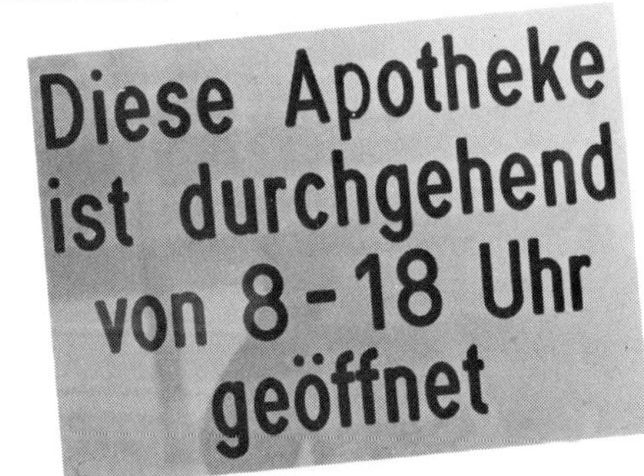

Diese Apotheke
ist durchgehend
von 8 - 18 Uhr
geöffnet

Jetzt seid ihr dran!

Übe Dialoge mit einem Partner oder einer Partnerin!

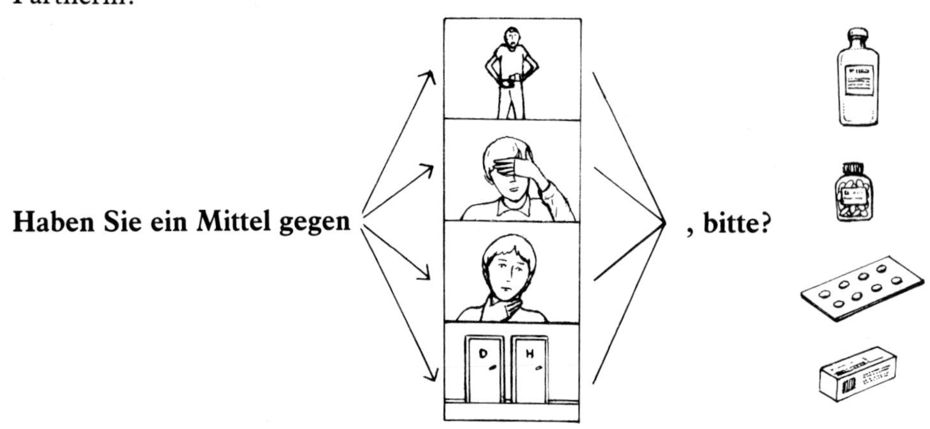
Haben Sie ein Mittel gegen
D
H
, bitte?

ZWEITER TEIL

Seit wann?
Since when?

This section explains what to do if you are ill and how to explain for how long you have been ill.

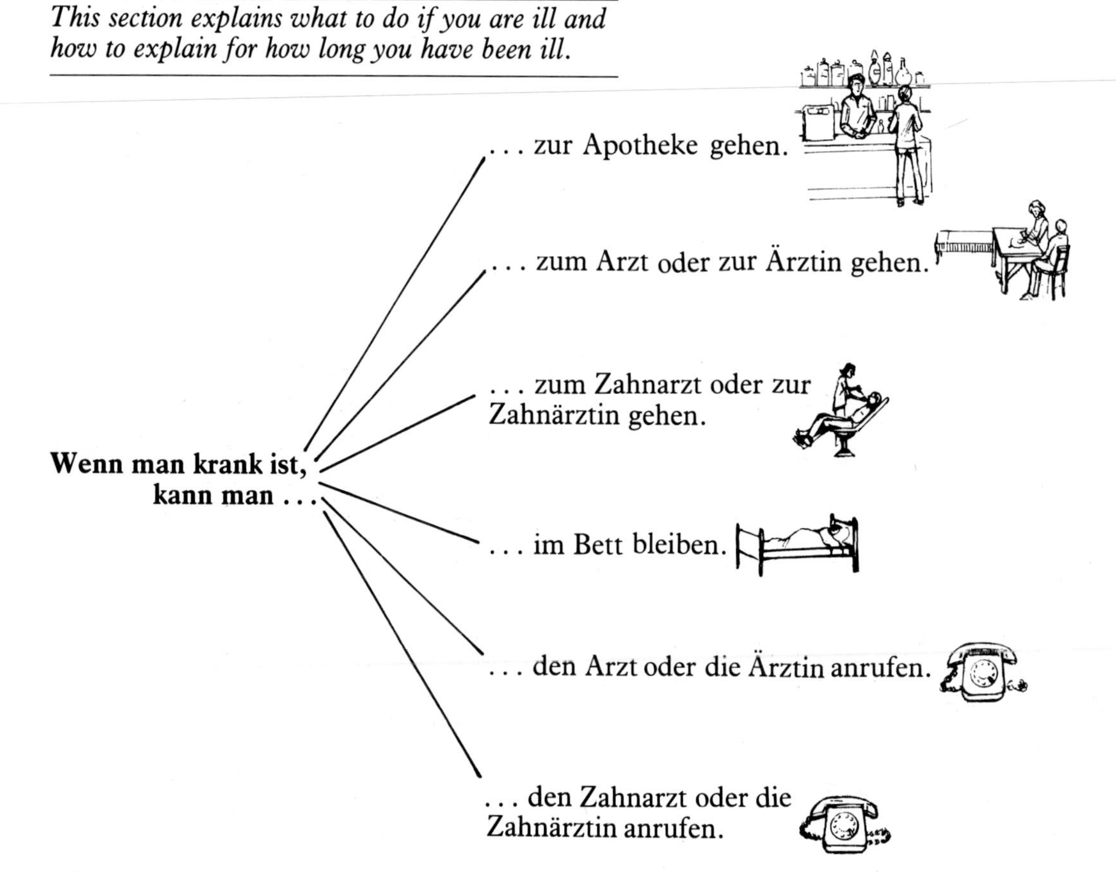
Wenn man krank ist,
kann man . . .
. . . zur Apotheke gehen.
. . . zum Arzt oder zur Ärztin gehen.
. . . zum Zahnarzt oder zur Zahnärztin gehen.
. . . im Bett bleiben.
. . . den Arzt oder die Ärztin anrufen.
. . . den Zahnarzt oder die Zahnärztin anrufen.

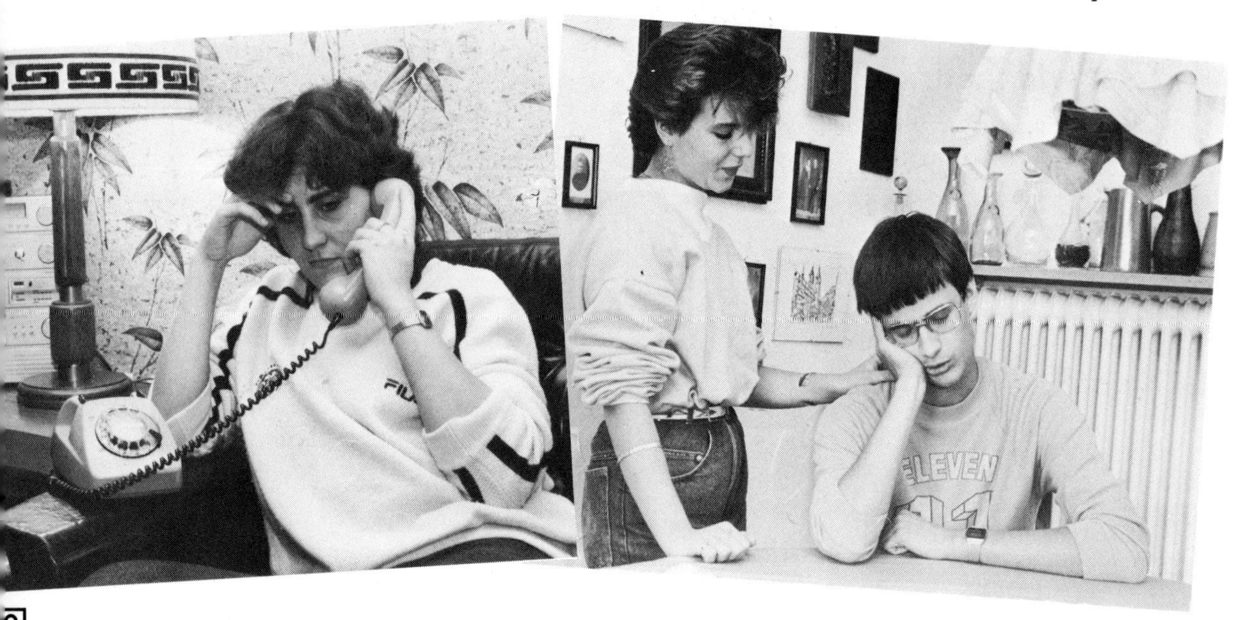

ıudia ist seit zwei Tagen nicht mehr in die
hule gegangen. Ihre Freundin ruft sie an
d fragt, was mit ihr los ist.

Vie geht's?"

„Nicht so gut. Mir ist kalt."

Vas hast du?"

„Ich weiß nicht. Ich habe Kopf- und
Halsschmerzen."

Iast du ein Mittel dagegen?"

„Ja. Meine Mutter ist zur Apotheke
gegangen. Tabletten hab' ich."

eit wann bist du denn krank?"

„Seit zwei, drei Tagen."

rian liegt schon seit zwei Tagen im Bett.
in Freund kommt vorbei und will wissen,
s mit ihm los ist.

Vas ist los? Geht's dir nicht gut?"

„Nein. Mir ist schlecht."

Vieso?"

„Ich habe seit gestern Bauch- und
Halsschmerzen."

Iast du den Arzt angerufen?"

„Nein, noch nicht. Ich bin im Bett
geblieben."

Horst kann heute nicht mehr arbeiten. Ihm ist schlecht. Warum? Weil er sehr starke Zahnschmerzen hat.

„Ach, es tut weh."

„Was?"

„Hier. Ich habe seit drei Tagen Zahnweh."

„Willst du nicht zum Zahnarzt gehen?"

„Ich kenne keinen hier."

„Du kannst aber zu meinem Zahnarzt gehen. Er ist sehr nett. Ich rufe ihn gleich an."

der Arzt (¨-e)	*doctor (man)*
die Ärztin (-nen)	*doctor (woman)*
der Zahnarzt (¨-e)	*dentist (man)*
die Zahnärztin (-nen)	*dentist (woman)*
*bleiben (bleibt, geblieben)	*to stay, remain*
nett	*nice*
es tut weh	*it hurts*

Mir ist	seit drei Tagen	kalt.
Ihm ist	seit einem Tag	warm.
Ihr ist	seit einer Woche	schlecht.
Ich habe	seit gestern abend	Kopfschmerzen. Halsschmerzen.

Jetzt seid ihr dran!

1. Hör zu!
Was haben diese Leute? Und was haben sie gemacht?

2. Kannst du sagen, was du hast?

Zum Beispiel:

1 T  + warm

Du: Ich habe seit einem Tag Bauchschmerzen. Mir ist auch warm.

a. 2 T 

b. gestern  + kalt

c. heute morgen  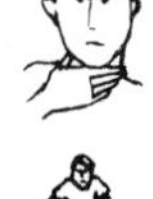 + kalt

d. 1 T 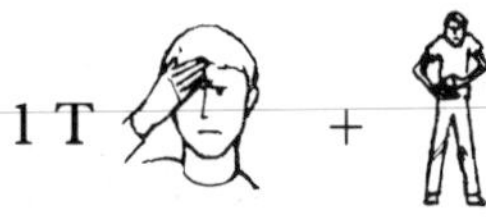 +

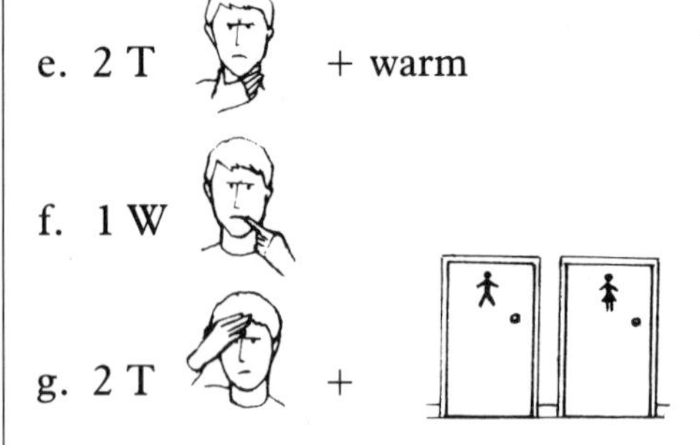

e. 2 T + warm

f. 1 W

g. 2 T +

3. Hast du Zahnschmerzen?
Wo? Unten? Oben? Links? Rechts?

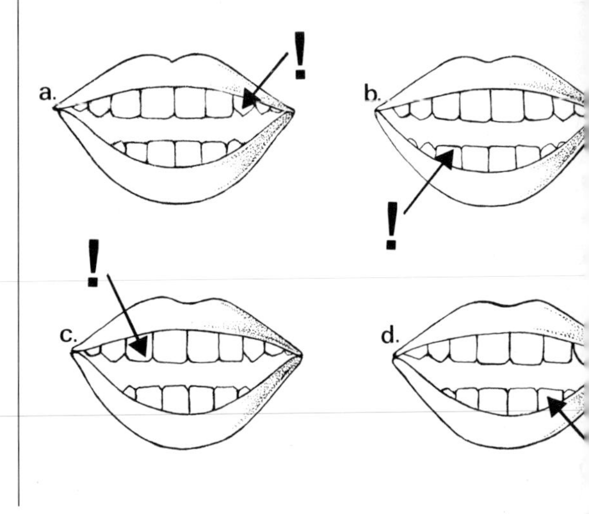

4. Stell einem Partner oder einer Partnerin Fragen und beantworte sie! Schreibt die Antworten auf!
Work with a partner. One of you asks the three questions on this page and the other gives the answers (which are on page 171): an example of how to use the answer boxes is given below. Take it in turns to ask the questions (which remain the same in each instance).

1. Wie geht's dir?
2. Was ist los?
   (Was ist mit dir?)
3. Seit wann hast du . . . (zB. Kopfschmerzen)?

Zum Beispiel:

1.	Schlecht. (Nicht gut.)
2. !!!	Ich habe Kopfschmerzen, starke Kopfschmerzen!
3. 2T.	Seit 2 Tagen.

Für die Antworten seht euch Seite 171 an!

i

Nominativ	ich	du	er	sie
Dativ	**mir**	**dir**	**ihm**	**ihr**

Gib es mir, bitte.
Mir ist kalt.
Ihm ist warm.
Es geht mir schlecht.
Es geht mir gut, danke.
Wie geht's dir?
Wie geht's der Sabine? Ihr geht's schlecht.
Ihm ist kalt.
Ihr ist warm.

Seit + *dative*

Mir ist seit einem Tag kalt.
Ich habe seit einer Woche Zahnweh.

Zum Lesen
ıdreas ist seit zwei Tagen krank.
ist zu Hause geblieben und hat
ɔpf- und Halsschmerzen. Sein
eund ruft an.

Vas ist los?"

„Ich weiß nicht."

Iast du den Arzt angerufen?"

„Ja. Ich bin zu ihm gegangen.
Er hat mir Tabletten gegeben."

Du kommst denn heute abend
·ht?"

„Nein. Unmöglich."

chade."

dreas kann nicht mit seinen
eunden in die Disko gehen. Er
ibt zu Hause, schluckt
bletten und sitzt vor dem
rnseher. Er kann nicht lesen.
n tut der Kopf weh.

unmöglich	*impossible*
Schade	*(What a) shame, pity*
schlucken (schluckt, geschluckt)	*to swallow*

Die Bundesländer

Nordrhein-Westfalen und Hessen

Nordrhein-Westfalen grenzt an die Niederlande und an Belgien. Mit einer Bevölkerung (*population*) von ungefähr 17 Millionen ist es das wichtigste Industrieland der Bundesrepublik. Hier, besonders im Ruhrgebiet, produziert man die Güter (*goods*), die für die Bundesrepublik als Exporte so wichtig sind. Duisburg liegt am Rhein und ist einer (*one*) der (*of the*) größten Häfen Deutschlands.

Die Hauptstadt der Bundesrepublik liegt in diesem Land: Bonn, Geburtsort von Ludwig van Beethoven (1770–1827). Weiter westlich liegt eine andere Stadt, die einmal eine Hauptstadt war: Aachen oder Aix-la-Chapelle. Karl der Große hat diese Stadt als seine Hauptstadt gewählt, und hier wurden 32 Kaiser gekrönt (*crowned*).

Eine andere große Stadt ist Köln. Diese Stadt liegt am Rhein. Sie hat einen sehr berühmten Dom. Man hat den Dom 1248 begonnen, und die Arbeit war erst im neunzehnten Jahrhundert (*century*) zu Ende.

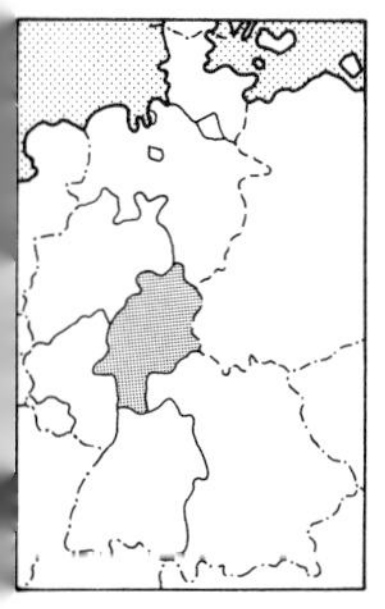

Hessen liegt in der Mitte Deutschlands. Es liegt an der Grenze zur DDR. Es ist ein Land mit großen Wäldern und hat im Norden viele Schlösser und Burgen. Hier in den Wäldern nördlich von Kassel haben die Gebrüder Grimm Ideen für ihre Märchen gefunden, Märchen wie Dornröschen und Rotkäppchen.

ir fairy stories · *Sleeping Beauty* · *ttle Red ding Hood*

Kassel ist eine schöne Stadt mit etwas Schwerindustrie (Lokomotiv- und chemische Industrie) und besonders im Westen von Hessen gibt es viele schöne, kleine Städte wie Marburg und Limburg.

In Gießen hat Wilhelm Röntgen seine Entdeckungen der Röntgenstrahlen gemacht.

discoveries of the · *-Rays*

In Hessen liegt Deutschlands größter Flughafen: Der Rhein-Main Flughafen. Frankfurt ist eine moderne Stadt mit einer wichtigen, jährlichen Buchmesse. Vielleicht hat dies etwas mit Gutenberg zu tun; er hat hier 1454 ein Geschäft eröffnet und hier gearbeitet.

ok fair · *opened*

Frankfurt-am-Main ist Geburtsort von Johann Wolfgang von Goethe (1749–1832), Deutschlands größtem Dichter.

poet

Sieh dir Seite 73, Übung 3 an!

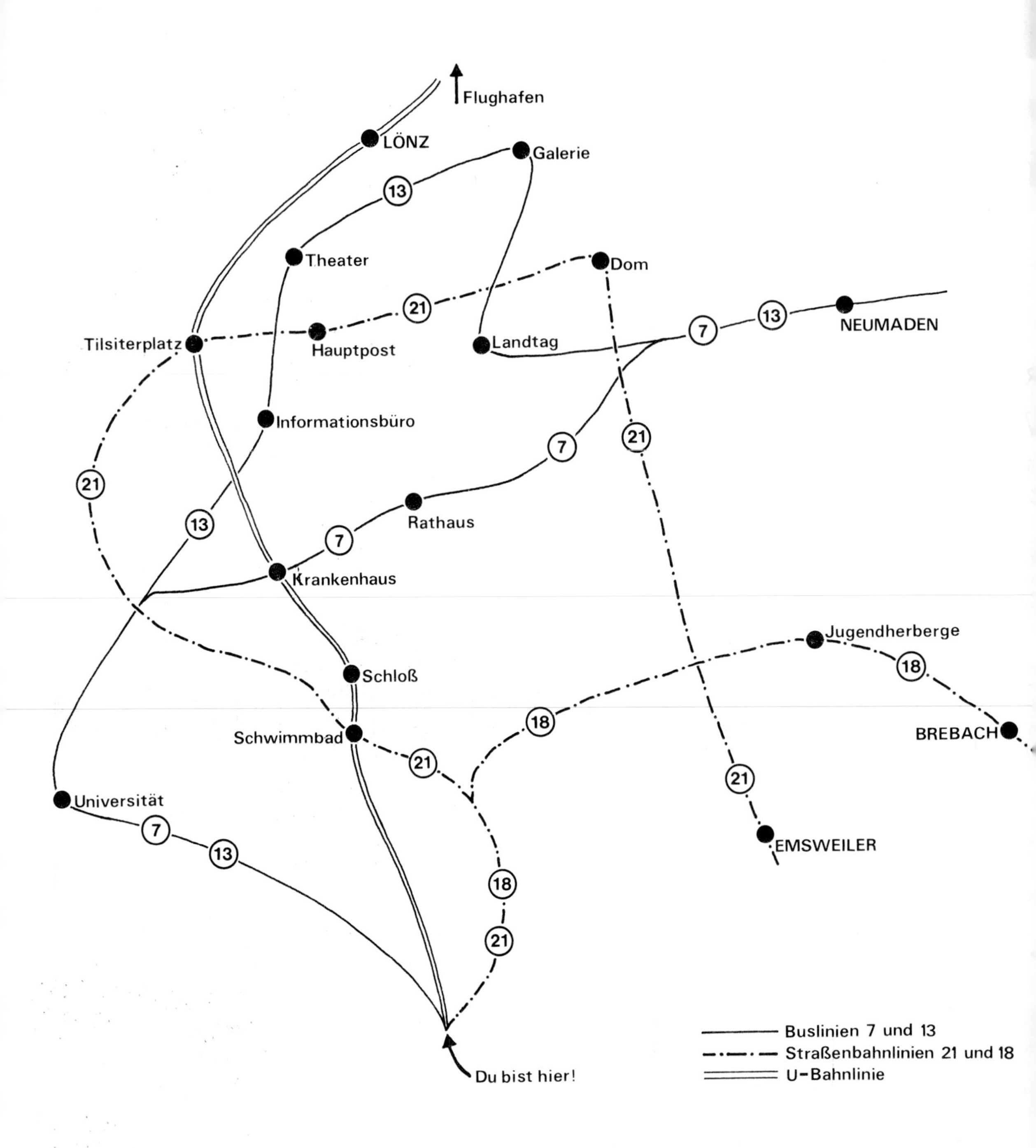

8

Vann und wo treffen wir uns?
Vhen and where shall we meet?

ɌSTER TEIL

Vieviel Uhr ist es? Wie spät t es?
Vhat's the time?

---

is unit is about arranging to meet people; this tion teaches you how to tell the time in German, that you can agree on when to meet someone.

neun Uhr

2.

fünf (Minuten) nach neun

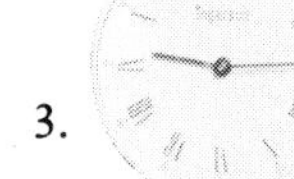

3.

ertel nach neun

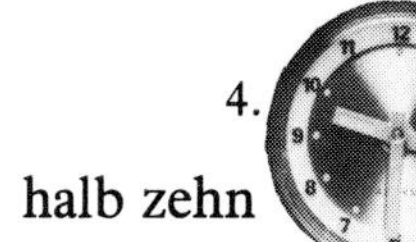

4.

halb zehn

Viertel vor zehn

6.

fünf (Minuten) vor zehn

„Wann kommst du zum Jugendklub?"

„Um drei Uhr."

Vann fährt der Zug nach emen, bitte?"

„Um fünfzehn Uhr."

8.

Jetzt seid ihr dran!

1. Kannst du die passenden Nummern neben den betreffenden Buchstaben schreiben?

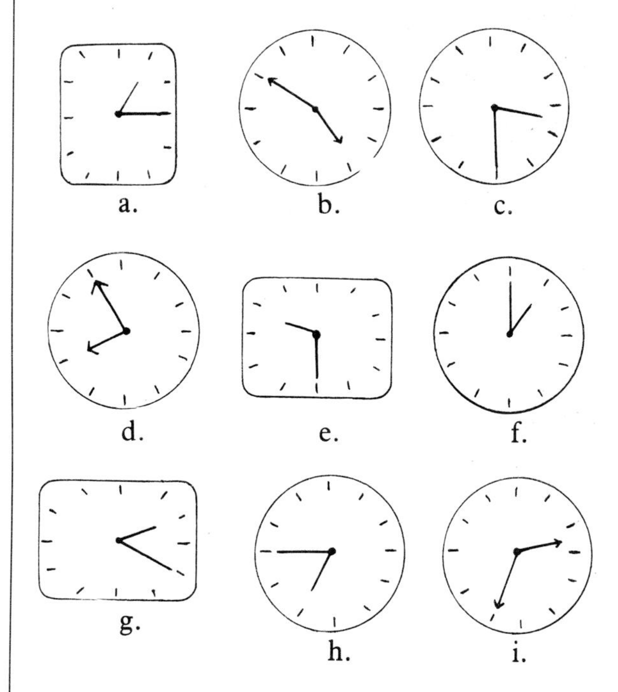

1. fünf vor acht
2. zwanzig nach zwei
3. ein Uhr
4. Viertel nach eins
5. halb elf
6. fünf nach halb drei
7. halb zehn
8. Viertel vor sieben
9. halb vier
10. zehn Minuten vor fünf

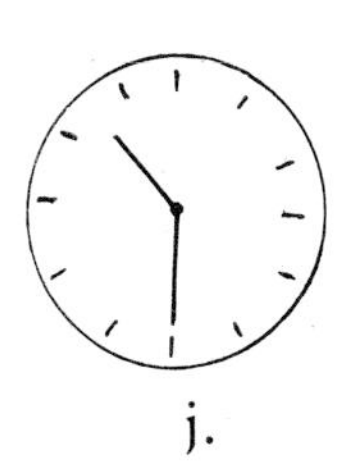

2. Wieviel Uhr ist es, bitte?

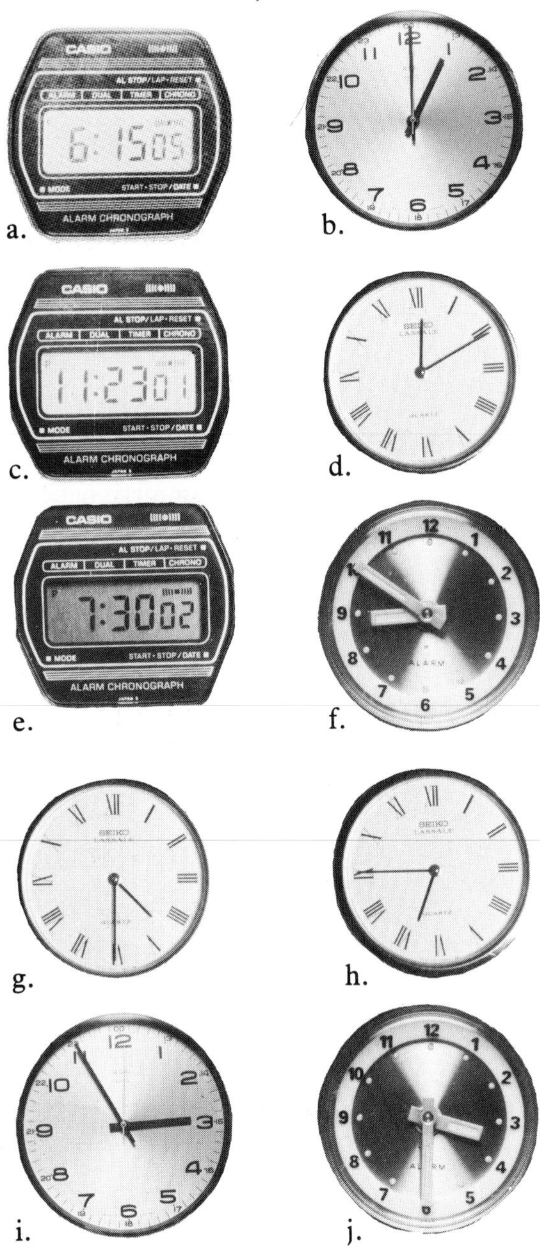

a. b. c. d. e. f. g. h. i. j.

3. Beantworte folgende Fragen!

a. Um wieviel Uhr stehst du auf? In der Woche? Am Sonntag?

b. Um wieviel Uhr gehst du ins Bett?

c. Um wieviel Uhr ißt du zu Mittag in der Schule?

d. Um wieviel Uhr ißt du am Abend zu Hause?

ZWEITER TEIL

Ruf doch mal an!

Why not give someone a ring?

This section teaches you how to use the telephone in Germany.

Ruf doch mal an!

Sandra ist vor zwei Tagen in Saarbrücken angekommen. Es ist schon ihr dritter Besuch, und sie will sich mit einigen Freunden treffen. Vor ihrem Besuch hat sie einige Briefe und Postkarten geschickt, und ihre Freunde erwarten sicher ihren Anruf.

Zuerst ruft sie Martin an. Mit ihm ist sie besonders gut befreundet. Sie kennt ihn schon seit drei Jahren, und sie schreiben sich regelmäßig.

Jetzt ruft sie ihn an. Wann treffen sich die beiden Freunde?

erwarten (erwartet, erwartet)	*to expect*
der Anruf(–e)	*telephone call*
regelmäßig	*regularly*
sich treffen (trifft sich, sich getroffen)	*to meet*

ndra steht in einer
elefonzelle. Sie sucht
e Nummer im
elefonbuch und ruft
.

Müller."

„Hier Sandra. Ist Martin da, bitte?"

Wer, bitte?"

„Martin."

Hier ist kein Martin. Sie sind sicher falsch
rbunden."

„O. Entschuldigung. Auf Wiederhören."

Das war der falsche Müller. Sie hängt den Hörer ein und sucht noch einmal nach der Nummer.

0 ... 3 ... 4 ... 8 ... 9 ... 3 ... 4.

„... unter dieser Nummer ... kein Anschluß unter dieser Nummer ... kein Anschluß unter dieser Nu..."

„Ach. Nochmal falsch gewählt. Was ist mit mir?"

Sie wählt zum dritten Mal.

0 ... 3 ... 5 ... 8 ... 9 ... 3 ... 4.

„Müller."

„Hallo. Hier Sandra."

„Sandra! Wie geht's? Schon wieder im Lande?"

„Ja. Mir geht's ganz gut. Und euch?"

„Prima!"

„Ist der Martin da, bitte?"

„Ja, sicher. Ich hole ihn ... MARTIN!! Sandra am Telefon. Er kommt gleich, Sandra .... Da ist er."

falsch verbunden sein	*to have the wrong number*
falsch wählen	*to dial the wrong number*
suchen (sucht, gesucht) nach + *dat*	*to look for*
versuchen (versucht, versucht)	*to try*

DRITTER TEIL

Wann treffen wir uns?
When shall we meet?

This section explains how to arrange what time and place to meet someone.

1.

2.

3.

4.
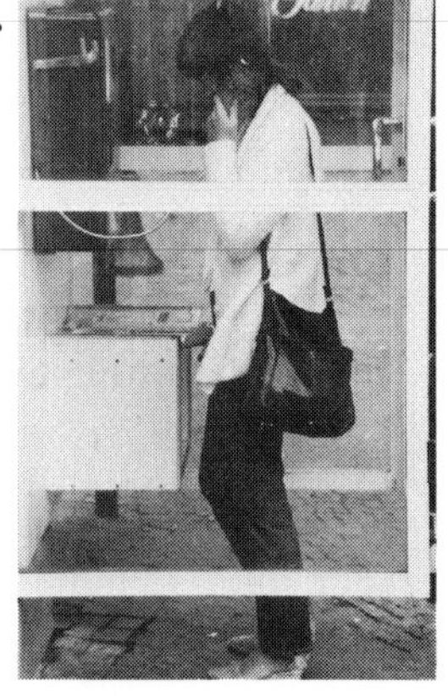

Sandra telefoniert mit Martin. Von der ersten Telefonzelle ruft sie ihn an. Sie beschließen, sich um zwei Uhr zu treffen.

„Wie wäre es mit drei Uhr?"

„Nein. Das geht nicht."

„Etwas früher? So um zwei?"

„Ja. Das geht."

„OK. Dann sehen wir uns morgen um zwei."

„Ja. Fein. Bis dann. Tschüs."

„Tschüs."

In der zweiten Telefonzelle ruft Manfred seine Freundin Heidrun an.

„Wann treffen wir uns denn?"

„Wie wäre es mit morgen um zehn?"

„Nein. Leider geht das nicht. Kannst du etwas früher kommen?"

„Ja. Sicher. Um neun Uhr?"

„Ja. Das geht prima."

„Gut. Bis neun bei dir. Tschüs."

„Tschüs."

Herr Schneider ist in der dritten Telefonzelle. Er telefoniert mit Frau Auler. Sie wollen einen Termin ausmachen.

„Wann können wir uns sehen? Haben Sie morgen Zeit?"

„Ja. Ab drei."

„Gut. Dann treffen wir uns um halb vier bei Ihnen im Büro?"

„Ja. In Ordnung. Bis morgen."

„Prima. Bis morgen, Frau Auler. Auf Wiederhören."

„Auf Wiederhören."

einen Termin ausmachen *to fix a time*

MAN TRIFFT SICH GUT
BEI CAFÉ RUTH

der vierten Telefonzelle ruft Bettina ihren
eund Dieter an.

ehen wir uns morgen um zehn?"

„Nein, das ist mir zu früh."

Vann hast du denn Zeit?"

„Zwischen elf und eins."

)ann sehen wir uns um halb zwölf?"

„Ja. Schön. Wo denn?

eim Café Ruth?"

„OK. In Ordnung. Bis dann. Tschüs."

'schüs."

Questions Wann sehen wir uns? Wann treffen wir uns? Wann hast du Zeit? Hast du morgen Zeit?
Suggestions Wie wäre es mit drei Uhr? Wie wäre es etwas später? Wie wäre es etwas früher?
Refusals/Acceptances Das geht. Das geht nicht.
Agreements Ab drei Uhr. Zwischen elf und zwölf.
Goodbyes Bis dann. Bis Dienstag. Bis morgen. Tschüs. Auf Wiederhören.

tzt seid ihr dran!

Hör zu! ●

ıch dir eine Kopie dieser Tabelle!
ınn haben die Leute in den Dialogen Zeit?
ıd an welchem Tag?

hr	Montag	Dienstag	Mittwoch	Donnerstag	Freitag
9					
10					
11					
12					
1					
2					
3					
4					
5					
6					
7					
8					

2. Erfinde Dialoge mit einem Partner oder einer Partnerin!

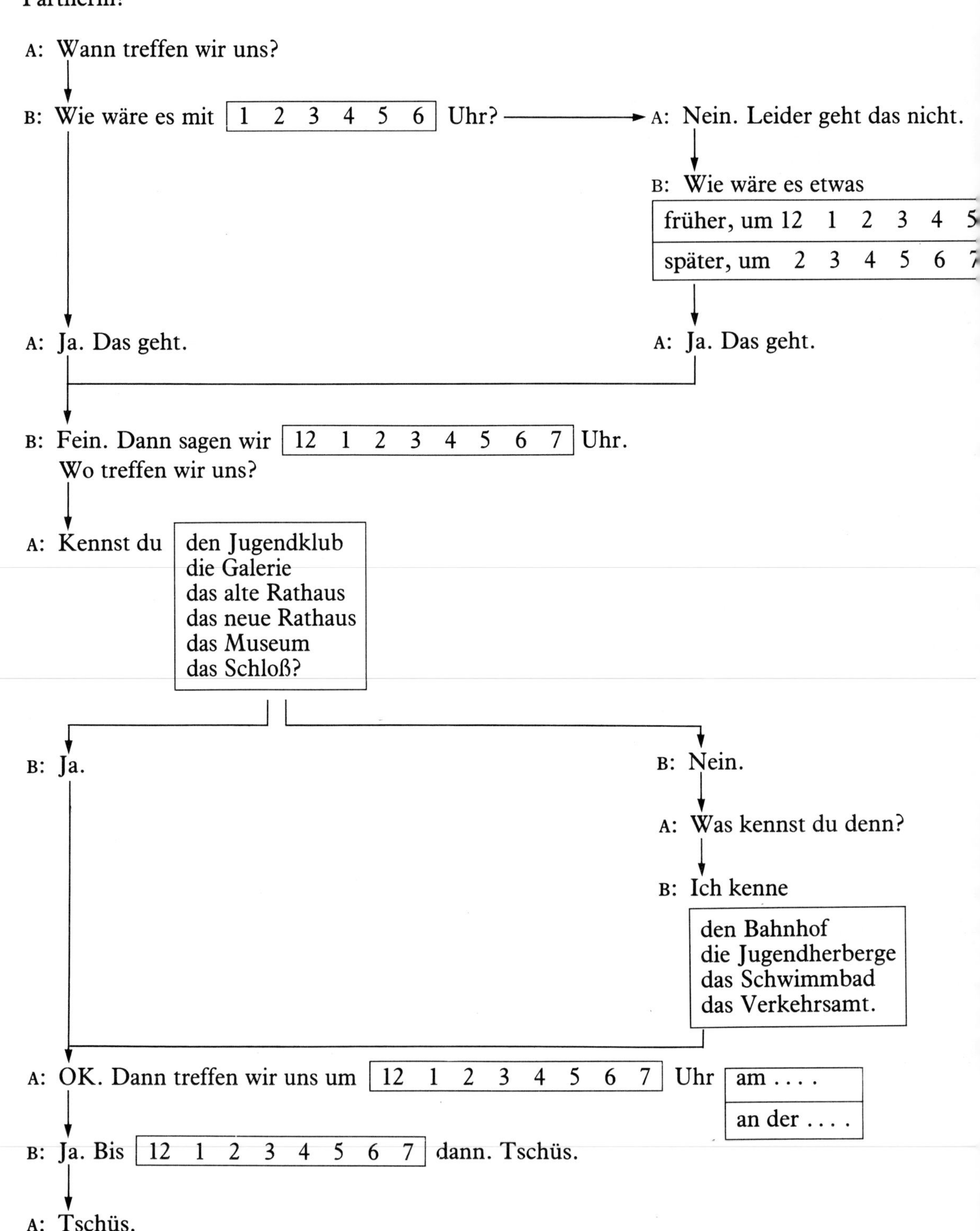

A: Wann treffen wir uns?
B: Wie wäre es mit 1 2 3 4 5 6 Uhr?
A: Nein. Leider geht das nicht.
B: Wie wäre es etwas
früher, um 12 1 2 3 4 5
später, um 2 3 4 5 6 7
A: Ja. Das geht.
A: Ja. Das geht.
B: Fein. Dann sagen wir 12 1 2 3 4 5 6 7 Uhr.
Wo treffen wir uns?
A: Kennst du
den Jugendklub
die Galerie
das alte Rathaus
das neue Rathaus
das Museum
das Schloß?
B: Ja.
B: Nein.
A: Was kennst du denn?
B: Ich kenne
den Bahnhof
die Jugendherberge
das Schwimmbad
das Verkehrsamt.
A: OK. Dann treffen wir uns um 12 1 2 3 4 5 6 7 Uhr
am . . . .
an der . . . .
B: Ja. Bis 12 1 2 3 4 5 6 7 dann. Tschüs.
A: Tschüs.

Schreib zwei Dialoge aus!

Erfindet Dialoge!

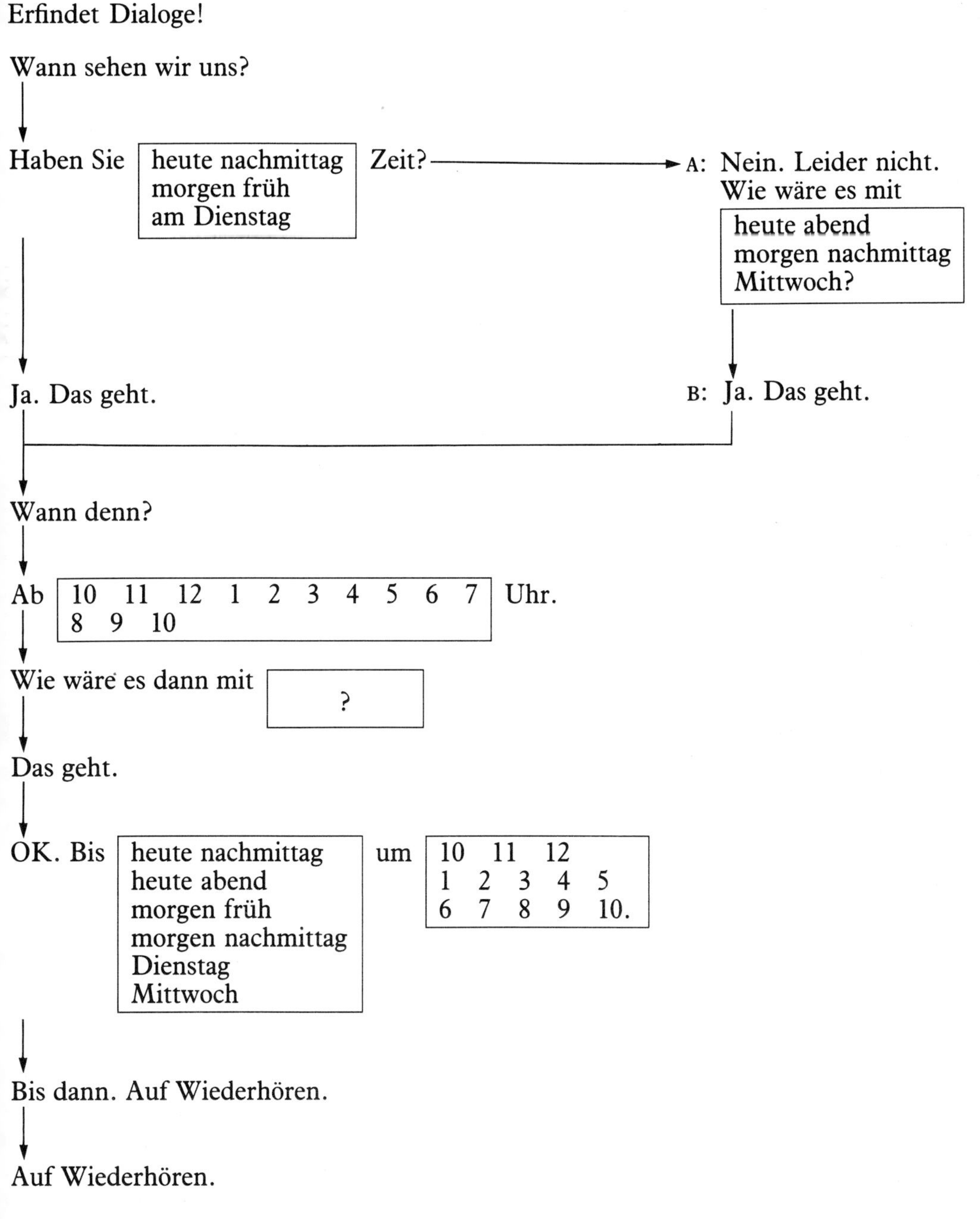
Wann sehen wir uns?
Haben Sie
heute nachmittag
morgen früh
am Dienstag
Zeit?
A: Nein. Leider nicht.
Wie wäre es mit
heute abend
morgen nachmittag
Mittwoch?
Ja. Das geht.
B: Ja. Das geht.
Wann denn?
Ab
10 11 12 1 2 3 4 5 6 7
8 9 10
Uhr.
Wie wäre es dann mit
?
Das geht.
OK. Bis
heute nachmittag
heute abend
morgen früh
morgen nachmittag
Dienstag
Mittwoch
um
10 11 12
1 2 3 4 5
6 7 8 9 10.
Bis dann. Auf Wiederhören.
Auf Wiederhören.

hreib zwei Dialoge aus!

4. Ergänze die folgenden Dialoge!

a. ,,Wann . . . wir uns?"

,,Wie . . . es mit zwei Uhr?"

,,Nein. Das . . . nicht."

,,Wann hast du denn . . . ?"

,, . . . drei."

,,Dann sehen wir . . . um vier Uhr?"

,,Ja, . . . geht."

uns	geht	sehen	das	ab	wäre	Zeit

b. ,,Wann treffen . . . ?"

,,Wie . . . vier Uhr?"

,,Nein. . . . . Wie wäre es etwas . . . ?"

,,Ja. Wann hast du . . . .?"

,,Ab eins."

,,Fein. Dann sehen . . . zwei."

Und Erich, Monika, Lutz und Bettina?

a. Erich 1 2 3 4 5 6 7 8 9

b. Monika 10 11 12 1 2 3 4 5 6

c. Lutz 2 3 4 5 6 7 8 9 10

d. Bettina 8 9 10 11 12 1 2 3 4

5. Wann können sie sich mit Sandra treffen?

Zum Beispiel:
Wann hat Peter Zeit sich mit Sandra zu treffen?

Er hat zwischen vier und fünf Uhr Zeit und dann ab halb sieben.

6. Mit einem Partner oder einer Partnerin

One of you makes a copy of Claudia's activities they are shown in the chart on the next page, an the other one makes a copy of the activities set o in the chart on page 171. Do not look at each other's copy.

When you have copied the charts down, each of you will have only half the things which Claudi does, because on each day she does ***four*** *things. Without looking at each other's charts you now have to provide the information which your partner does not have, by telling him/her what Claudia does.*

Take turns to tell your partner what you have in front of you. When you are given information, y must fill it in on your chart. You should each en up with ***four*** *things on each day.*

For example, had Friday been included on the chart, the following could have been said:

A: Was macht sie am Freitag?

B: Zwischen acht und zwölf Uhr hat sie Schule. Und zwischen acht und zehn Uhr am Abend geht sie ins Theater.

A *would then write this information on his/her chart.*

Montag	Dienstag	Mittwoch	Donnerstag
Schule		Schule	
	einkaufen		Hausaufgaben
	gehen		machen
	Klavierstunde		
Hausaufgaben machen			
		Italienisch	Ins Kino
		lernen	gehen

Zum Lesen

:rick ist vor zwei Tagen in Düsseldorf ;ekommen und jetzt ruft er seinen Freund fan an. Die beiden Freunde wollen sich :dersehen und müssen also einen Termin ımachen.

fan hat erst um zwei Uhr frei, weil er noch ıule hat. Sie beschließen, sich am nächsten g um drei Uhr im Café Schubert zu treffen.

erst *not until*
weil *because*

ly ruft ihre Freundin Beate an. Sally ist :n in Saarbrücken angekommen, und hat ', noch drei Tage zu bleiben. Während sie in ırbrücken ist, möchte sie sich mit Beate ffen.

Sie versuchen einen Termin auszumachen. Sally schlägt den nächsten Tag vor, aber am nächsten Tag hat Beate leider keine Zeit. Endlich beschließen sie, sich am Donnerstag zu treffen, und zwar um elf Uhr am Brunnen auf dem St. Johanner Markt.

vorschlagen (schlägt vor, vorgeschlagen) *to suggest*
der Brunnen *spring, fountain*

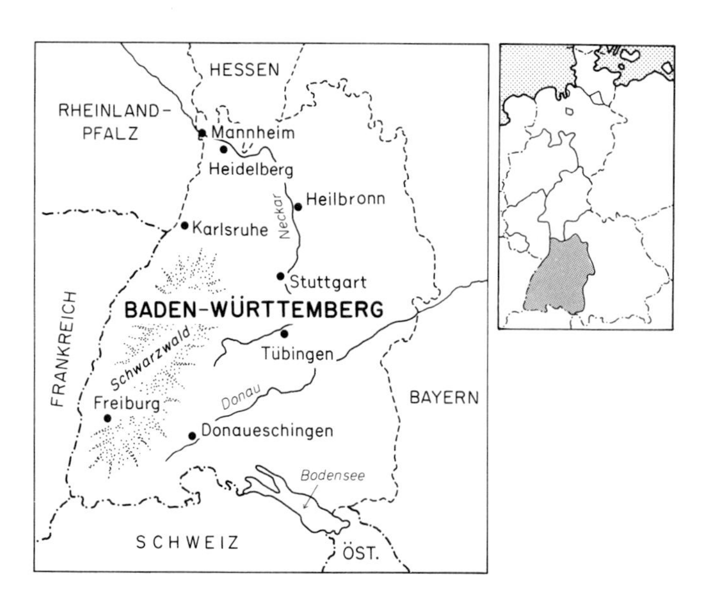

Die Bundesländer

Baden-Württemberg und Bayern

Im Südwesten liegt das romantische Land **Baden-Württemberg**. Das Land hat wichtige Industrien in Karlsruhe und Stuttgart (elektrotechnische Industrien und die Automobilindustrie). Der Weinbau spielt auch eine große Rolle. Für dieses Land ist der Tourismus auch besonders wichtig.

Kennt ihr den Schwarzwald? Diese sehr schöne Gegend ist bei Touristen sehr beliebt. Sie kommen im Winter und im Sommer in dieses schöne Land mit seinen Bauernhäusern und Wanderwegen. Hier findet man eine traditionelle Industrie, die Herstellung von Kuckucksuhren. An Winterabenden machten die Bauern feingeschnitzte Uhren.

loved (beliebt)
paths (Wanderwegen)
manufacture (Herstellung)
made (machten)
finely-carved (feingeschnitzte)

Hier beginnt auch der längste Fluß Europas, die Donau, in Donaueschingen.

Eine alte und schöne Stadt ist Heidelberg mit ihrem Schloß.

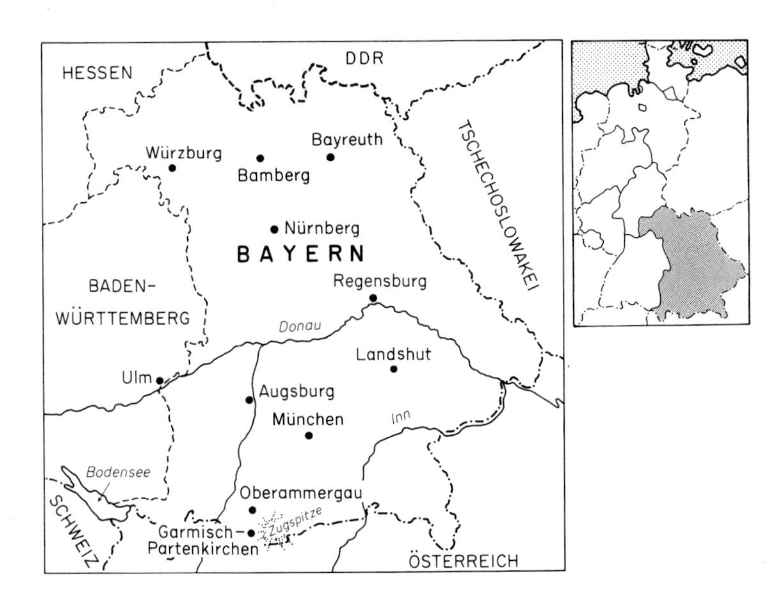

Bayern ist das größte Bundesland. Es liegt im Südosten und hat eine Bevölkerung von ungefähr 11 Millionen. An seinen Grenzen liegen Österreich, die Tschechoslowakei und die DDR.

Es ist ein großes Land mit einer interessanten Geschichte und alten Städten wie Bamberg, Nürnberg, Würzburg und der Hauptstadt, München. *history*

Die Hauptstadt München ist eine sehr große Stadt mit einigen der besten Museen der Bundesrepublik. Die Stadt ist auch für Bier bekannt: jedes Jahr im Oktober gibt es ein Bierfest. *of the*

Bayern hat keine Kohle und kein Öl. Die chemische Industrie ist wichtig, und wichtig sind auch die elektrotechnische Industrie und der Maschinenbau. Die bayerische Glasindustrie hat eine lange Tradition.

Eine moderne Industrie ist der Tourismus. Im Winter wie auch im Sommer kommen die Touristen nach Bayern, besonders nach Oberbayern im Süden. Garmisch-Partenkirchen ist für Wintersport sehr populär und zu Ostern gibt es alle zehn Jahre in Oberammergau Passionsspiele. 1634 zur Zeit des Schwarzen Todes haben die Einwohner gesagt, daß sie das Stück alle zehn Jahre spielen würden.

Tilman Riemenschneider (1460–1531) war Künstler und Bürgermeister von Würzburg. *artist*

Die Zugspitze (2962 m.), der höchste Berg Deutschlands

19

Was machen wir?
What shall we do?

ERSTER TEIL

Hast du Lust, schwimmen zu gehen?
Would you like to go swimming?

This section is about deciding with someone else what to do, and saying what you feel about various activities suggested.

1.

Heidrun und Manfred haben sich getroffen und überlegen was sie heute abend machen können.

,,Was machen wir heute abend?"

,,Möchtest du ins Kino gehen?"

,,Nein. Das Wetter ist so schön. Ich habe keine Lust, ins Kino zu gehen."

,,Dann gehen wir in die Stadt und in den Jugendklub. Heute abend gibt es eine Disko."

,,Schön. Gehen wir in die Disko, na? Möchtest du?"

,,Ja. Sicher."

2.

Frau Hannen und Frau Thiel sind beim Kaffee.
Sie beschließen, in die Stadt zu fahren.

,,Was machen wir heute?"

,,Hast du Lust, in die Stadt zu fahren?"

,,Ja. Das wäre schön. Ich würde gern einen Einkaufsbummel machen."

der Einkaufsbummel (–) *shopping trip*

3.

Christof und seine Schwester sind zu Hause
Es regnet. Sie sitzen im Wohnzimmer und überlegen, was sie machen können.

,,Hast du Lust, einen Spaziergang zu machen?"

,,Nein. Bei diesem Wetter nicht. Ich würc lieber zu Hause bleiben."

,,OK. Was machen wir denn? Möchtest du Karten spielen?"

,,Ja. Gute Idee. Ich hole die Karten."

überlegen (überlegt, überlegt) *to consider, reflect*
das Wohnzimmer *living room*

ast du Lust, h habe keine ust,	schwimmen zu gehen(?) einen Stadtbummel zu machen(?) in die Stadt zu fahren(?)

h würde lieber	einkaufen gehen. eine Fahrradtour machen. ins Museum gehen.

tzt seid ihr dran!

Hör zu!
s machen Sandra und Martin?

Sie treffen sich:
) im Café.
) im Kino.
) im Schwimmbad.

Sandra möchte:
in die Ausstellung gehen.
nicht in die Ausstellung gehen.
in die Moderne Galerie gehen.

Sandra möchte:
ins Kino gehen.
zwei Filme kaufen.
Geschenke kaufen.

Sie beschließen,:
nicht schwimmen zu gehen.
nach dem Einkaufen schwimmen zu gehen.
vor dem Einkaufen schwimmen zu gehen.

m Kino läuft:
kein guter Film.
ein guter Film.
der Film ‚Schade'.

Die Gruppe spielt:
im Jugendklub.
im Sportzentrum.
im Jugendzentrum.

Die Gruppe ist:
aus den Niederlanden.
aus Dänemark.
aus Deutschland.

d. Das Konzert beginnt:
(i) um acht Uhr.
(ii) um neun Uhr.
(iii) um halb acht.

e. Sie:
(i) haben die Karten.
(ii) haben keine Karten.
(iii) brauchen keine Karten.

f. Sie essen:
(i) vor dem Konzert.
(ii) nach dem Konzert.
(iii) nicht.

2. Erfinde Dialoge mit einem Partner oder einer Partnerin!

A: Hast du Lust,	einen Spaziergang einen Ausflug einen Stadtbummel eine Fahrradtour eine Wanderung	zu machen?

B: Ich würde lieber	Tennis spielen. segeln gehen. eine Schiffsreise machen. Fotos machen.

A: Na, gut. Was machen wir, wenn	es regnet? das Wetter schlecht ist? es kalt ist?

B: Dann	gehen wir	ins Kino. ins Museum. ins Schwimmbad.
	bleiben wir zu Hause.	

der Ausflug (¨e) *excursion*

Schreib zwei Dialoge aus!

3. Hier kannst du Dialoge erfinden und dann drei ausschreiben.

A	Hast du Lust,				
	in den Jugendklub zu gehen?	in die Disko zu gehen?	ins Kino zu gehen?	kegeln zu gehen?	ins Museum zu gehen?
B	Nein. Ich würde lieber				
	Tennis spielen.	in die Stadt fahren.	in die Camping-ausstellung gehen.	ins Theater gehen.	ins Sport-zentrum gehen.
A	OK. Um wieviel Uhr gehen wir?				
B	Um				
	drei Uhr?	halb fünf?	acht Uhr?	Viertel vor neun?	halb zehn?
A	Alles klar. Um ...	gehen wir .... fahren wir			

kegeln gehen *to go bowling*

4. Ergänze folgende Fragen!

a. „Hast du Lust, ?“

„Nein. Ich würde lieber in die Stadt fahren.“

b. „Hast du Lust, ?“

„Ja, gerne.“

c. „Hast du Lust,  ?“

„Nein. Ich würde lieber in die Campingausstellung gehen.“

d. „Habt ihr Lust,  ?“

„Ja, gerne. Wir kommen mit.“

e. „Hast du Lust,  ?“

„Nein. Ich würde lieber in den Jugendklub gehen.“

Übe Dialoge mit einem Partner oder einer artnerin!

Hast du Lust, ? ? ?"

„Nein. Ich würde lieber . . . ."

Zum Lesen

artin schlägt einen Ausflug vor.

Was machen wir am Sonntag?"

„Hast du Lust, einen Ausflug zu machen?"

Gerne. Wohin?"

„Zum Bostalsee? Warst du schon da?"

Nein, noch nie."

„Na, gut. Fahren wir hin."

Und was machen wir, wenn es regnet?"

„Also, wenn es regnet . . . , fahren wir in die Stadt und gehen in die Campingausstellung."

Ja. Das wäre schön."

Am Sonntag ist das Wetter schön und die beiden Freunde machen einen Ausflug zum Stausee bei Bosen: zum Bostalsee. Sie haben vor, schwimmen zu gehen und den langen Spaziergang um den See zu machen. Martin steht früh auf, bereitet die Butterbrote vor und um neun Uhr trifft er sich mit Sandra an der Bushaltestelle.

*aufstehen (steht auf, aufgestanden)	*to get up*
der Stausee	*artificial lake*
vorbereiten (bereitet vor, vorbereitet)	*to prepare*

Wetter
Freundlich
Wolken, trocken. Um 21, nachts bei 13 Grad.
Schwacher Wind.
Morgen: Freundlich und warm.

i

in ⟶ = Akkusativ

	Maskulinum	**Femininum**	**Neutrum**	**Plural**
Wir gehen	in den Jugendklub	in die Disko	ins Jugendzentrum	in die Berge
		in die Stadt	ins Theater	
		in die Ausstellung	ins Kino	
			ins Konzert	
			ins Sportzentrum	
			ins Museum	
Wir fahren	in den Schwarzwald	in die Schweiz	ins Blaue	

an ⟶ = Akkusativ (Sieh dir Seite 125 an!)

Wir schreiben	an den Herbergsvater	an die Herbergsmutter	an das Rathaus	an die Herbergseltern
Er schreibt	an seinen Freund	an seine Freundin	an das Mädchen	an seine Freunden

über ⟶ = Akkusativ

Gehen Sie		über die Kreuzung

WEITER TEIL

Vas ist in der Stadt zu ıachen?

'hat is there to do in town?

'his section teaches you how to use the formation given in leaflets to find out what there to do in a town.

:tzt seid ihr dran!

Lies den Text und beantworte die ersten er Fragen auf Englisch und die anderen agen auf Deutsch!

How many swimming baths are there, and how many of these are open air?

If you were going swimming, and you were on the number 5 bus, which baths would you most likely be going to?

If you wanted to go bowling as well as swimming, which baths could you go to?

Imagine you have only time to go swimming in the morning. Which baths would you be unable to go to?

Ich möchte mit meinen kleinen Kindern schwimmen gehen. Können Sie mir ein Bad empfehlen, bitte?

empfehlen (empfiehlt, empfohlen) *to recommend*

Ich möchte schwimmen und dann kegeln gehen. Welches Schwimmbad wäre am besten?

SPORT

Städtische Bäder

Hallenbäder

Stadtbad St. Johann, Saarbrücken, Richard-Wagner-Straße, Tel. 35492.

Hallenbad Saarbrücken-Dudweiler, St. Avolder Straße, (Sportzentrum) mit 50-Meter-Becken, Sprung- und Kleinkinderbecken, Sauna, Solarium, Restaurant mit 4 Kegelbahnen, Sporthalle bis 500 Personen an Tischen. Tel. 06897/797-306. Erreichbar mit den Bussen der Linien 36, 38, 39 und 40.

Hallenbad Saarbrücken-Brebach-Fechingen, Bliesransbacher Straße, mit Sauna, Festsaal mit 450 Sitzplätzen, Restaurant 80 Plätze, Kegelbahnen, Vereinszimmer. Tel. 06893/3339. Erreichbar mit dem Bus Linie 1.

Hallenbad Saarbrücken-Schafbrücke, Hirschbergstraße, mit Solarium, Cafeteria, Tel. 813300. Erreichbar mit dem Bus Linie 5.

Alsbachbad Saarbrücken-Altenkessel, Am Schwimmbad, (Kombibad), moderne Anlage mit Sauna, Kneippanlage und Fitneßraum, Solarium, Außenbecken und Gaststätte. Tel. 06898/83411. Erreichbar mit dem Bus Linie 2.

Hallenbad Saarbrücken-Gersweiler, Krughütter Straße, (Sporthalle-Mehrzweckhalle), Tel. 70123. Erreichbar mit dem Bus Linie 29.

Schwimmhalle Saarbrücken-Güdingen, Saargemünder Str., (nur nachmittags geöffnet), mit Sauna. Tel. 871132. Erreichbar mit dem Bus Linie 2.

Schwimmhalle Folsterhöhe, Saarbrücken, Am Heidenhübel, nahe der französischen Grenze, (nur nachmittags geöffnet), Tel. 57870. Erreichbar mit den Bussen der Linien 27 und 31.

Freibäder

Schwarzenbergbad, Saarbrücken, beheizt, 5 Becken, Minigolfanlage und Gaststätte. Am Hang des Schwarzenberges gelegen; gilt als eines der schönsten Freibäder Deutschlands. Tel. 36441. Erreichbar mit den Bussen der Linien 12, 13, 17 und 18.

Deutschmühlenbad am Deutsch-Französischen Garten, Saarbrücken, beheizt, mit Gaststätte und großem Parkplatz. Tel. 54301. Erreichbar mit dem Bus Linie 11.

c. Sind alle Schwimmbäder den ganzen Tag geöffnet, bitte?

d. Kann man hier am Schwimmbad Minigolf spielen, bitte?

Museen und Galerien

Saarland-Museum, Saarbrücken, St. Johanner Markt, Tel. 66361
Öffnungszeiten: täglich von 10 bis 14 Uhr,
Sonntag von 10 bis 18 Uhr,
Montag geschlossen.
Eintritt frei.

Moderne Galerie, Saarbrücken, Bismarckstraße 13–15, Tel. 66361 – eines der bedeutendsten Museen moderner Kunst.
Öffnungszeiten: täglich von 10 bis 18 Uhr,
auch Sonntag,
Montag geschlossen.
Eintritt frei.

Landesmuseum für Vor- und Frühgeschichte, Saarbrücken, Am Ludwigsplatz 15, Tel. 5947.
Öffnungszeiten: täglich von 10 bis 16 Uhr,
Samstag von 10 bis 13 Uhr,
Sonntag von 10 bis 18 Uhr,
Montag geschlossen.
Eintritt frei.

2. Lies die Texte und beantworte die Fragen!

a. *How many museums are there in* Saarbrücken?

b. *Where is the* Landesmuseum *and what sort of museum is it?*

c. *How much does it cost to go into the* Landesmuseum?

d. *Where would you go to see some modern art and when would you be able to do so?*

Sehenswürdigkeiten

Deutschherrnkapelle, erbaut nach 1227.
Stiftskirche St. Arnual, dreischiffige Basilika aus dem 13. und 14. Jahrhundert.
Schloßkirche, spätgotisch aus dem 15. Jahrhundert.
„Alte kath. Kirche" St. Johann, Barockkirche von Friedr. Joachim Stengel (1754–1758) erbaut.
Ludwigskirche, erbaut von 1762 bis 1775. Krönung der Arbeit des Barockbaumeisters Stengel. Eine der schönsten Barockkirchen im südwestdeutschen Raum.
Schloß Saarbrücken, ehemalige mittelalterliche Burg, später Renaissanceschloß. In den Reunionskriegen 1677 zerstört. An gleicher Stelle erbaute Stengel das 1793 während der Franz. Revolution abgebrannte Barockschloß.
Altes Rathaus am Schloßplatz. Stengelbau aus dem Jahre 1750.
Alte Brücke von 1546–1549 auf Anregung Kaiser Karls V durch den Grafen Philipp II erbaut.

e. *How many churches and chapels are there to visit in* Saarbrücken?

f. *Which of these is the oldest?*

g. *One person built a lot of these churches and chapels: what was his name?*

3. Kannst du diesen Leuten helfen?

a.

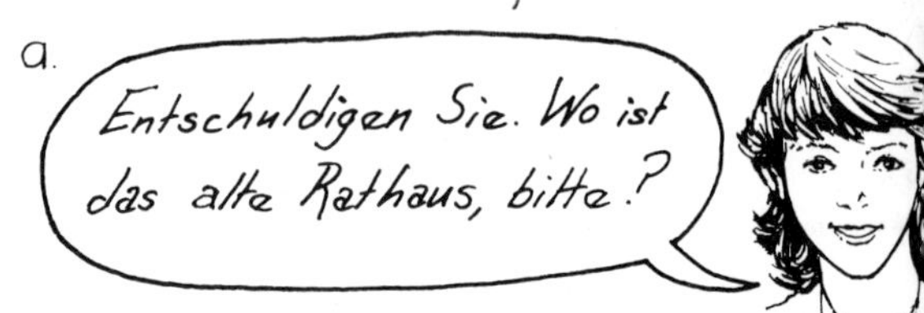

Entschuldigen Sie. Wo ist das alte Rathaus, bitte?

Dieser Herr möchte ins Theater gehen. Er kann kein Deutsch lesen.

b

I'd like to go to the theatr
whilst I'm here. Apparently
the box-office isn't open
day. Can you tell me the
days it's closed, please

Theater der Stadt Tri

Am Augustinerhof

Öffnungszeiten der Kasse täglich außer Montag von Uhr und ab 17 Uhr, Samstag und Sonntag von 11 bis 1 Uhr und eine Stunde vor Vorstellungsbeginn. Vorverkau Freitag für die nachfolgende Woche. Telefonische Karte stellung (06 51) 7 57 77. Dienstag bis Freitag von 9 bis 11 und von 17 bis 19 Uhr, Samstag 10 bis 11 Uhr, Sonntag 11 bis 13.20 Uhr. – fr. V. = freier Verkauf

Do., 2. 15.30 — **MINNA VON BARNHELM** Schauspiel, Nachmittagsring 2, älte Generation (1), freier Verkauf

Sa., 4. 20.00 — **DON GIOVANNI** Oper, LKR Trier, (3), freier Verkauf

Sa., 4. 14.30 — **Erstaufführung WILLI SCHLAPPOHR** Musical für Kinder, Schulen und freie Verkauf. Wiederholungen am 6., 7., 9., 10., 11., 14., 16., 17., 20. und 25. 11. Und am 6., 9. u. 16. 11. um 11.00 Uhr.

So., 5. 20.00 — **MY FAIR LADY** Musical, Lkr. Trier, (6), freier Verkauf

Di., 7. 20.00 — **MY FAIR LADY** Musical, Anrecht grün, freier Verkauf

Mi., 8. 19.30 — **EIN WINTERMÄRCHEN** Schauspiel, Theatergemeinde, fr. Verk.

Do., 9. 19.30 — **DON GIOVANNI** Oper, Anrecht rot, Hermeskeil, freier Verkauf

Gibt es ein Pop-Konzert? Ich würde gern in ein Pop-Konzert gehen.
Gibt es hier etwas für Kinder?
I want to go to My Fair Lady - when can I book by phone, please?

d.

Sonstiges

a., 11. 0.00 **Fest der Polizei**
mit Show-Orchester, Hochradakrobatik und den „Fahrenden Musikanten"
uropahalle, Viehmarktplatz

o., 12. 0.00 **Konzert mit Hanns Dieter Hüsch**
zugunsten der amnesty international
uropahalle, Viehmarktplatz

o., 13. 0.00 **Heidl Brühl**
mit der Las Vegas-Show
uropahalle, Viehmarktplatz

o., 16. .00 **Costa Cordalis**
mit Ricky King und den Hitkids
uropahalle, Viehmarktplatz

a., 18. .30 **Fußballspiel**
Eintr. Trier 05 – Stuttgarter Kickers
oselstadion, Zeughausstraße

Gehen wir heute abend ins Kino?

Nein, danke. Ich habe keine Lust, ins Kino zu gehen. Gibt es überhaupt keinen Sport?

Kunst-Ausstellung

. Nov. **Renate Mager**
zeigt im Rahmen einer Ausstellung ihre Siebdrucke
usstellungsraum der Uni-Bibliothek, Standort Tarorst; montags-freitags 8.30-21.30, samstags 9.30-3.00 Uhr.

Bis wann ist die Kunstausstellung geöffnet, bitte?

Wann meinen Sie?

An Werktagen.

KINO

18. Juli, Freitag
Camera 1: 16.30, 20.45 LENA RAIS, 18.45 ROCKERS, 23.00 MONTANA SACRA
Camera 2: 16.00, 18.00, 20.00 MIDI - EINE REISE OHNE ABSCHIED

19. Juli, Samstag
Camera 1: 16.30, 20.45 LENA RAIS, 18.45 ROCKERS, 23.00 MONTANA SACRA
Camera 2: 16.00, 18.00, 20.00 MIDI - EINE REISE OHNE ABSCHIED

20. Juli, Sonntag
Camera 1: 16.30, 20.45 LENA RAIS, 18.45 ROCKERS, 23.00 RATATAPLAN
Camera 2: 16.00, 18.00, 20.00 MIDI - EINE REISE OHNE ABSCHIED

24. Juli, Donnerstag
Camera 1: 16.30, 18.45 FM - DIE SUPERWELLE, 21.00 LIEBE UND ABENTEUER
Camera 2: 16.00, 18.00, 20.00 MIDI - EINE REISE OHNE ABSCHIED

25. Juli, Freitag
Camera 1: 16.30, 20.45 BLACKOUT, 18.45, 23.00 THE ROCKY HORROR PICTURE SHOW
Camera 2: 16.0, 20.00 DIE VERFUHRUNG DES JOE TYNAN, 18.00, 22.15 DER GLÖCKNER VON NOTRE DAME

26. Juli, Samstag
Camera 1: 16.30, 20.45 BLACKOUT, 18.45, 23.00 THE ROCKY HORROR PICTURE SHOW
Camera 2: 16.00, 20.00 DIE VERFUHRUNG DES JOE TYNAN, 18.00, 22.15 DER GLÖCKNER VON NOTRE DAME

4. Könntest du ihnen helfen?
(Sieh dir Seiten 165–167 an!)

Viele Touristen bitten um Auskunft beim Verkehrsamt, beim Kino, usw.

Beim Verkehrsamt, Trier.
a. „Können Sie mir die Telefonnummer des Theaters geben?"

Beim Verkehrsamt, Saarbrücken.
b. „Haben Sie ein Museum für Moderne Kunst in Saarbrücken, bitte? Wann ist es am Dienstag geöffnet?"

c. „Gibt es ein Schwimmbad mit Kegelbahn hier, und wie kommt man am besten dahin, bitte?"

Beim Kino.
d. „Um wieviel Uhr beginnt ‚Lena Rais', bitte?"

Beim Theater.
e. „Wann fängt das Stück am Mittwoch an, bitte?"

Bei der Europahalle.
f. „Wann fängt das Konzert am 12. an, bitte?"

DRITTER TEIL

Was habt ihr gemacht?
What did you do?

This section teaches you how to describe what you have done in your holidays and on various outings, and how to ask others for the same information.

Herrliches Wetter! Gestern sind wir nach Losheim gefahren – wir sind gewandert und geschwommen! Kennst Du die JH in Weiskirchen? Am Wochenende haben wir dort übernachtet.
Tschüß Dein Ingo

Sally Brown
18 New End
Newcastle
England

*wandern (wandert, gewandert) *to go walking*
*schwimmen (schwimmt, geschwommen) *to go swimming*

Lieber Richard,

Wie geht's? Hier hat die Schu
schon begonnen und das
heißt ARBEIT! Wann fängt
sie bei Dir an?
Nach Deinem Besuch sind w
nach Frankreich gefahren. Wi
haben überall im Süden
gezeltet und haben auch un
sere Freunde in Montpellier
besucht. Kennst Du Montpell
Wir sind drei Tage bei ihnen
geblieben und haben die
ganze Zeit diskutiert. Imme
bis spät in die Nacht hine
und über... ich weiß nicht
mehr was! Alles mögliche.
Wir sind durch die Schweiz
zurückgefahren und haben
drei sehr schöne Tage in
Luzern verbracht.
Dietrich hat angerufen und
läßt sich grüßen. Nächstes
Jahr kommt er auch
vielleicht nach England.
Ich habe Deinen Brief erst
vor zwei Tagen bekommen. –
wann hast Du ihn geschickt
Vor drei Wochen, nicht wahr?
Mit meinem nächsten Brief
schicke ich die Kassette.

Schöne Grüße an alle,

Deine

Sabine

besuchen (besucht, besucht) *to visit*
*bleiben (bleibt, geblieben) *to stay*
diskutieren (diskutiert, diskutiert) *to discuss*
zelten (zeltet, gezeltet) *to camp*
beginnen (beginnt, begonnen) *to begin*

etzt seid ihr dran!

Hör zu!

opy the verbs listed below.
isten to the tape. Each time there is a tone at the d of a sentence or phrase, suggest which verb ould be used to fill it. You are given a choice of o verbs in each case.
hen you have done that, listen again to the tape d pick out the verbs which take **sein** *in the past. ake a list of them.*

(i) gefahren gegangen
(ii) angekommen angerufen
(iii) begonnen besichtigt
(iv) gefunden gesehen
(v) gemacht gegangen
(vi) gekostet gekauft

(i) besichtigt besucht
(ii) gemacht verbracht
(iii) geblieben gegangen
(iv) gegessen getrunken
(v) gefahren gekommen
(vi) übernachtet überwacht

(i) gewohnt verbracht
(ii) gekommen geblieben
(iii) geduscht geschwommen
(iv) geblieben zurückgeflogen
(v) bestellt besucht
(vi) gefunden gegeben

Ergänze folgende Sätze!

a. Ich habe drei Wochen in Mallorca . . . .

b. Ich habe schon zu Hause . . . .

c. Das Wasser war sehr warm. Wir sind alle . . . .

d. Gestern habe ich meine Großeltern in Ulm . . . .

e. Wir haben in der Jugendherberge in Weiskirchen . . . .

f. Wir haben im Hotel Seeblick . . . .

gewohnt	verbracht	besucht
geschwommen	angerufen	übernachtet

3. *Can you give an account of these outings and holidays?*

a.

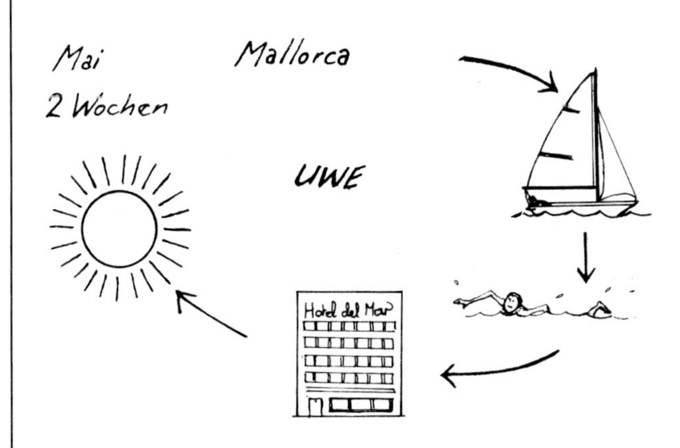

verbracht
*gesegelt
*geschwommen
gewohnt
war

b.

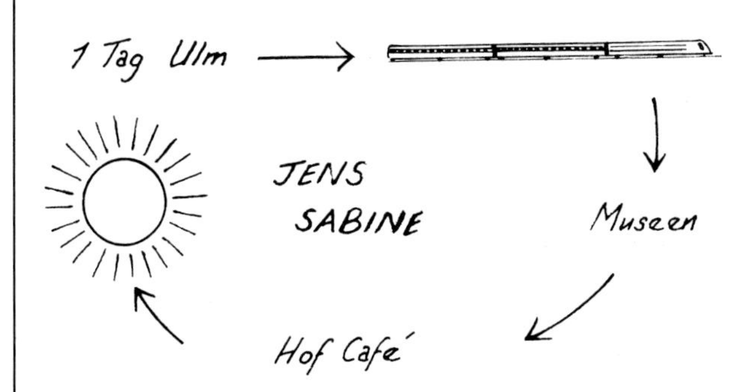

verbracht
*gefahren
besichtigt
gegessen
war

c.

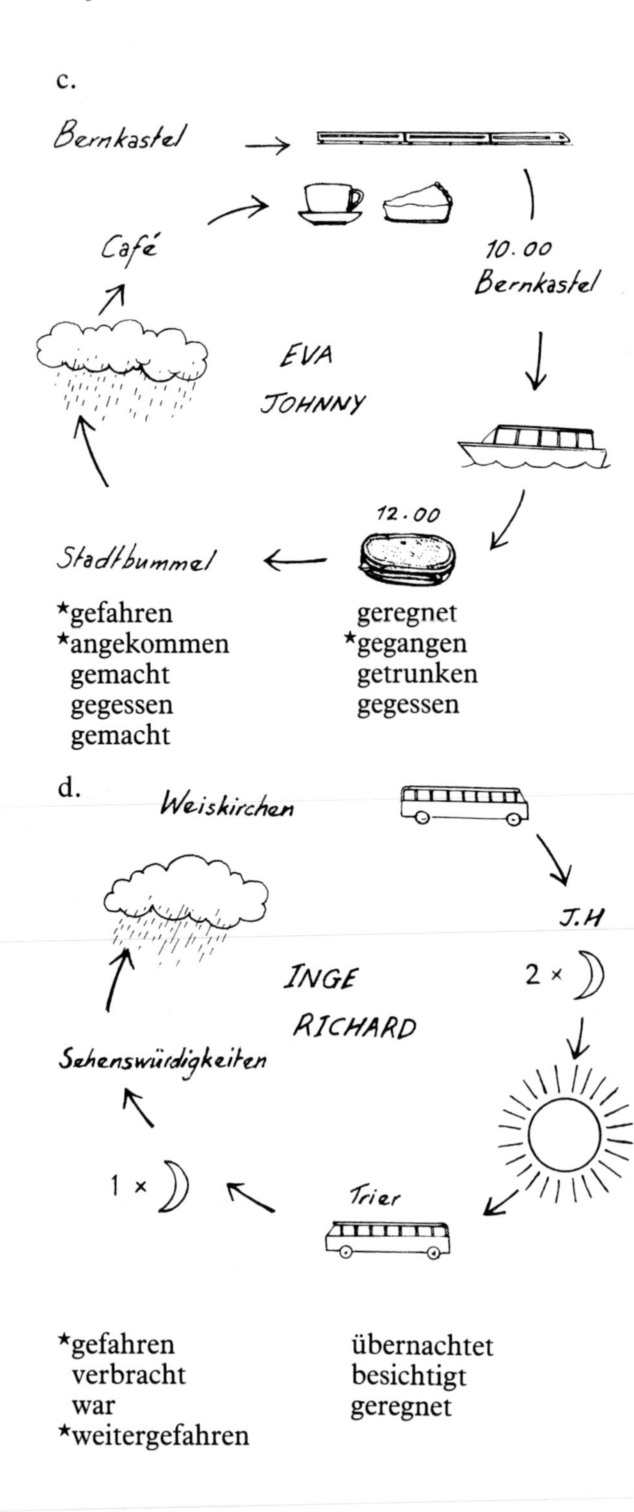

4. Stell einem Partner oder einer Partnerin Fragen und beantworte sie!

One of you should write down the questions given below and then ask them (without looking at the book) while the other uses the book to give an answer. The one who puts the questions should make notes of the answers and later check with the book that the right information has been given. Take it in turns to ask the questions.

Die Fragen:
Wohin bist du gefahren?
Wie?
Wie war das Wetter?
Was hast du gemacht?
Wie war der Tag?

Die Antworten.

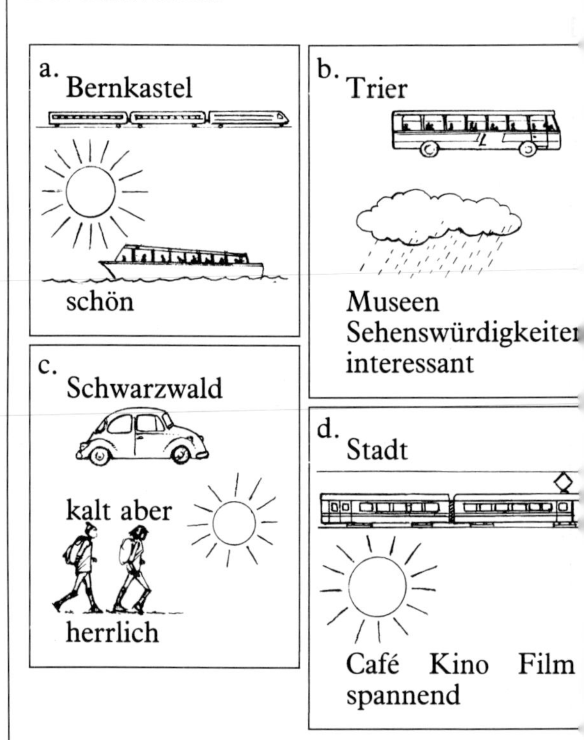

5. Schreib Postkarten!

Using the information given in some of the examples of holidays in Exercises 3 and 4 above write postcards to German friends.

Vorsicht! Wortfolge!

Zum Beispiel:

	1	2	
Ich bin	mit dem Wagen	nach Ulm	gefahren
	wie?	**wohin?**	

h dir Seite 144, Übung 4 an!

1.

b. 1. 

c. 1. 

2. !!!

2. !!! 

2. D. H.

3. 3 T

3. gestern 

3. heute früh

1. 

2.

3. 1T

e. 1. 

2.

3. 1W

f. 1. !!

is is the second timetable for the exercise on page 157.

Montag	Dienstag	Mittwoch	Donnerstag
	Schule		Schule
Volleyball		Schwimmen gehen	
		einkaufen gehen	
			bei Sabine essen
zum Jugendklub	Hausaufgaben machen		

Schriftliche Übungen

Kapitel 1

ERSTER TEIL (Seite 7)

1. Ergänze!
Complete the following.

a. Ich heiß . . . .
Du heiß . . . .

b. Ich bi . . . .
Du bi . . . .

2. Schreib aus!
Write out the numbers.

17 16 20 14 15 12 7 11

3. Ergänze!

Mein . . . ist John.
Mein . . . ist Smith.

4. Ergänze!

Wie . . . du?
Ich . . . Sabine.
Wie alt . . . du?
Ich . . . 14.

ZWEITER TEIL (Seite 8)

1. Ergänze!

a. Norwich liegt in . . . england.
b. Plymouth liegt in . . . england.
c. Leicester liegt in . . . england.
d. Bristol liegt in . . . england.
e. Newcastle liegt in . . . england.

2. Sieh dir den folgenden Text an!
Look at the following text.

Ich heiße John. Ich wohne in Frome. Das ist in Südwestengland in der Nähe von Bath.

Now write similar introductions based on the information you are given about the following people.

a. Joanna
Sanderstead
SE England

b. Tracey
Halesowen
Midlands
Nr. Birmingham

c. Sarinda
Stockwell
London
SE England

d. Paul
Thurcroft
N England
Nr. Rotherham

e. Neil
Faversham
SE England
Nr. Canterbury

DRITTER TEIL (Seite 9)

1. Sieh dir die Landkarte von Deutschland an!
Look at the map of Germany.

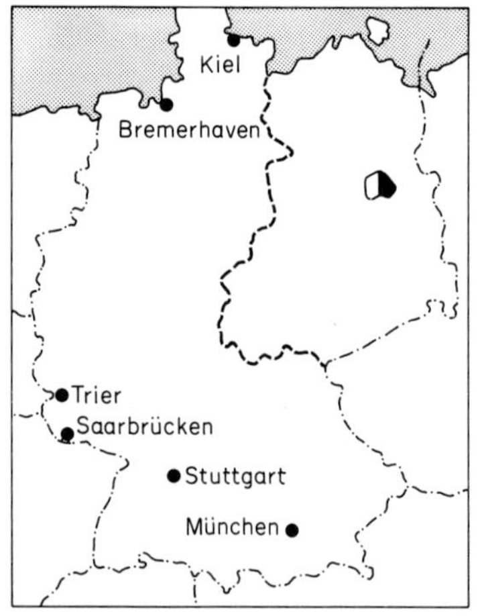

Beantworte folgende Fragen!
Answer the following questions.

a. Wo liegt Kiel?
b. Wo liegt Bremerhaven?
c. Wo liegt Trier?
d. Wo liegt München?
e. Wo liegt Stuttgart?
f. Wo liegt Saarbrücken?

Beantworte folgende Fragen!

onas (7) Tobias (10) Verena (5) Christoph (3)

Wie alt ist Christoph? Er . . . .
Jnd Jonas? . . . .
Jnd Verena? . . . .
Jnd Tobias? . . . .

:RTER TEIL (Seite 11)

iieh dir die Landkarte von Mitteleuropa am ang des Buches an!
k at the map of Central Europe at the front of the :.

ıtworte folgende Fragen!

ı Beispiel:
liegt Mannheim?
ınheim liegt in der Bundesrepublik.

Vo liegt Bonn?
Vo liegt Luzern?
Vo liegt Linz?
Vo liegt Dresden?
e. Wo liegt Salzburg?
f. Wo liegt Genf?
g. Wo liegt Wien?

NFTER TEIL (Seite 12)

ırgänze!

ımen	wohnen	sein
. . .	ich	ich . . . .
. . .	du	du . . . .
:	er/sie	er/sie . . . .

'hat would these young people say if you asked to give you their name, age, town and the country :ome from?

n (14) Heidi (18)

.d (12) Lutz (17)

3. *What can you write about these people by way of a description?*

a. Gabi
14
Österreich
Wien

Sie heißt Gabi. . . . .

b. Dieter
19
DDR
Dresden

Er . . . .

c. Uwe
16
BRD
Marburg

d. Rolf
13
Schweiz
Zürich

e. Ulrike
18
BRD
Essen

f. Birgit
21
BRD
Braunschweig

Kapitel 2

ERSTER TEIL (Seite 14)

1. Ergänze die Antworten!
Complete the answers to the following question.
Hast du Geschwister?

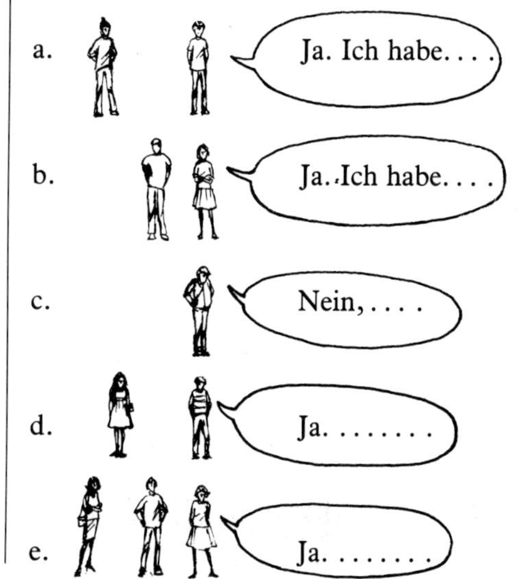

a.
Ja. Ich habe. . . .
b.
Ja. Ich habe. . . .
c.
Nein, ...
d.
Ja. . . . .
e.
Ja. . . . .

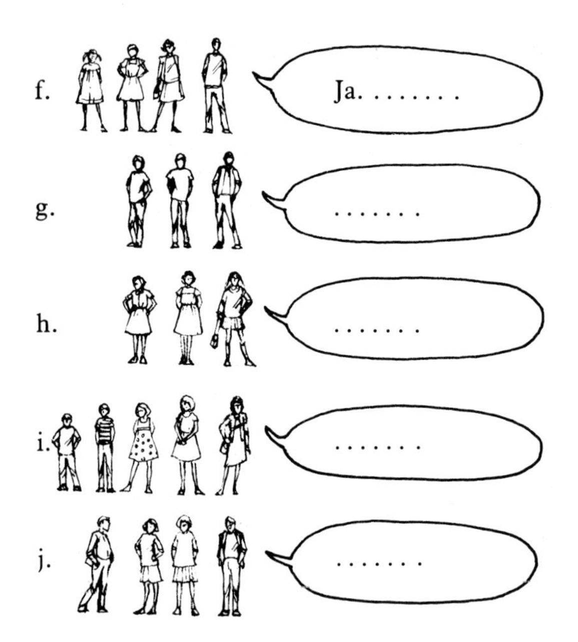

2. Sieh dir das Beispiel an!
Look at the example below and then write out similar introductions for the other people.

Zum Beispiel:
Ich bin Peter. Ich bin 14. Ich wohne in Krefeld und habe einen Bruder.

a. Georg 14 Kassel 2 Schwestern.
b. Detlev 16 Bochum 1 Bruder.
c. Thomas 17 Erfurt 2 Schwestern 1 Bruder.
d. Hildegard 15 Bamberg 2 Brüder.
e. Hannelore 18 Darmstadt keine Geschwister.

ZWEITER TEIL (Seite 15)

A

1. *Practise saying what pets the following people have.*

Zum Beispiel:
Hannelore hat ein Kaninchen.

	Kaninchen	**Hund**	**Katze**
Hannelore	1	0	0
Kirsten	0	0	1
Lutz	1	1	0
Karl	0	2	2

2. Schreib aus!

6 8 10 12 14 16 18 20

3. Ergänze!

a. **sein**
ich . . . .
du . . . .
er/sie . . . .
wir . . . .
ihr . . . .

b. **haben**
ich . . . .
du . . . .
er/sie . . . .
wir . . . .
ihr . . . .

B

1. Was hast du in der Tasche?
What have you got in your bag?

Beantworte folgende Fragen! Schreib eine Liste aus!
Answer the following questions. Write out a list.

Hast du . . .
. . . einen Bleistift?
. . . einen Kuli?
. . . einen Radiergummi?
. . . einen Filzstift?
. . . ein Heft?
. . . ein Lineal?
. . . ein Buch?

Und was sonst noch?

2. Was hat Michael in der Tasche?

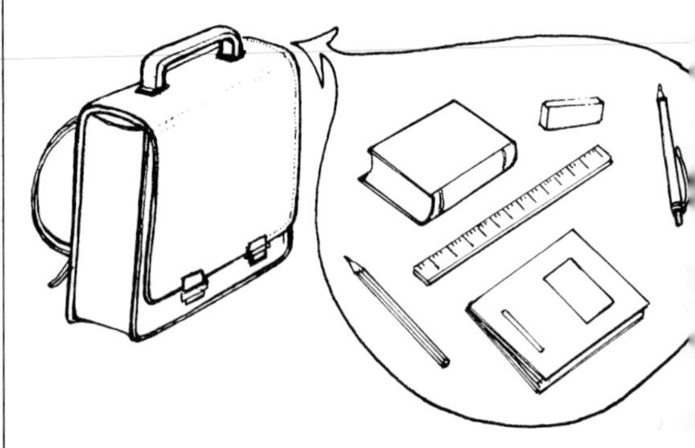

3. Und Martin? Was hat er?

Hat er . . .
. . . drei Bücher oder drei Hefte?
. . . zwei Bleistifte oder zwei Kugelschrei
. . . zwei Filzstifte oder zwei Kulis?
. . . zwei Taschen?

Sieh dir Seite 16 an und beantworte die Fragen!

Sieh dir Seiten 15 und 16 an und beantworte gende Fragen!

Was hat Frau Simmer für Tiere?
Hat Ingo zwei Tiere?
Hat er Geschwister?
Was hat Heidrun für ein Haustier?
Wo liegt Bremerhaven?
Hat Sigi einen Hund?

apitel 3

]

RSTER TEIL (Seite 21)

Was machst du gern?

m Beispiel:

spiele gern Fußball.

schwimme nicht gern.

a. Ich . . . gern . . . .

b. Ich . . . gern ins Kino.

c. Ich . . . .

d. Ich . . . .

e. Ich . . . .

2. Setz die fehlenden Wörter ein!
Fill in the missing words.

a. Tobias ist 14 Jahre alt und . . . in . . . . Er hat eine . . . — sie heißt Gabi und ist 13. Sie . . . gern ski. Sein . . . ist . . . als Gabi — er ist 12. Er fotografiert gern und fährt gern . . . .

Zur Auswahl:
Choose from:

Bruder	Österreich
Brüder	Schweiz
kommt	Schwester
fährt	Schwestern
älter	wohnt
rad	jünger

b. Ulrike kommt aus der . . . . Sie wohnt in . . . . Sie ist 17 . . . alt und sie segelt . . . gern. Ihr . . . , Manfred, ist . . . — er ist 18. Er . . . gern Musik und er . . . besonders gern englische Bücher.

Zur Auswahl:

sieht	jünger
älter	hört
Bonn	Österreich
Magdeburg	sehr
DDR	Brüder
besonders	liest
Bruder	Jahre

3. *What answers would these people give to this question?*

Was machst du gern?

4. Beantworte die Fragen!

Zum Beispiel:

Schwimmst du gern? Ja. Ich schwimme gern.

✓ = gern
× = nicht gern
○ = nicht besonders gern

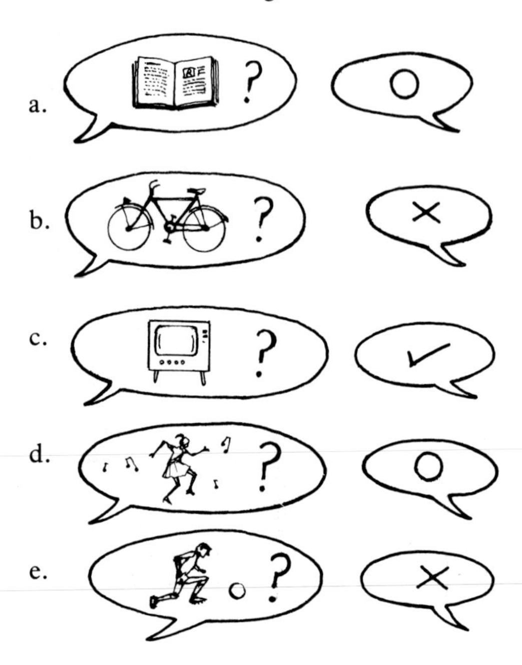

ZWEITER TEIL (Seite 25)

1. Sieh dir Seite 25 an!

Wie findest du folgende Gruppen?
What do you think of the following groups?

Zum Beispiel:
Wie findest du die Hammers?
Gut!

a. Wie findest du Vox Populi?

b. Wie findest du Die Hot Wheels?

c. Wie findest du Uhrwerk?

d. Wie findest du Kaleidoskop?

e. Wie findest du Panoptikum?

2. Sieh dir Seite 26 und Seite 27 an und beantworte die Fragen!

a. Hat Silke Geschwister?
b. Was für Haustiere hat Lisa?
c. Hat sie auch Geschwister?
d. Was macht Dirk gern in seiner Freizeit?
e. Ist Gabi jünger als Dirk?
f. Wo wohnt ihr Bruder und wo wohnt ihre Schwester?
g. Wie alt ist Heidrun?
h. Was machen Bernd und Heidrun gern zusammen?

B

1. Schreib ganze Sätze aus!

Write out full sentences in answer to these questions.

Was machen sie gern?
Was machen sie nicht gern?

Zum Beispiel:
Barbara liest gern aber sie spielt nicht gern Tenni
und Fußball.

✓ = gern
× = nicht gern

Name	liest	spielt			tanzt
		Tennis	T-Tennis	Fußball	
Barbara	✓	×		×	
Ute	✓				×
Hartmut	×	✓		✓	
Uwe	✓				
Sigrid	✓				✓
Klaus				✓	×

What are their likes and dislikes?

m Beispiel:
rl spielt nicht gern Tennis, hört gern Musik und
wimmt nicht besonders gern.

= gern
= nicht gern
= nicht besonders gern

	Karl	Ute	Manfred	Klaus-Peter
'ennis	×	○	×	×
.arten				
ochen				
:rnsehen		✓	✓	○
:geln			○	✓
.nzen				
lusik ɔren	✓	×		
:hwimmen	○			

Setz die fehlenden Wörter ein!

Jochen . . . gern Karten und geht gern . . . . Er
. . . nicht besonders gern . . . .
Gerd . . . gern englische Bücher.
Dorit . . . gern Musik und . . . Gitarre.
Beate . . . gern fern und . . . gern Tennis. Sie . . .
aber nicht besonders gern . . . .
Ruth . . . gern Gitarre, . . . gern aber sie . . . nicht
besonders gern . . . .
Rolf und Marianne . . . gern und . . . gern rad.
Sie . . . gern Musik aber sie . . . nicht besonders
gern Tennis.

Auswahl:

wimmen	hören
zieren	spielen
sehen	radfahren
n	

Was macht ihr in der Freizeit?

n Beispiel:

.s macht ihr?
Wir spielen Tennis

a. Was macht ihr?
. . . .
b. Was macht ihr?
. . . .
c. Was macht ihr?
. . . .
d. Was macht ihr?
. . . .
e. Was macht ihr?
. . . .

5. Sieh dir Seite 26 an!

Ask a friend all the questions on page 26 about music and then, working from the basis of his/her answers to these questions, write a paragraph on his/her musical tastes.

Zum Beispiel:
Peter hört gern Musik. Er hört besonders gern Popmusik. Seine Lieblingsgruppe ist Die Hammers. . . .

Kapitel 4

A (Seite 29)

1. Richtig oder Falsch?

Say whether the following statements are true or false and correct them if they are false.

a. Die Nummer eins ist das Krankenhaus.
b. Die Nummer zwei ist der Bahnhof.
c. Die Nummer vier ist das Jugendzentrum.
d. Die Nummer drei ist die Fußgängerzone.
e. Die Nummer fünfzehn ist die Bahnhofstraße.
f. Die Nummer zwölf ist Karstadt.
g. Die Nummer achtzehn ist das Theater.
h. Die Nummer elf ist die Jugendherberge.
i. Die Nummer sechzehn ist der Landtag.
j. Die Nummer sieben ist der Fluß.

Kapitel 5

ERSTER TEIL (Seite 34)

1. Ergänze folgende Dialoge!
Complete the following dialogues.

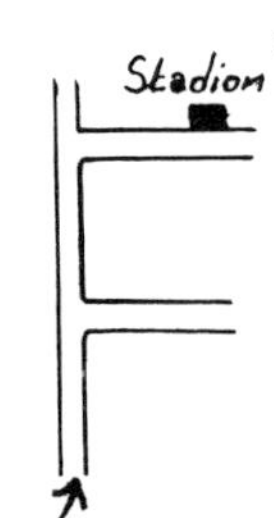

a. „Guten Tag. Wie . . . ich am besten zum Stadion?"

„Zum Stadion? . . . Sie geradeaus und . . . Sie die zweite Straße rechts und das Stadion . . . auf der linken Seite."

„Danke schön."

„Gern geschehen."

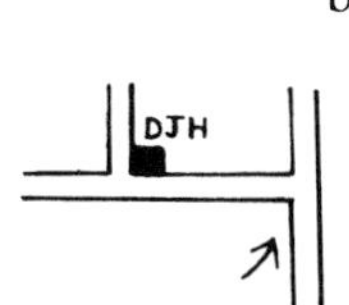

b. „Guten Tag. Wie komme ich am besten zur Jugendherberge?"

„Zur Jugendherberge? Moment mal. Gehen Sie hier . . . und dann nehmen Sie die erste Straße . . . und die Jugendherberge ist auf der . . . Seite."

„. . . . ."

„Bitte sehr."

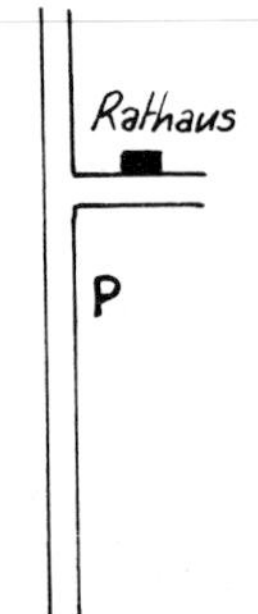

c. „Entschuldigung. Wie komme ich am besten . . . Post?"

„Das ist ganz einfach. Gehen Sie hier geradeaus und . . . Post ist auf der rechten Seite. Das ist nicht weit von hier."

„Danke schön. Und wie kommt man . . . Rathaus?"

„. . . alten oder . . . neuen Rathaus?"

„. . . alten Rathaus."

„Also. Gehen Sie an der Post vorbei und dann nehmen Sie die erste Straße rechts. . . . alte Rathaus ist auf der linken Seite."

ZWEITER TEIL (Seite 38)

1. Ergänze!
Complete the following sentences. Each sentence should be a sensible instruction on how to find one's way about town.

a. Gehen Sie hier . . . .
b. Ja. Gehen Sie hier über . . . .
c. Gehen Sie ein . . . .
d. Nehmen Sie . . . .

2. *Match up the following pairs of phrases.*

a. um die Ecke	(i) *over the crossroad*
b. bis zur Kreuzung	(ii) *at the lights*
c. ein bißchen weiter	(iii) *on the left hand si*
d. auf der rechten Seite	(iv) *round the corner*
e. bis zur Ampel	(v) *as far as the light*
f. über die Kreuzung	(vi) *a little further*
g. an der Ampel	(vii) *as far as the crossroads*
h. auf der linken Seite	(viii) *on the right hand side*

DRITTER TEIL (Seite 38)

1. Ergänze!
Complete the following questions appropriately.

a. Ist hier in der Nähe eine . . . ?
b. Ist hier in der Nähe ein . . . ?
c. Wie komme ich am besten zur . . . ?
d. Wie komme ich am besten zum . . . ?
e. Ist hier in der Nähe ein . . . ?
f. Wie kommt man am besten zur . . . ?
g. Ist hier in der Nähe eine . . . ?
h. Wie kommt man am besten zum . . . ?

1. Zum oder **zur?**
Ergänze folgende Sätze!

a. Paul geht . . . Verkehrsamt.
b. Verena fährt . . . Bahnhof.
c. Tobias geht . . . Wurstbude.
d. Annette geht . . . Post.
e. Die Schüler fahren . . . Schwimmbad.
f. Frau Simmer geht . . . Bank.
g. Herr Simmer und die Kinder fahren . . . Museum.
h. Ich fahre . . . Rathaus.
i. Kommst du mit . . . Jugendzentrum?
j. Fährst du heute . . . Krankenhaus?

2. Schreib folgende Verben aus!

fahren	**sehen**
ich . . .	ich . . .
du . . .	du . . .
er/sie/es . . .	er/sie/es . . .
wir . . .	wir . . .
ihr . . .	ihr . . .
Sie . . .	Sie . . .
sie . . .	sie . . .

Kapitel 6 — Wiederholung

This is Heidi. How would you ask her:
what she was called
where she lived
where that was
whether she had brothers and sisters
what she liked doing?

What would ***she*** *say to tell you about herself?*

14 Bonstetten/Zürich Schweiz 1 Bruder (12)
1 Katze Hobbys — Tischtennis, Lesen,
Schwimmen, Vox Populi 3 Schallplatten

Wo wohnst du? Wo liegt das?

Was für Tiere haben sie?

Max

Eva

Monika

Jürgen

Mark

Was machen sie gern? oder besonders gern?

	Bernd	Andrea	Barbara	Georg	Susanna
gern					
besonders gern					

Was machen sie?

Jochem

Kirsten

Lutz

Inge

Karl

A

(Use page 42 of the Students' Book to help you.)

1. Setz die fehlenden Wörter ein!

Fill in the gaps, using words from the list in the box underneath the dialogue.

,,Guten . . . ."

,,Guten Tag."

,,Haben Sie . . . Stadtplan oder . . . Broschüre, bitte?"

,,Aber sicher. Bitte . . . ."

,,Was . . . es hier zu sehen?"

,,Also. Wir haben hier . . . schöne moderne Fußgängerzone. Es gibt auch das alte . . . , das Schloß, die . . . , . . . Ludwigskirche, . . . Theater und das . . . ."

schön die eine Tag das einen Stadion Rathaus gibt eine alte Brücke

B

1. Was suchen diese Leute?

Beantworte die Fragen!

Zum Beispiel:

Wie komme ich am besten zum Bahnhof, bitte?

Was sucht er?
Er sucht **den** Bahnhof.

Wie komme ich am besten zur Jugendherberge?

a. Was sucht er?

Wie komme ich am besten zum Stadion?

b. Was sucht er?

Wo ist die Kirche, bitte?

c. Was sucht sie?

Wo ist der Landtag, bitte?

d. Was sucht sie?

Wo ist das Schloß, bitte?

e. Was sucht er?

2. *Imagine that you cannot find something you are looking for on the map on page 32. How would you ask someone else if he/she can spot it? For instance, if you were looking for the parliament building, you cou ask:*

Barbara, siehst du den Landtag?

What would you ask if you couldn't find:

a. the stadium
b. the post office
c. the tourist office
d. the pedestrian precinct
e. the hospital
f. the football stadium
g. the youth club
h. the bridge
i. the town hall
j. the station?

3. Was gibt es in dieser Stadt zu sehen?

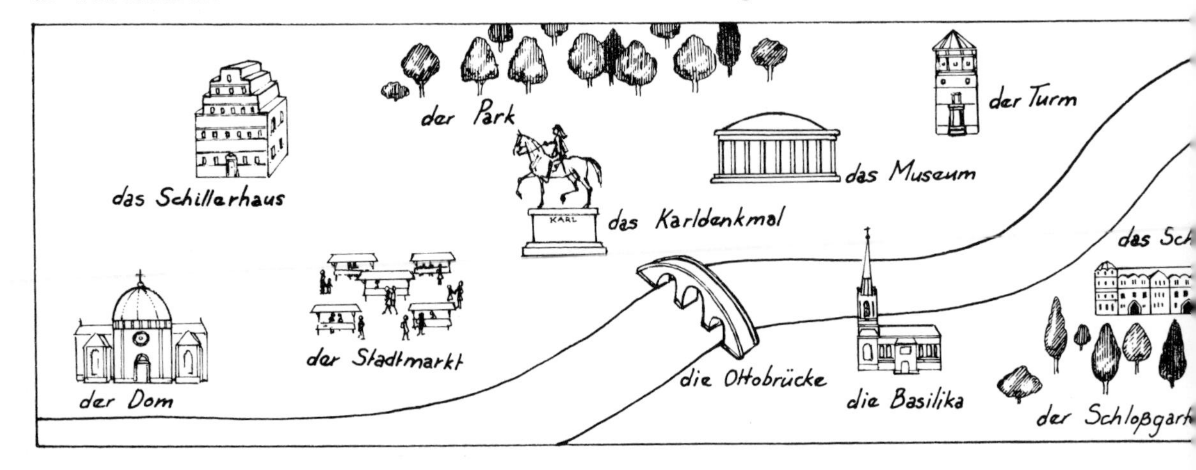

Such das passende Wort aus!

[Ch]oose the correct word to complete the sentence.

Ich habe . . . Bruder.	keinen keine kein
Sie hat . . . Geschwister.	keinen keine kein
Hast du . . . Schwester?	einen eine ein
Ich suche . . . Hund.	den die das
. . . Hund spielt mit Andreas.	Der Die Das
Ich habe . . . Bleistift.	keinen keine kein
Sie haben . . . Kinder.	keinen keine kein
Hast du . . . Fahrrad?	einen eine ein
. . . Museum ist auf der linken Seite.	Der Die Das
. . . Mädchen hat Vox Populi besonders gern.	Der Die Das

Kapitel 7 — Wiederholung

1. Wie finden diese Jungen und Mädchen die Gruppen?

	Karl	Bettina	Heike
Vox Populi			
Die Hammers			

2. Welches Instrument spielen sie?

Reinhart

Hildegard

Hans-Peter

3. Welches Gebäude ist das?

a.

b.

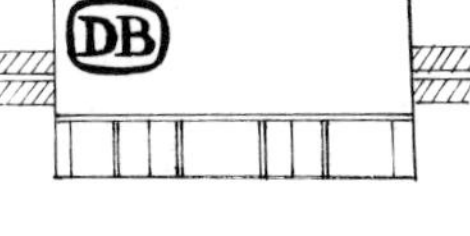

c.

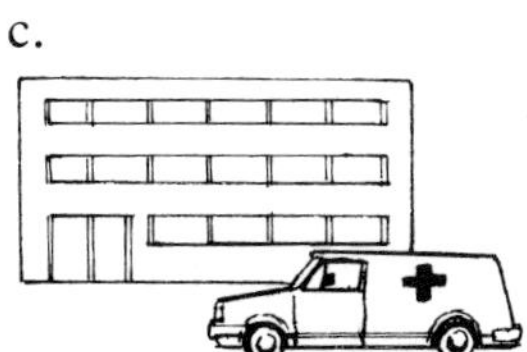

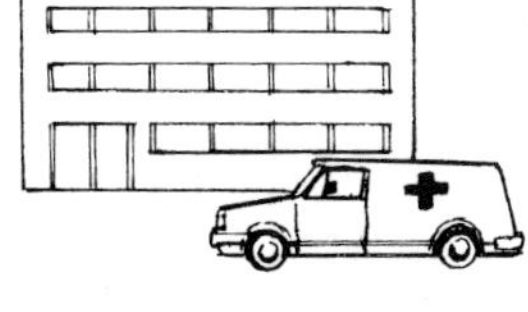

d.

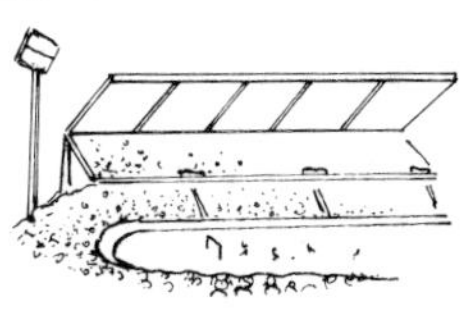

e.

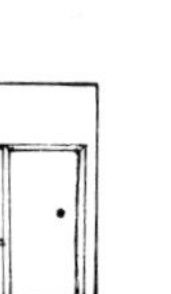

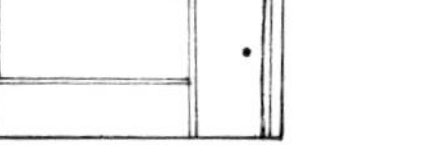

f.

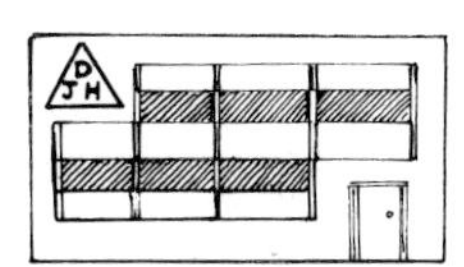

g.

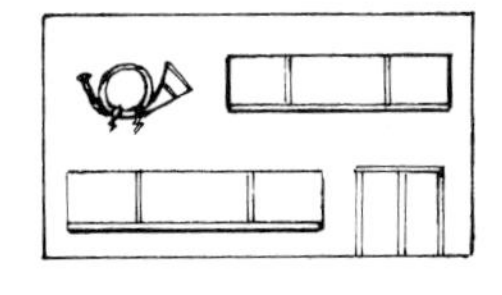

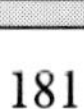

ERSTER TEIL (Seite 45)

1. Was ist das?

Das ist ein Fünfmarkschein.

Say what the following notes are, writing your answers out in full.

a.

Das ist . . . .

b.

c.

d.

2. Was ist das?

Das ist ein Zehnpfennigstück.

a.

b.

c.

d.

e.

3. Schreib aus!

a. 7
b. 71
c. 66
d. 34
e. 175
f. 55
g. 17
h. 22
i. 98
j. 83

4. Ergänze!

a. Ein Franken entspricht hundert . . . .
b. Eine Mark entspricht hundert . . . .
c. Ein Schilling entspricht . . . .
d. Franken kommen aus . . . .
e. D–Mark kommen aus . . . .

WEITER TEIL (Seite 46)

as bekommen sie? (Was verdienen sie?)
ofür brauchen sie das Geld?
ofür sparen sie?

ith all these people, write how much
ney they get, whether it is pocket
ney or earned, what they need it
and what they are saving for.

			Wofür?									Sparen		
ame	Taschengeld	Arbeit	Bonbons		Bücher	Schallplatten	Reiten	Schwimmen	Schreibwaren	Getränke	Zeitschriften	Ferien	Kleidung	nichts Besonderes
rich	25	—			✓	✓		✓						
erd	—	50		✓				✓		✓		✓		
abi	6													
eidrun	15	—					✓		✓		✓			✓
utz	—	80		✓		✓	✓	✓				✓		
eter	0	—												
va	—	60		✓		✓	✓		✓	✓			✓	

Ergänze!

Das ist ein Fußball für ... Jugendklub.

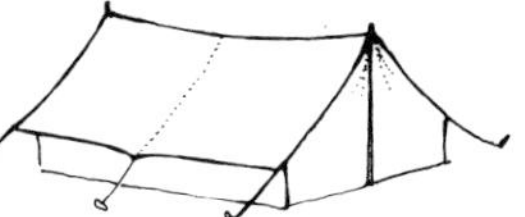

Das ist ein Zelt für ... Ferien.

Das sind Karten für ... Theater.

Das ist Geld für ... Krankenhaus.

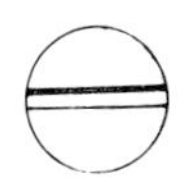

Das ist eine Münze für ... Parkhaus.

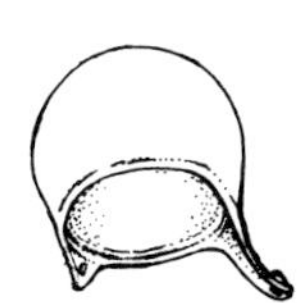

f. Du brauchst eine Bademütze für ... Schwimmbad.

g. Du brauchst 20 Pfg für ... Toilette.

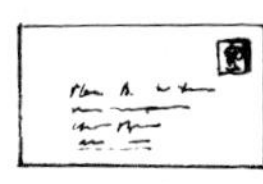

h. Ich habe einen Brief für ... Jugendherberge.

i. Das ist ein Fisch für ... Katze.

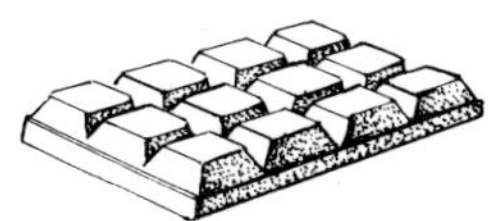

j. Das ist eine Tafel Schokolade für ... Kinder.

Kapitel 8 – Wiederholung

1. Welches Gebäude ist das?

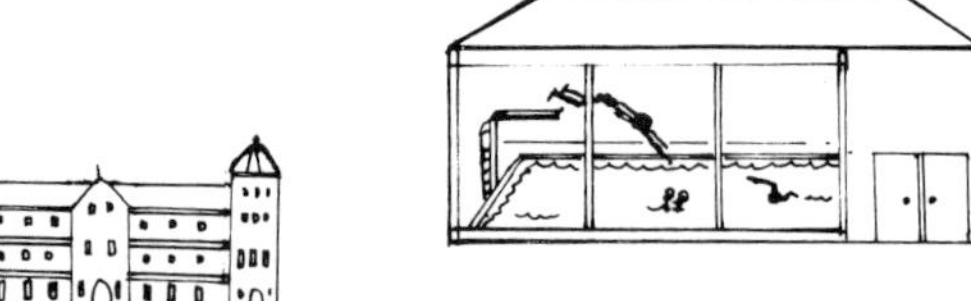

2. Wohin gehen sie?

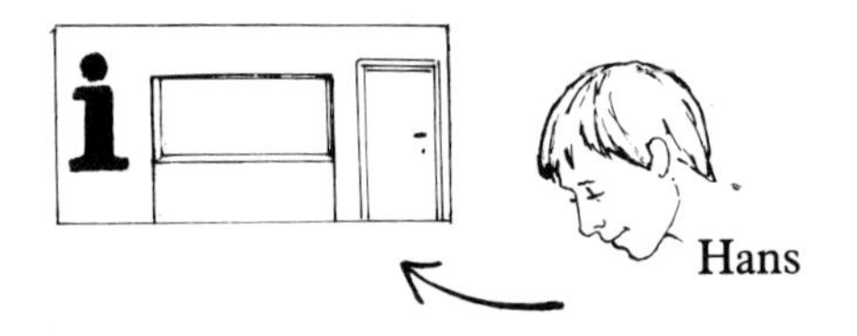

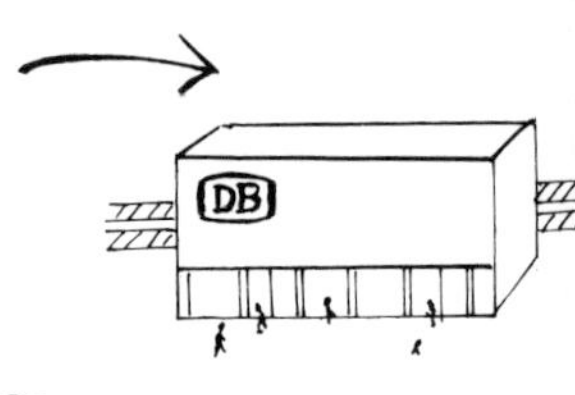

3. Ergänze!

a. „Entschuldigung, ist hier in der Nähe  ?“

„Ja. Gerade hier um . . . .“

b. „Entschuldigung, ist hier   ?“

„Ja. Gehen Sie hier . . . .“

c. „Entschuldigen Sie, ist ?“

„Nehmen Sie die zweite . . . .“

d. „Entschuldigung, ist  ?“

„Ja. Gehen Sie über . . . und sie ist auf der . . . Seite.“

e. „Entschuldigen Sie, 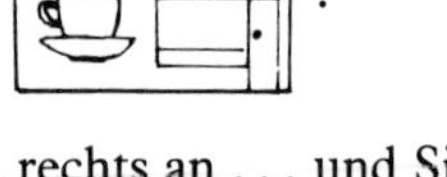 ?“

„Ja. Gehen Sie nach rechts an . . . und Sie finden es auf . . . .“

pages 49–51 of the Students' Book to help you.)

Voher kommen diese Briefmarken?

2. 3. 5. 6. 7. 8.

)ie erste kommt aus . . . .
)ie zweite kommt aus . . . .
)ie dritte kommt aus . . . .
)ie vierte kommt aus . . . .
)ie fünfte kommt aus . . . .
)ie sechste kommt aus . . . .
)ie siebte kommt aus . . . .
)ie achte kommt aus . . . .

;rgänze folgende Sätze!

;r schickt 3 ×  .

ie schickt 2 × 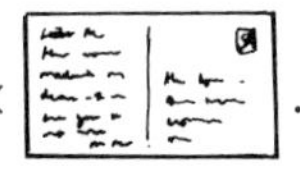 .

;r kauft 8 ×  .

Kapitel 9 – Wiederholung

1. Kannst du Florian beschreiben?

Florian 16 Ansbach (St Johanniskirche, Schloß), BRD Süddeutschland.

1 Schwester (jünger)

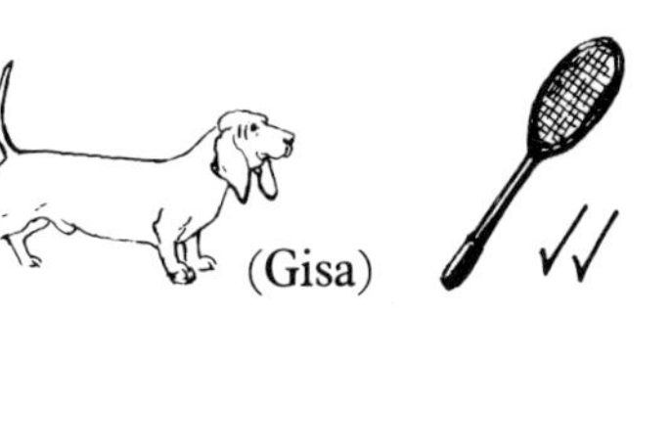

Vox Populi  

Epoche 

Arbeit – in einem Café – 60.-DM (Woche)

braucht für

1. 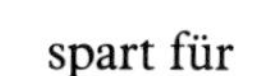
2.
3. 
4. 

spart für

1. 
2. 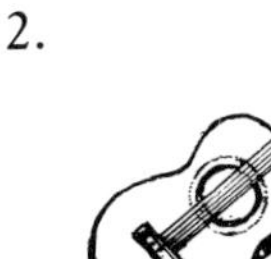 

A

ERSTER TEIL (Seite 52)

1. Sieh dir Seite 52 an!

Do you know the genders of the following words? See if you can give them.

Der, **Die** oder **Das**?

a. . . . Kaugummi
b. . . . Farbfilm
c. . . . Farbstift
d. . . . Sticker
e. . . . Landkarte
f. . . . Kugelschreiber
g. . . . Zahnpasta
h. . . . T-Shirt
i. . . . Bierkrug
j. . . . Seife

2. Sieh dir Seite 52 an!

Zum Beispiel:
Was kostet **der** Farbfilm?
Er kostet 14.-DM.

a. Was kostet das T-Shirt?
b. Was kostet der Bierkrug?
c. Was kostet die Landkarte?
d. Was kostet das Abzeichen?
e. Was kostet der Sticker?
f. Was kostet der Schwarzweißfilm?
g. Was kostet das Schreibpapier?
h. Was kosten die Umschläge?
i. Was kosten die drei Postkarten?
j. Was kostet der Kaugummi?

3. Sieh dir Seite 52 an!

Beantworte die Fragen!

a. Was kostet 8.-DM?
b. Was kostet 2.40 DM?
c. Was kostet 18.-DM?
d. Was kostet 0.15 DM?
e. Was kostet 2.10 DM?
f. Was kostet 20 Pfg?
g. Was kostet 1.-DM?
h. Was kostet 6.50 DM?
i. Was kostet 2.80 DM?
j. Was kostet auch 2.10 DM?

ZWEITER TEIL (Seite 54)

1. Richtig oder falsch?

Sieh dir Seite 54 an!

Can you correct these sentences where necessary?

a. Inge sucht einen Stadtplan.
b. Sie kauft eine Landkarte.
c. Sie kostet 8.-DM.
d. Karl möchte Seife und einen Film kaufen.
e. Seife und Film kosten 2.70 DM.
f. Annette sucht ein Geschenk für ihren Bruder
g. Sie kauft den Bierkrug nicht.

2. Ergänze!

Complete the following sentences with appropriate words.

a. Ich möchte einen . . . .
b. Ich möchte eine . . . .
c. Ich möchte ein . . . .
d. Ich möchte eine . . . .
e. Ich möchte ein . . . .
f. Ich möchte einen . . . .
g. Ich möchte ein . . . .

DRITTER TEIL (Seite 57)

1. *Rewrite this dialogue, using the words given bel to replace those underlined.*

„Was machst du?"

„Ich gehe <u>in die Stadt</u>. Ich will <u>einen Kuli kauf</u>

„Kannst du mir <u>einen Film</u> kaufen, bitte?"

„Sicher."

a. Post
   Brief schicken
   Briefmarke zu 80Pfg

b. Post
   Postkarten schicken
   Umschläge

c. Kaufhaus
   Kassetten kaufen
   Zahnpasta

d. Kaufhaus
   Hefte kaufen
   1 × Filzstift

e. Verkehrsamt
   Stadtplan kaufen
   1 × Postkarte

2. Was wollen sie machen?

Zum Beispiel:

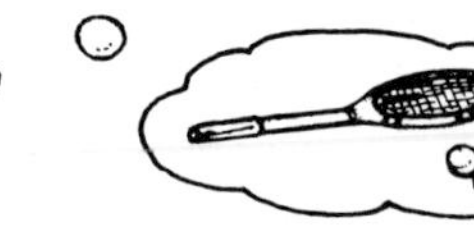

Er will Tennis spielen.

a.

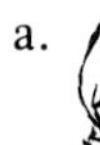

.ies dir folgenden Text durch!**

: Wohin gehst du, Marita?

ita: In die Stadt. Ich brauche einen Film und ich will auch Briefmarken kaufen. Brauchst du was?

: Ja. Ich brauche einen Kuli – kannst du einen für mich kaufen?

ita: Ja sicher. Hast du das Geld da?

: Ja. Hier sind 5.-DM.

ita: Danke. Tschüs.

inze nun folgenden Text!

ita . . . in die . . . gehen. Sie . . . einen . . . und
ı . . . . Für Lisa . . . . . . einen . . . .

Vas brauchen sie?

'eib Sätze!

e out sentences.

ı Beispiel:

'er braucht einen Stadtplan, ...

)ieter: 1 Stadtplan 1 Briefmarke (80Pfg)

legine: 1 Postkarte 1 Farbfilm 6 Briefumschläge

Barbara: 1 Filzstift 1 Paket Briefumschläge

Christoph: 1 Kuli 1 Landkarte 1 Tafel Schokolade

Hartmut und Sylvia: Zahnpasta 10 Postkarten 10 Briefmarken (5 × 50Pfg 5 × 80Pfg) Schreibpapier Briefumschläge

5. Was machen wir hier?

Zum Beispiel:

Ihr geht einkaufen.

a.

KRANKENHAUS

b.

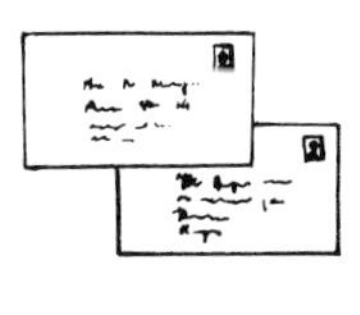

c.

d.

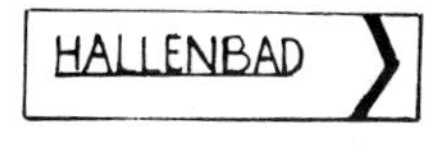

e.

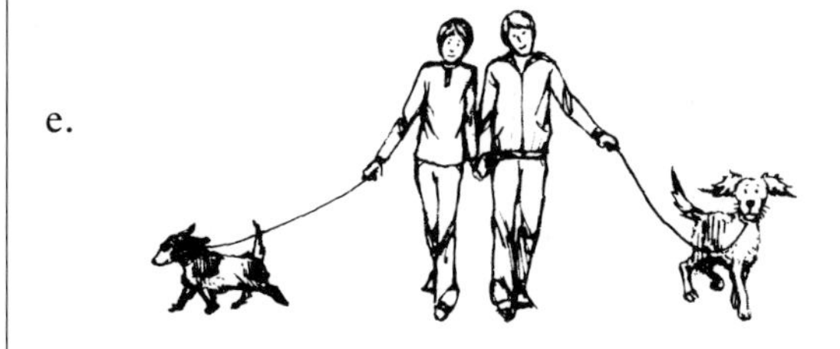

f.

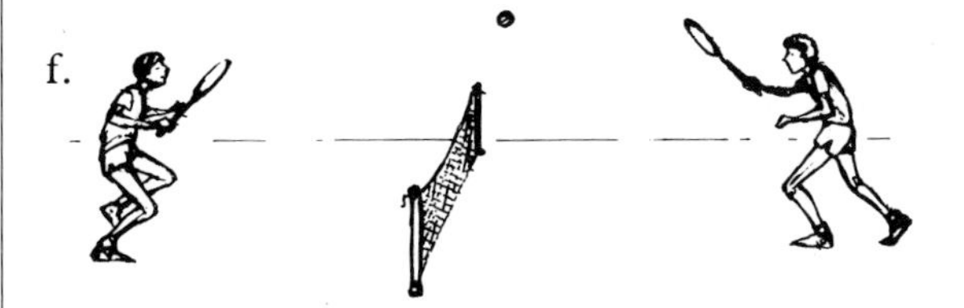

B

1. Ergänze!

a. „Hast du genug Geld für . . . Schläger?“
„Was kostet er?“
„40.-DM.“

b. „Hast du genug Geld für . . . T-Shirt?“
„Was kostet es?“
„20.-DM.“

c. „Hast du genug Geld für . . . Anorak?“
„Was kostet er?“
„77.-DM.“

d. „Hast du genug Geld für . . . Tennisbälle?“
„Was kosten sie?“
„25.-DM.“

e. „Hast du genug Geld für . . . Fotoapparat?“
„Was kostet er?“
„160.-DM.“

2. Was wollen sie machen?
Schreib vollständige Sätze!

Zum Beispiel:

Er will einen Bierkrug kaufen.

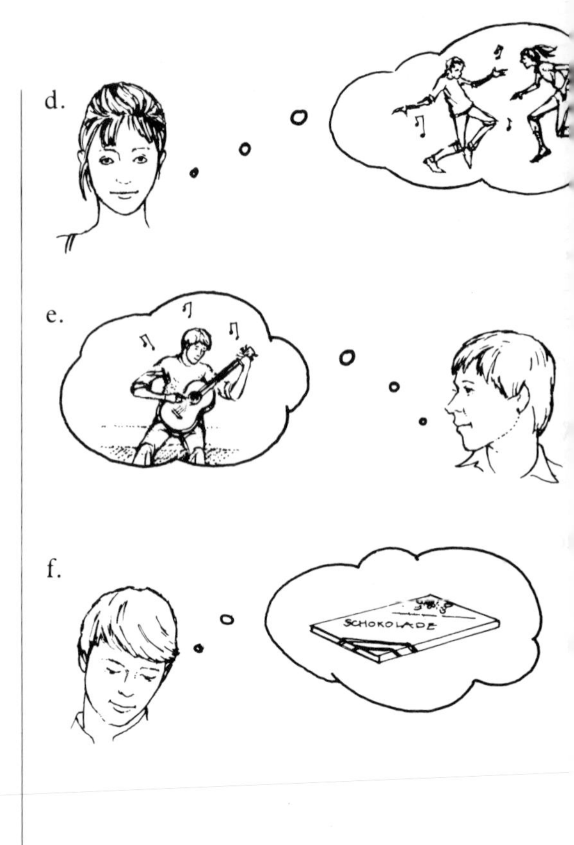

3. *Imagine you have just arrived in Germany and find you need to buy a few things you have forgotte bring with you. You need toothpaste; you also wan write home, so you need writing paper and envelop and a stamp, of course. You're not sure of your wa around town either, so you go to Tourist Informatio and ask for a map and some brochures.*

a. Make a list of what you need.
b. How do you ask for what you need in the:
(i) shops
(ii) post office
(iii) Tourist Office?

4. Setz die richtige Form des Verbs ein!
Fill in the correct form of the verb.

a. . . . du eine Zeitschrift? (lesen)
b. . . . ihr das Rathaus? (sehen)
c. . . . ihr einen Brief nach Hause? (schreiben)
d. Er . . . in die Stadt. (fahren)
e. Was . . . du? (machen)
f. Newcastle . . . in Nordengland. (liegen)
g. Wohin . . . ihr? (gehen)
h. Wir . . . zum Hallenbad. (gehen)
i. . . . du zur Schule? (fahren)
j. Sie . . . heute . . . . (fernsehen)

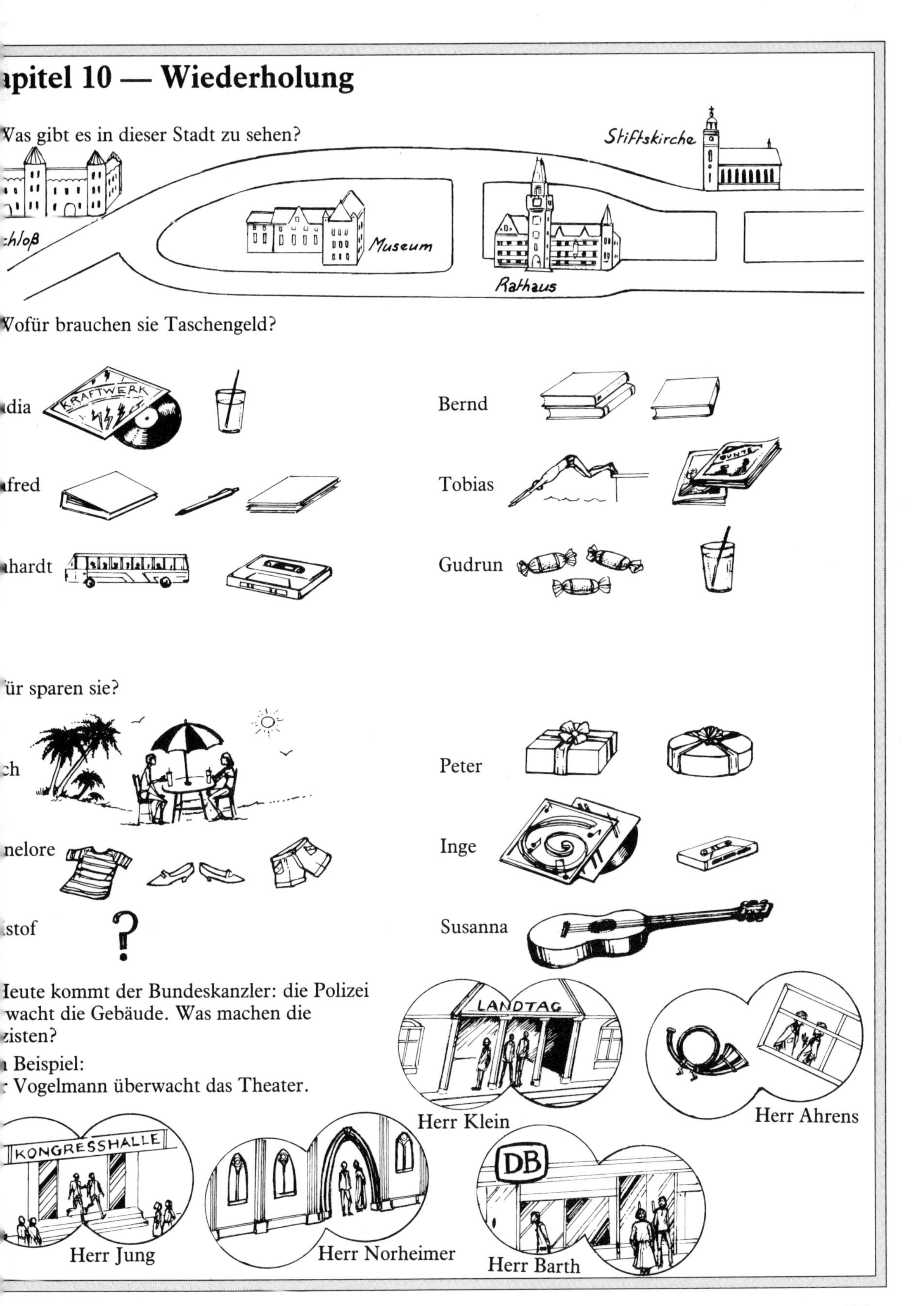
ıpitel 10 — Wiederholung
Vas gibt es in dieser Stadt zu sehen?
Stiftskirche
:hloß
Museum
Rathaus
Vofür brauchen sie Taschengeld?
ıdia
KRAFTWERK
Bernd
ıfred
Tobias
BUNTE
ıhardt
Gudrun
ür sparen sie?
:h
Peter
nelore
Inge
ıstof
?
Susanna
Ieute kommt der Bundeskanzler: die Polizei
wacht die Gebäude. Was machen die
zisten?
ı Beispiel:
: Vogelmann überwacht das Theater.
LANDTAG
Herr Klein
Herr Ahrens
KONGRESSHALLE
Herr Jung
Herr Norheimer
DB
Herr Barth

A

ERSTER TEIL (Seite 59)

1. Sieh dir Seite 59 an!
Ergänze!

a. . . . ohne kosten 1.60.
b. . . . kostet 2.50.
c. . . . kostet 1.90.
d. . . . kostet 2.90.
e. . . . mit kosten 1.80.
f. . . . kostet 1.70.

2. Sieh dir den Text auf Seite 61 an!
Beantworte!

a. Wer hat Hunger?
b. Wo gibt es eine Wurstbude?
c. Was kaufen sie?
d. Kaufen sie eine große oder eine kleine Portion Pommes Frites?
e. Was nimmt Dieter dazu?
f. Wer bezahlt?

3. *How would you ask if the following are nearby?*

a. eine Wurstbude
b. ein Schnellimbiß
c. eine Trinkhalle
d. ein Café

4. Ergänze die Dialoge!
Complete the dialogues, following the instructions in the brackets.

a. Was darf es sein?
(Ask for two sausages.)
Und etwas dazu?
(Ask for some mustard.)
Sonst noch etwas?
(Say no, thank you.)

b. Was darf es sein?
(Ask for a curry sausage with chips.)
Und etwas dazu?
(Ask for some mayonnaise.)
Sonst noch etwas?
(Say no, thank you.)

c. Was darf es sein?
(Ask for a Schaschlik *and chips.)*
Und etwas dazu?
(Say no, thank you.)
Sonst noch etwas?
(Say no, thank you.)

d. Was darf es sein?
(Ask for two portions of chips.)
Und etwas dazu?
(Ask for some mayonnaise and ketchup.)
Sonst noch etwas?
(Say no, thank you.)

ZWEITER TEIL (Seite 62)

1. Sieh dir den Dialog auf Seite 62 an und beantworte folgende Fragen!

a. Wo sind die jungen Leute?
b. Was möchte Ingrid?
c. Wer hat Durst?
d. Was trinkt er?
e. Wer trinkt Kaffee?

2. Ergänze folgende Sätze!
Complete the following. Try and choose a different ending for each phrase.

a. ein Glas . . . .
b. ein Glas . . . .
c. ein Glas . . . .
d. ein Glas . . . .
e. ein Glas . . . .

3. *What would your order be if you wanted the following?*

a.    

b. 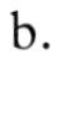 

c. 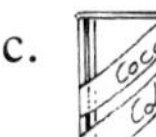 

d.  

e.  

f. 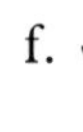 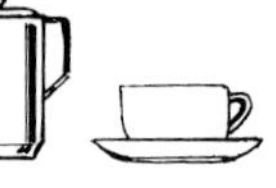

ITTER TEIL (Seite 64)

e pages 64 and 65 of the Students' Book to help)

Was kann man bestellen?
at can you order?

in Stück . . . .
in Stück . . . .
in Stück . . . .
in Stück . . . .
in . . . eis.
in . . . eis.
in . . . eis.

Sieh dir die Preisliste an und beantworte die gen!

Preisliste	
pfelkuchen.	2,50
äsekuchen.	3,00
chwarzwälder Kirschtorte	4,20
flaumenkuchen.	2,80
anillieneis	1,50
rdbeereis	2,60

Was kostet 4.20?
Was kostet 3.00?
Was kostet 2.50?
Was kostet 2.60?
Was kostet 1.50?

What would you say if you wanted to order the wing?
Two apple rolls
Two Black Forest gateaux, with cream
Four plum tarts
One piece of cheesecake, without cream
Two chocolate cakes without cream, and two trawberry ices with cream
One mixed ice with cream, and one piece of heesecake without cream

ERTER TEIL (Seite 66)

Erfinde Dialoge!
e up dialogues between yourself and the waiter/ ress. Call him/her, ask for the bill and make sure e charges you for the correct things.

ordered:

wo coffees and two apple cakes with cream; you vant to pay the bill separately.

b. *one tea, one coffee, one pistachio ice, one cheesecake; you want to pay all together.*
c. *two Fantas, two Cokes; you want to pay all together.*
d. *one pot of coffee, one hot chocolate; you want to pay the bill separately.*

2. Sich dir den Text auf Seite 67 an und beantworte die Fragen!

a. Wie alt ist Martin?
b. Wie heißt seine Schwester?
c. Wer will ein T-Shirt kaufen?
d. Was will Ingrid machen?
e. Wer kauft nichts?
f. Was kostet 8 DM?
g. Wo bestellen sie Kaffee und Kuchen?

3. Sieh dir den Text auf Seite 67 an und beantworte folgende Fragen!

a. Wo sind die jungen Leute?
b. Was will Stefan in der Stadt machen?
c. Wohin will Karla gehen um einen Tennisschläger zu kaufen?
d. Was macht Stefan auf der Post?
e. Was machen sie im Café?

B

1. Schreib vollständige Sätze!

Sie haben  bestellt.

Er hat  bestellt.

Du hast  bestellt.

Ich habe   bestellt.

Wir haben  bestellt.

2. Sieh dir den Text auf Seite 66 an und beantworte die Fragen!
(Your answers do not need to be complete sentences.)

a. Was haben Frau Melchior, Hannelore und Lutz gegessen?
b. Was haben sie getrunken?
c. Wieviel haben sie bezahlt?

Kapitel 11 — Wiederholung

1. Was kosten sie?

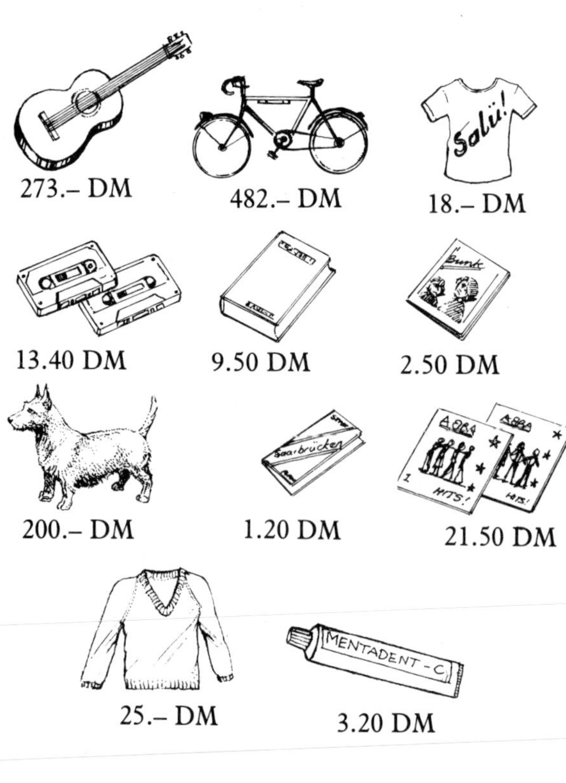

2. Was ist das?

3. Was sind das?

4. Woher kommen diese Briefmarken?

5. *What questions do you need to ask to find out how much it costs to send the following?*

6. In den Geschäften.
Was möchten Sie, bitte?

.STER TEIL (Seite 68)

Ergänze!

Man kauft eine Fahrkarte . . . , . . . oder . . . .
Man entwertet sie . . . , . . . oder . . . .
Vergiß nicht, die Fahrkarte zu . . . .
Am Automaten kauft man eine . . . oder
einen . . . .
Am Automaten muß man die Fahrkarte . . . .

'EITER TEIL (Seite 71)

Schreib Dialoge!

n Beispiel:
Wie fahre ich am besten nach Gersweiler?
Du kannst entweder mit . . . oder mit . . . fahren.

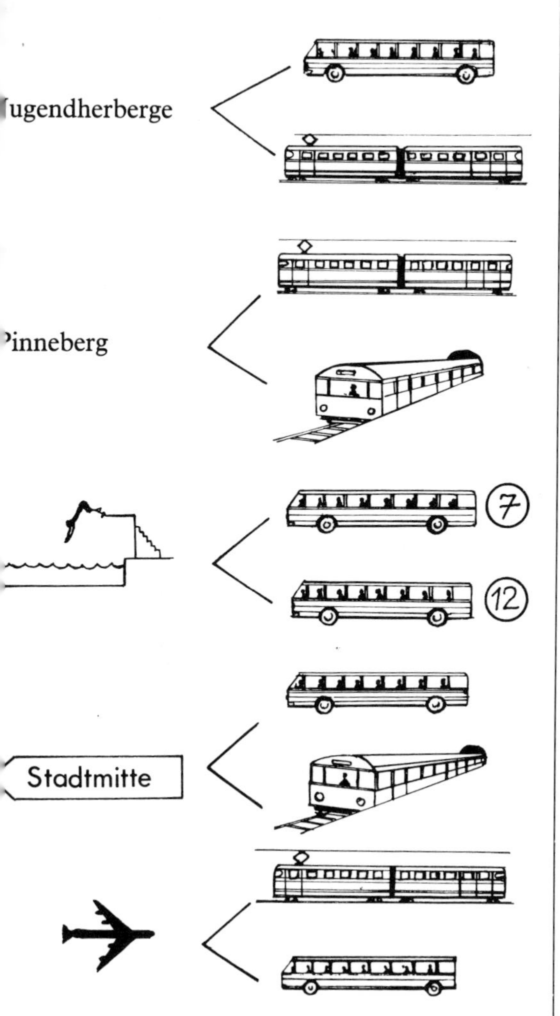

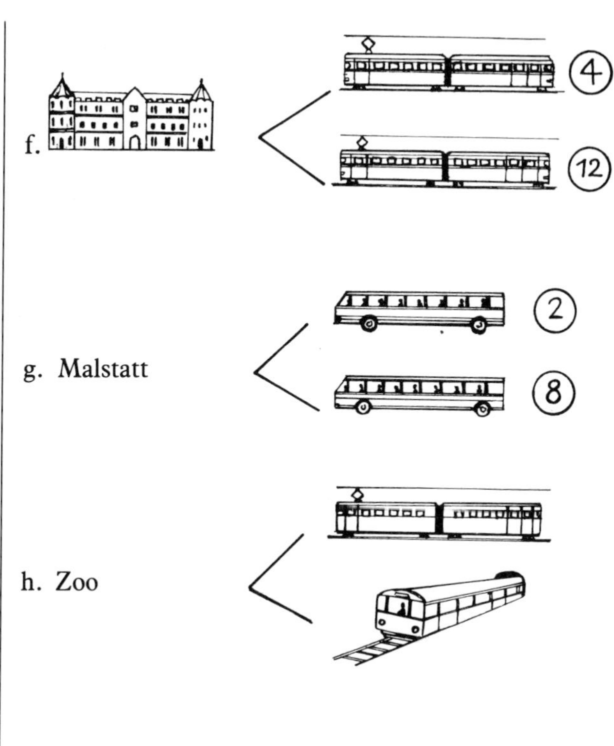

2. *Look at the table below and then write mini-dialogues in which someone asks how to get somewhere. He/she is told which means of transport are available and which number bus, tram or tube goes in that direction.*

Sometimes there will be an alternative way of getting there. If this is the case, use entweder . . . oder *(either . . . or) in your answer.*

Zum Beispiel:
A: Wie fährt man am besten nach Dudweiler?
B: Entweder mit dem Bus, Linie 2 oder 12, oder mit der Straßenbahn, Linie 3.

	U-Bahn	**Straßenbahn**	**Bus**
Dudweiler		3	2, 12
Losheim			26
Hauptbahnhof	17		4
Emsweiler		26, 18	
Universität			13
Jugendherberge		18	
Krankenhaus	3		7

3. Fahr oder **fahren Sie!**

A group of people want to find out the best way to certain places in and about town: their names and destinations are given in the table at the bottom of this page. You have a plan of the public transport system, which is given below. Use the plan and the table to:

a. work out what questions these people would ask you;

b. answer their questions.

(You are on **Du** *terms with Klaus and Petra but on* **Sie** *terms with the others.)*

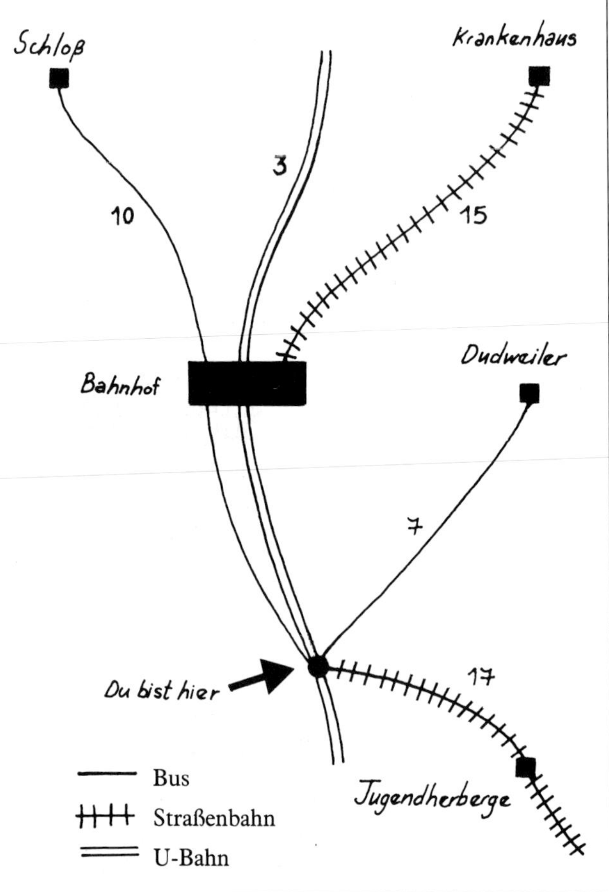

4. Zum oder **zur?**
Ergänze!

a. Wie fährt man am besten . . . Universität?
b. Wie komme ich am besten . . . Flughafen?
c. Wann fährt der nächste Bus . . . Berliner Plat
d. Wie komme ich am besten . . . Jugendherberg
e. Wie fährt man . . . Hauptbahnhof?
f. Wann fährt der nächste Bus . . . Stadtmitte?
g. Und der nächste Bus . . . Dom?
h. Wie fährst du . . . Schule?
i. Und . . . Jugendklub?
j. Fährst du mit . . . Schwimmbad?

DRITTER TEIL (Seite 73)

1. Ergänze folgenden Text!

Choose the missing words from the box underneath t text.

Angela und Silke . . . heute in die Stadt . . . . Sie nehmen die Linie 5. . . . Brücke. Im Bus entwert sie ihre Fahrkarten.
. . . Tilsiterplatz steigen sie . . . und laufen dann zu Fuß zum Kaufhof, wo Angela einige Sachen kaufen . . . .

will	am	an der	wollen	fahren	au

2. Wo steige ich aus, bitte?

Zum Beispiel:

Sie steigen

Sie steigen entweder am Rathaus oder am Bahnh aus.

a.

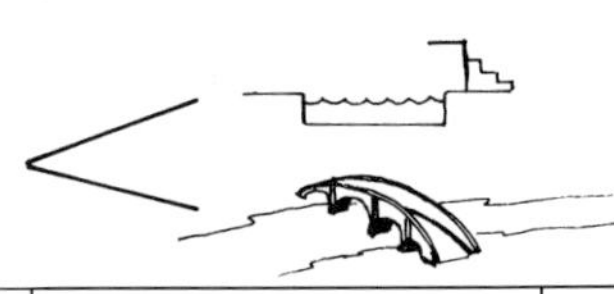

b.

Name	Rathaus	Schloß	Krankenhaus	Jugendherberge	Dudweile
Klaus				×	
Herr Bernds			×		
Frau Hoedt		×			
Herr Klamse					×
Petra	×				

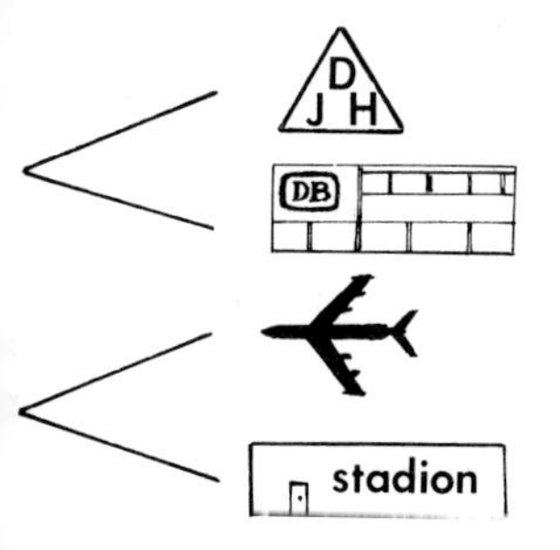

RTER TEIL (Seite 75)

rgänze folgenden Dialog! Such dir passende rter aus der Liste aus!
ose suitable words from the box.

. . . fahren Sie, bitte?
Nach Westend.
ch möchte . . . Sporthalle. Kann ich dort . . . ?
a. Steigen Sie an . . . Baumgartnerstraße aus.
Dort haben Sie eine . . . Dann sind's nur noch
wei Minuten zu Fuß. Ich sage . . . Bescheid.
Vielen Dank.

m	wann	Ihnen	zur	aussteigen	der
m	wohin	Haltestelle	sie	einsteigen	

rgänze!
plete the following sentences using the suitable of one of these modal verbs: **können, wollen, hten.**

Die Kinder wollen am Rathaus aussteigen. Sie . . aber nicht. Es gibt dort keine Haltestelle.
„Wir wollen zum Museum. . . . wir dort aussteigen?"
„Nein. Das . . . Sie nicht."
„Wohin . . . ihr fahren?"
„Zum Hallenbad. . . . wir dort aussteigen?"
„Ich . . . zum Berlinerplatz fahren. . . . ich dort ussteigen bitte?"
„Ihr . . . entweder am Theater oder am Bahnhof ussteigen."

rgänze!
plete the following sentences using **am** *or* **an der**.

Die Haltestelle ist . . . Bahnhof.
Die U-Bahnstation ist . . . Kennedyplatz.
Die Wurstbude ist . . . Ecke.
Die Trinkhalle ist . . . Post.
Die Post ist . . . Brücke.
Die Toiletten sind . . . Bahnhof.
Der Verkehrsamt ist . . . Rathaus.
Die Haltestelle ist . . . Domplatz.

3. Sieh dir Seite 77 an!
Richtig oder falsch? Verbessere die folgenden Sätze!
Correct the following sentences.

a. Gerd ist mit seiner Schwester.
b. Er möchte eine Kassette kaufen.
c. Sein Bruder braucht Tennisbälle.
d. Er braucht sie für den Jugendklub.
e. Er braucht eine Schachtel.
f. Gerd nimmt zwei Zwanzigmarkscheine.
g. Die Baustelle ist am Rathaus.
h. Er kauft im Kaufhof ein.
i. Er findet Barbara im Café Denne.
j. Er bestellt einen Kaffee.
k. Barbara geht zum Jugendklub.

4. Präpositionen: in, auf oder **an?**
Zum Beispiel: 

Lutz ist an der Haltestelle.

a. Wo ist die Verkäuferin? 

b. Wo ist der Busfahrer? 

c. Wo ist die Haltestelle? 

d. Wo ist Paula? 

e. Wo ist Karl? 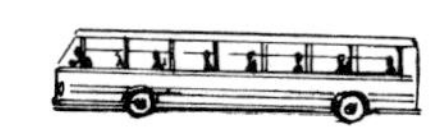

f. Wo ist Manfred? 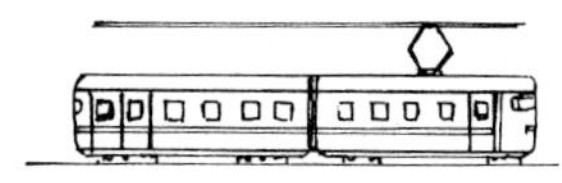

g. Wo ist Frau Friederichs? 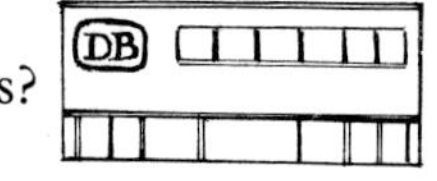

h. Wo ist Bettina? 

i. Wo ist Herr Heine? 

5. **Zum** oder **Zur**?
Wie fährt man am besten . . . ?

a. . . . Universität?
b. . . . Jugendherberge?
c. . . . Hauptfriedhof?
d. . . . Staatstheater?
e. . . . Flughafen?
f. . . . Hallenbad Schafbrücke?
g. . . . Stadion Fieselhumes?
h. . . . Fachhochschule?
i. . . . Modernen Galerie?
j. . . . Haus der Gesundheit?

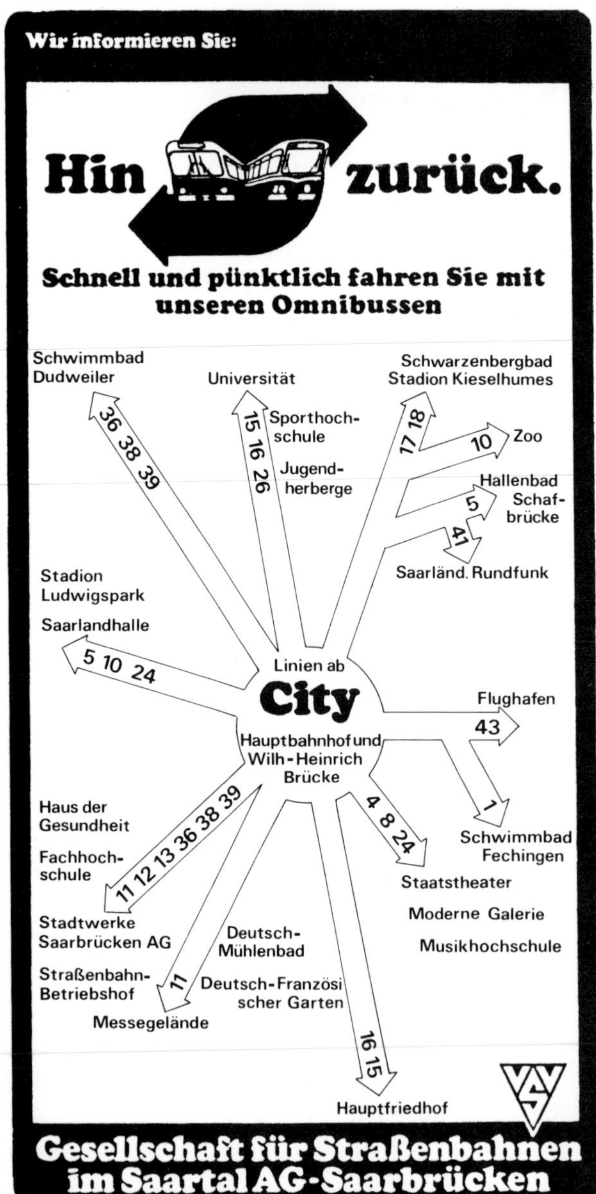

Wir informieren Sie:
Hin zurück.
Schnell und pünktlich fahren Sie mit unseren Omnibussen
Schwimmbad Dudweiler
36 38 39
Universität
15 16 26
Sporthoch-schule
Jugend-herberge
Schwarzenbergbad Stadion Kieselhumes
17 18
10 Zoo
Hallenbad Schaf-brücke
5
41
Saarländ. Rundfunk
Stadion Ludwigspark
Saarlandhalle
5 10 24
Linien ab
City
Hauptbahnhof und Wilh-Heinrich Brücke
Flughafen
43
1
Schwimmbad Fechingen
Haus der Gesundheit
Fachhoch-schule
11 12 13 36 38 39
4 8 24
Staatstheater
Moderne Galerie
Musikhochschule
Stadtwerke Saarbrücken AG
Deutsch-Mühlenbad
Straßenbahn-Betriebshof
11
Deutsch-Französischer Garten
Messegelände
16 15
Hauptfriedhof
Gesellschaft für Straßenbahnen im Saartal AG-Saarbrücken

Kannst du die Fragen auch beantworten?

Kapitel 12 — Wiederholung

1. Was wollen sie kaufen?

Bodo	Angelika	Gabi
Kuli	3 Postkarten	T-Shirt
Umschläge	Stadtplan	Schokolade
Schallplatte	Briefmarke (4)	Film (8/…

2. *These people can't agree where to go. Where does each one want to go? What is each one saying?*

3. Vollende die Dialoge!

a. „Was kostet [ ] nach England, bitte?"

„Achtzig . . . ."
„Drei . . . , bitte."

b. „Drei . . . zu achtzig Pfennig, bitte. . . . Danke. Was kostet [SCHWEIZ] ?"

„Eine Mark."
„Drei . . . , bitte."
„Danke."
„ . . . ."

STER TEIL (Seite 78)

:r fährt mit . . . . 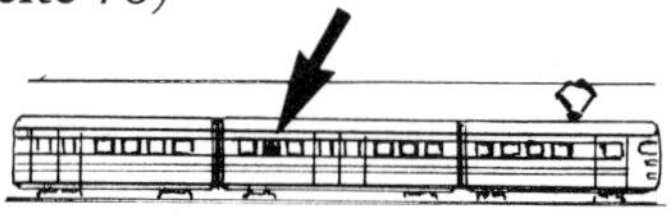

ie fährt mit . . . . 

:r fährt mit . . . . 

ie fahren mit . . . . 

ie fährt mit . . . . 

:r geht . . . . 

Vie kommen diese Leute zur Schule? Bilde :e!

:e up sentences.

ı Beispiel:
:e fährt ab und zu mit der Straßenbahn und nie dem Fahrrad.

me	jeden Tag	ab und zu	nie
·k			
ike		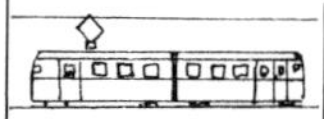	
s			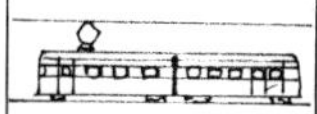
:z			
ria			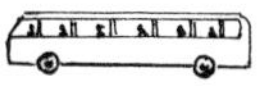
›ias		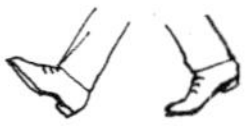	

3. Wie kommen sie zur Schule?

Zum Beispiel:
Peter fährt **nie** mit dem Auto, **ab und zu** mit dem Fahrrad und . . . .

	Peter	**Wilfried**	**Norbert**	**Heike**
nie	Auto	Bus	zu Fuß	Auto
ab und zu	Fahrrad	Rad	Straßenbahn	Straßenbahn
fast immer	Bus	Fuß	Mofa	Mofa

ZWEITER TEIL (Seite 79)

1. Wie ist das Wetter?

a. 

b. 

c. 

d. 

e. 

f. 

2. Wie kommen diese Leute zur Schule?

Zum Beispiel:
Fred

Wenn das Wetter schön ist, fährt er mit dem Fahrrad, aber wenn es regnet, fährt er mit dem Bus.

a. Theo

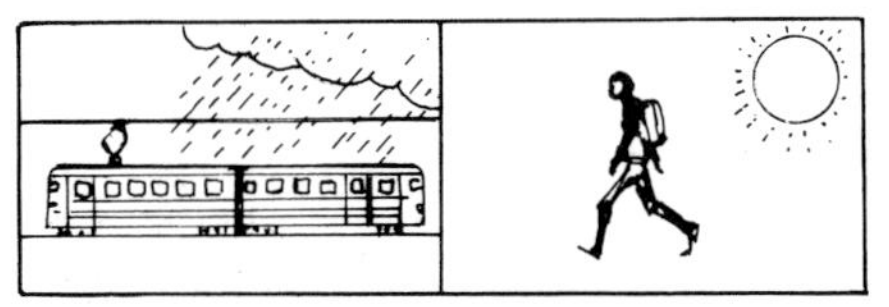

b. Monika

c. Franz

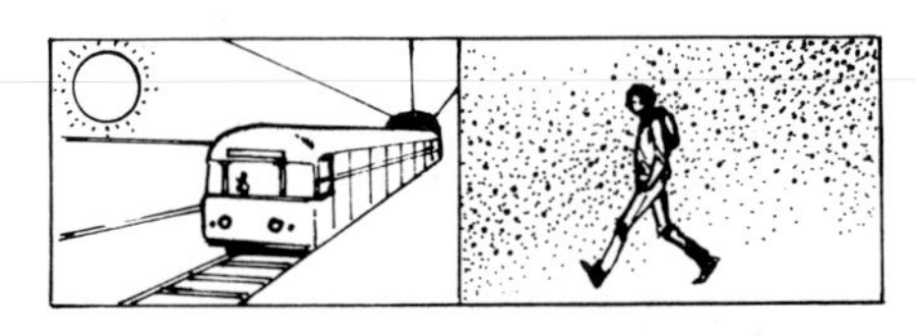

d. Norbert

e. Anne

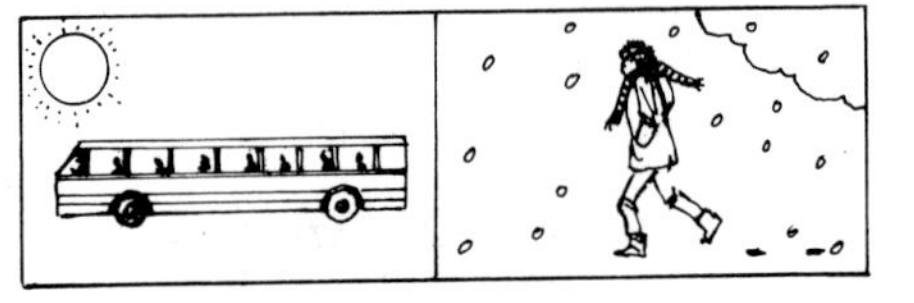

DRITTER TEIL (Seite 81)

1. *What is the weather forecast?*

a.

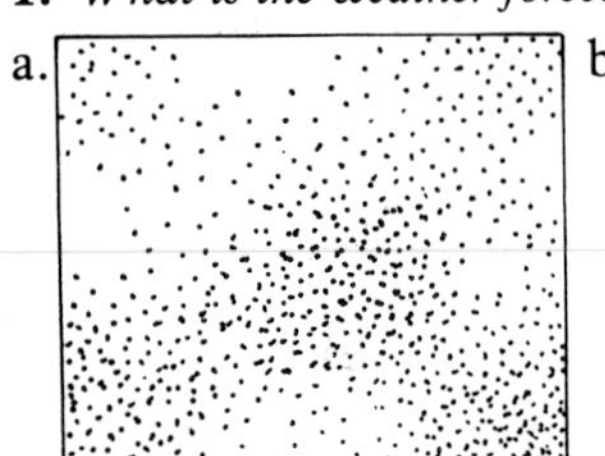

b.

c.

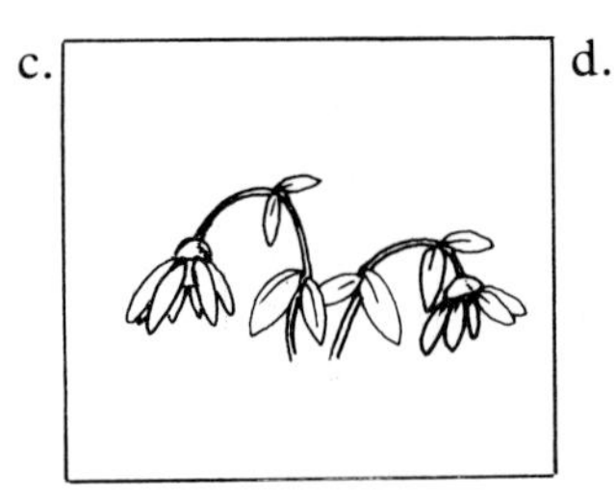

d.

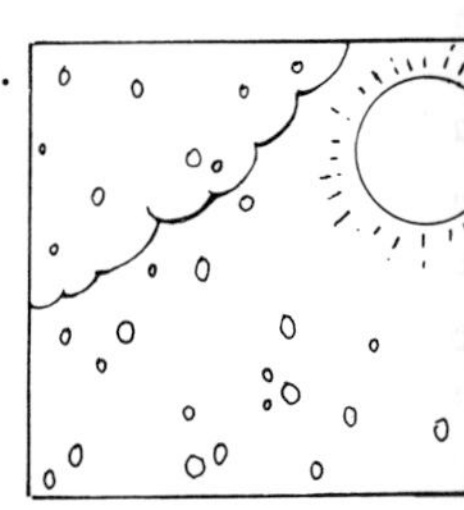

e.

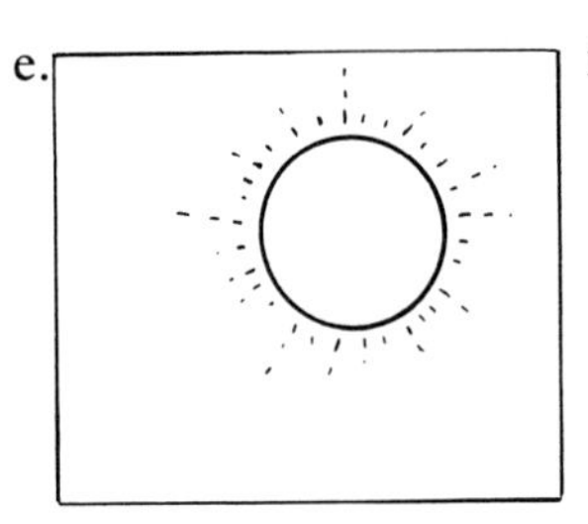

f.

g.

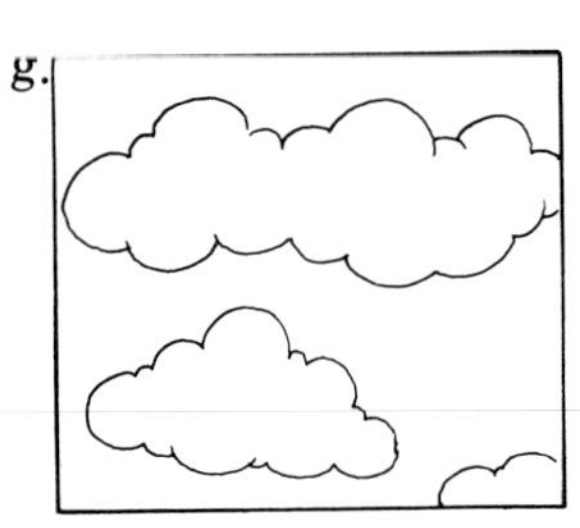

1. Sieh dir Seiten 82 und 83 an! Beantworte!

a. (i) Was macht Werner?
(ii) Wo arbeitet er?
(iii) Wie fährt er in die Stadt?
(iv) Wie kommt er vom Rathaus zum Kaufh
(v) Fährt er immer mit dem Bus?

b. (i) Was macht Dorothea?
(ii) Wo arbeitet sie?
(iii) Fährt sie immer mit dem Mofa?
(iv) Muß sie weit vom Stahlwerk aussteigen

c. (i) Wohin fährt Dieter jeden Tag?
(ii) Wie fährt er zur Arbeit?
(iii) Fährt er immer alleine?
(iv) Warum hat er seine Arbeit gern?

d. (i) Wo spielt FC Saarbrücken heute?
(ii) Wie kommen sie zum Stadion?
(iii) Wie ist das Spiel?
(iv) Und das Wetter?
(v) Wo diskutieren sie über das Spiel?

Der Wennsatz. Bilde Sätze!
ıke up sentences, using 'if' clauses.

m Beispiel:
ɜnn Silke in die Stadt fährt,  .
ɜnn Silke in die Stadt fährt, fährt sie mit dem
s.

Wenn Angela zum Bahnhof fährt,  .

Wenn Hannelore zum Rathaus fährt,  .

Wenn Christoph zur Schule fährt, 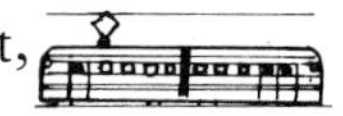 .

Wenn Angelika zum Jugendklub fährt,  .

Wenn Petra nach Hause fährt, .

Ergänze folgende Sätze!

m Beispiel:
ːnn man Briefmarken kaufen will, ...
ːnn man Briefmarken kaufen will, geht man zur
ɪt.

Wenn man in der Stadt etwas essen will, ...
Wenn man in der Stadt etwas trinken will, ...
Wenn man mit der Bahn fahren will, ...
Wenn man Geld wechseln (*to change*) will, ...
Wenn man eine Information haben will, ...
Wenn man schwimmen gehen will, ...
Wenn man Pommes Frites essen will, ...
Wenn man Reiseschecks wechseln will, ...
Wenn man eine Tasse Kaffee trinken will, ...
Wenn man einen Film sehen will, ...

Sieh dir den Stadtplan auf Seite 75 an und
le Sätze!

n Beispiel:
nn man zum Schloß will, steigt man an der Post
.

Wenn man zum Hallenbad will, ...
Wenn man zum Stadion will, ...
Wenn man zum Informationsbüro will, ...
Wenn man zur Jugendherberge will, ...
Wenn man zum Landtag will, ...
Wenn man zum Café Denne will, ...

5. Vervollständige folgende Sätze!
Complete the following sentences.

a. Wenn man  fährt, nimmt man .

b. Wenn man  .

c.  .

d. 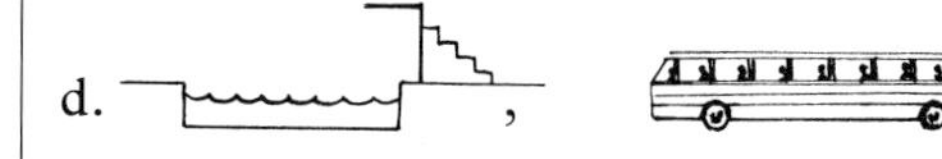 .

e. HBF ,  .

6. Bilde Sätze!
Rearrange these words to make sentences.

a. Ich möchte / trinken / eine Tasse Kaffee.
b. entweder / mit der Bahn / Du kannst / fahren / oder / mit dem Bus.
c. willst du / Wie / fahren?
d. aussteigen / können / Wir / entweder / hier / oder am Informationsbüro.
e. Was / zum Trinken / möchtest du / bestellen?

7. Schreib folgende Verben aus!

a. **wollen**

ich . . .	wir . . .
du . . .	ihr . . .
er/sie/es . . .	Sie . . .
	sie . . .

b. **können**

ich . . .	wir . . .
du . . .	ihr . . .
er/sie/es . . .	Sie . . .
	sie . . .

c. **aussteigen**

ich . . .	wir . . .
du . . .	ihr . . .
er/sie/es . . .	Sie . . .
	sie . . .

8. Wortstellung
Word order

Stell die Satzteile zusammen!
Join up phrases from the two columns to make sentences, starting each sentence with a phrase from the ***second*** *column.*

Zum Beispiel:
Am Bahnhof kauft er eine Fahrkarte.

a. Sie haben Hunger.	an der Kasse
b. Sie essen eine Wurst.	im Café
c. Er bestellt zwei Tassen Kaffee.	am Bahnhof
d. Sie bezahlt 18 DM.	nach dem Schwimmen
e. Er kauft eine Fahrkarte.	jetzt
f. Er steigt aus dem Bus aus.	am Samstagvormittag
g. Sie gehen alle zusammen ins Café.	jeden Tag
h. Sie geht zum Volleyballverein.	nach der Schule
i. Sie bekommt einen neuen Plattenspieler.	an der Haltestelle
j. Sie kaufen ein.	zum Geburtstag

9. *Choose the most appropriate ending and write each sentence out in full.*

Karl will eine Kassette kaufen.

a. Er fährt:
(i) in die Stadt.
(ii) nach England.

b. Im Bus kauft er:
(i) einen Bleistift.
(ii) einen Fahrschein.
(iii) einen Entwerter.

c. Er steigt:
(i) im Bahnhof aus.
(ii) am Rathaus aus.
(iii) am Fluß aus.
(iv) nicht aus.

d. Er geht:
(i) zum Café.
(ii) zum Kaufhaus.
(iii) zum Stadion.
(iv) zur Post.

e. Er bezahlt:
(i) hundert Mark.
(ii) acht Mark.
(iii) neunundzwanzig Mark

Dann hat er Durst.

f. Er geht:
(i) zum Schloß.
(ii) zum Café.
(iii) zur Wurstbude.

g. Er bestellt:
(i) ein Stück Kuchen.
(ii) ein gemischtes Eis.
(iii) eine Limonade.

h. Er bezahlt:
(i) acht Mark.
(ii) nicht.
(iii) eine Mark achtzig.

10. Ergänze!
Complete the sentences, using **zu, mit** *or* **aus** *with either* **der** *or* **dem**.

a. Er kommt aus . . . Haus.
b. Er ist mit . . . Mädchen.
c. Sie fährt zu . . . Bahnhof.
d. Sie kommen aus . . . Galerie.
e. Hannelore fährt . . . Zoo.
f. Er fährt mit . . . Rad in die Schule.
g. Karl kommt aus . . . Post mit . . . Briefmarke der Hand.
h. Ueli kommt aus . . . Schweiz.

11. Setz die richtige Form von ‚ein' ein!

a. Manfred kauft . . . Fahrausweis.
b. Ursula kauft . . . Rückfahrkarte.
c. Hast du . . . Fahrschein?
d. Maria sucht . . . Haltestelle.
e. Ulrike sucht . . . U-Bahnstation.

apitel 13 — Wiederholung

Can you write the sign to show what there is for sale *he* Wurstbude? *(Today there are three sorts of* *age, chips and rissoles.)*

Du bist an der Wurstbude. Beantworte die ge!

as darf es sein?"

1 ×  + S

2 ×  + M

× 

Was essen sie gern und was essen sie besonders n? Was trinken sie gern und was trinken sie onders gern?

nca 

ia  

z   

mas 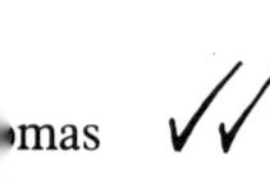  

a 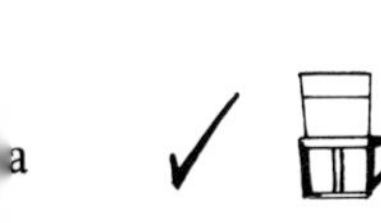  

A

ERSTER TEIL (Seite 86)

1. Ergänze diese Wörter!
Complete these words.

a. Bah...
b. Schlie...
c. Fah...
d. Gep...
e. Ausk...
f. Ab...
g. Re...
h. Bu...

ZWEITER TEIL (Seite 87)

1. Schreib aus!

Zum Beispiel:
10.20 = zehn Uhr zwanzig

a. 11.20
b. 14.30
c. 17.45
d. 21.10
e. 03.02
f. 11.17
g. 21.19
h. 23.11
i. 18.05
j. 19.17

2. Ergänze folgende Dialoge!

a. „Guten Tag. Ich ... nach Homburg fahren. Wann ... der nächste Zug, bitte?"
„Er fährt ... 14.20."
„... fährt er ab, bitte?"
„Auf ... 10."
„Danke sehr."
„... sehr."

b. „Guten Tag. Ich will ... Goslar .... fährt der ... Zug, bitte?"
„... 10.30. ... Gleis 4."
„... Dank."
„Nichts zu ...."

Ergänze!
3. An oder **ab?**

a. Wann kommt der Zug in München ... ?
b. Wo fährt der Zug nach Goslar ... ?
c. Kommt der Zug aus München auf Gleis 4 ... ?
d. Der Zug nach Essen fährt auf Gleis 6 ... .
e. Vorsicht! Der Zug auf Gleis 4 in Richtung Goslar fährt gleich ... !

4. Sieh dir den folgenden Fahrplan an und bilde Sätze!
Make up sentences using the timetable below.
Zum Beispiel:
Der Zug nach Essen fährt um 4.09 auf Gleis 4 ab.

Ab	Gleis	Reiseziel
04.09	4	Essen
09.10	6	München
09.30	2	Frankfurt
10.17	1	Bonn
11.05	3	Bremen

DRITTER TEIL (Seite 89)

1. Wie sagt man? (Zwei Möglichkeiten)
Give two ways of saying the following.

a. *A single ticket to* Hamburg
b. *A return ticket to* Hamburg
c. *Two single tickets to* Bonn
d. *Three return tickets to* Kaiserslautern

VIERTER TEIL (Seite 91)

1. Wann fahren diese Züge?
(Sieh dir Seite 92 Übung 5 an!)

a.
10 Uhr
Forbach 10.18 · Metz 11.06
Paris Est 14.05 **12 a/b**
ab Forbach besonderer Zuschlag erforderlich

Dieser Zug fährt am . . . ab.
Er kommt am . . . in Paris an.

b.
Neunkirchen 10.51 · Idar Oberstein 11.37
Kreuznach 12.25 · Bingerbrück 12.53 → (
14.46 · Hagen 15.56) Mainz 13.29 ·
10.34 **E 3363** **Frankfurt (M) 14.07** †

Dieser Zug fährt am . . . ab.
Er kommt am . . . in Frankfurt an.

c.
Forbach 19.13 · Metz 20.12 · Lyon 1.55 · Ma
19.05 **D 1558** **Nizza (Nice) 8.28** Nizza (Ni
an 9.26 Port Bou 8.57
⑤6.VI. · 12.IX. und ⑦6.VII. · 31.VIII. mit Autobeförderung
27.VI. · 31.VIII., auch 6., 13., 20.VI., 5., 12.IX.

Dieser Zug fährt am . . . ab.
Er kommt am . . . in Nizza an.

d.
Kaiserslautern 16.18 · Mannheim 17.07 ·
15.37 **D 861** **Heidelberg 17.22**
⑦Stuttgart 18.46
am 17.VI. bis Heidelberg. am 15.VI. bis
Stuttgart 19.06 · München 21.56

Dieser Zug fährt am . . . ab.
Er kommt am . . . in Stuttgart an.

e.
Kaiserslautern 23.59 · Mannheim 0.54 ·
1.14 · Stuttgart 2.53 · Ulm 4.23 ·
Augsburg 5.36 ·
23.16 **D 897** **München 6.25** ⑤u
außer

Dieser Zug fährt am . . . ab.
Er kommt am . . . in München an.

FÜNFTER TEIL (Seite 93)

1. Bilde Sätze!
Zum Beispiel:
Helga fährt am Montagnachmittag nach Köln.

Reisende	Montag			Dienstag			Mittwoch		
	V	N	A	V	N	A	V	N	A
Helga		Köln		Essen					Ham
Horst			Hamburg			Osnabrück			Hanno
Manfred		Basel		Luzern				Genf	
Ulrike und Thomas						Bonn			

V = Vormittag N = Nachmittag A = Abend

Trennbare Verben. Bilde Sätze!

m Beispiel:
r Zug fährt um 12.00 Uhr ab.

Der Zug fährt um 12.00 Uhr
Martina sieht gern
Helga steigt am Bahnhof
Der Zug kommt um 3.00 Uhr
Schreib das bitte
Mach das Fenster
Wir steigen in Bremen
Ich höre
Das Café macht um 19.00 Uhr
Das Geschäft macht um 9.00 Uhr

uf an fern auf ab zu um aus auf zu

Dieter will nach Bremen fahren. Wann kommt an?

enn er mit dem Zug um 07.30 fährt, kommt er 9.30 in Bremen an.
d **wenn** er mit dem Zug um 8.00 Uhr fährt, ...

ıreib diesen Satz zu Ende und bilde drei weitere ze!
ish this sentence and make up three more like it.

Abfahrt	Reiseziel	Ankunft
7.30	Bremen	9.30
8.00	Bremen	10.00
8.10	Bremen	10.10
8.50	Bremen	10.50
9.10	Bremen	11.10

2. Bilde Sätze nach dem folgenden Beispiel!
Rearrange the following groups of words to make sentences, as in this example.

Der Zug / um 3 Uhr / fährt / nach Bremen.
Um 3 Uhr fährt der Zug nach Bremen.

a. der Zug / nach / Genf / um 7 Uhr / auf Gleis 3 / ab / fährt.
b. um 3 Uhr / ab / auf Gleis 4 / fährt / der Zug / nach Osnabrück.
c. nach Hamburg / auf Gleis 1 / der Zug / fährt / um 17.10 / ab.
d. auf Gleis 2 / nach Ostende / der Zug / fährt / in drei Minuten / ab.
e. Gleich / nach Wien / der Zug / fährt / auf Gleis 2 / ab.

3. Bilde Sätze! Was machen diese Leute morgen?

Zum Beispiel:
Florian: am Vormittag macht er nichts, ...

Name	9.00–12.00	12.00–18.00	18.00–22.00
Florian	nichts	Tennis	fernsehen
Sylvia	Schule	lesen	Kino
Heidrun	arbeiten	arbeiten	Jugendklub

4. Was machen diese Leute am kommenden Wochenende?
Beantworte die Fragen!

Zum Beispiel:
Wann spielt Gudrun Tennis?
Am Samstagnachmittag.

Name	Samstag			Sonntag		
	Vormittag	Nachmittag	Abend	Vormittag	Nachmittag	Abend
Olaf	arbeiten	nichts	Kino	Kirche	segeln gehen	fernsehen
Gudrun	nichts	Tennis	Jugendklub	Tennis	lesen	tanzen gehen
Ulrike	im Café arbeiten	einkaufen gehen	fernsehen	nichts	spazieren-gehen	Kino
Frank	einkaufen gehen	schwimmen gehen	Schach spielen	lesen	Fußball spielen	Disco

a. Wann sieht Ulrike fern?
b. Wann geht Frank schwimmen?
c. Wann geht Gudrun zum Jugendklub?
d. Wann geht Olaf ins Kino?
e. Wann geht Gudrun tanzen?
f. Wann spielt Frank Schach?
g. Wann geht Ulrike spazieren?
h. Wann geht Frank in die Disco?
i. Wann arbeitet Ulrike im Café?
j. Wann geht Olaf segeln?

5. Trennbare Verben. Ergänze!

a. Volker steigt aus dem Bus . . . .
b. Wir kommen um 17.00 in Bremen . . . .
c. Er schreibt deine Adresse . . . .
d. Ich sehe jeden Tag . . . .
e. Wo steigen wir . . . ?
f. Hörst du . . . , wenn ich spreche?
g. Mach die Tür bitte . . . !
h. Wenn das Wetter gut ist, fahren wir oft . . . .

6. Trennbare Verben. Bilde Sätze!

Zum Beispiel:
Klaus / Marburg / ankommen.
Klaus kommt in Marburg an.

a. Der nächste Zug / durchfahren.
b. Franz / Rathaus / aussteigen.
c. Helmut / Arnsberg / umsteigen.
d. Peter / bei gutem Wetter / gern / radfahren.
e. Michael / 17.30 / auf Gleis 6 / abfahren.

7. Bilde Sätze!

Zum Beispiel:
Man bekommt eine Auskunft im Informationsbüro.

Man bekommt	eine Auskunft Getränke Fahrkarten Geld Briefmarken Schaschlik Mehrfahrtenkarten Theaterkarten	an einer Wurstbude auf der Bank auf der Post am Bahnhof am Verkehrsbüro in einem Café an der Vorverkaufstelle am Automaten

8. Fahrplan: Hamburg – Passau.

Look at the timetable carefully and then answer the questions below.

a. *How much is a second class ticket from* Hamburg *to* Passau?
b. *How much is a return ticket from* Hamburg *to* Passau?
c. *How much is the supplement you have to pay on the Inter-City?*
d. *How many main line stations are there in* Hamburg? *What are they called?*
e. *Which morning train/trains from* Hamburg *to* Passau *are direct?*
f. *Which platform does the IC 183 leave from at* Hamburg-Altona?
g. *You are at* Hamburg-Harburg *and want to catch the IC 183. Which platform must you go to?*
h. *You want to catch the D 499 from* Hamburg H *You are on platform 12. Is this the right platfor for this train?*
i. *Which morning train doesn't have a restaurant c*
j. *On which day of the week can you not catch the IC 179?*

Fahrplan gültig vom 31. Mai bis 26. September 198

von Hamburg nach **Passau** 86

Fahrpreise (Tarifstand 1. Mai 1981)
1. Klasse einfache Fahrt 192,—DM, Rückfahrkarte 384,—DM
2. Klasse einfache Fahrt 128,—DM, Rückfahrkarte 256,—DM
Zuschlag für (TEE) 10,—DM, für IC 10,—DM (1. Klasse) und 5,—DM (2. Klasse)

Zug	Hamburg-Altona ab	Gleis	Hamburg Hbf ab	Gleis	Hamburg-Harburg ab	Gleis	Passau Hbf an	Bemerkungen
D 371	—	—	6.00	11	6.13	4	15.24	[✕]; [U] Hanno IC ✕ 🚃 2. Kl Passau—Wien; [U] auch in Nürn
IC 599	{6.29	9	{6.45	13	—	—	{15.24	Ludwig Uhland Hannover IC (1. Klasse [U] au Nürnberg); verk nicht 8. VI.
D 785	7.34	9	7.50	14	8.06	4	18.03	🍷
IC 585	8.16	8	8.30	14	8.44	4	18.03	Ernst Barlach ✕ [U] Würzburg 🍷
IC 175	8.29	9	8.45	13	—	—	18.03	Otto Hahn [✕]; [U] Göttingen D
IC 183	9.16	9	9.30	13	9.45	4	18.12	Prinz Eugen ✕
IC 177	9.31	11	9.45	14	—	—	18.12	Hispania ✕; [U] Hannover IC
IC 179	{12.31	8	{12.45	13	—	—	{21.46	Helvetia ✕; [U] Hannover I Nürnberg; verk täglich außer ⑥
IC 691	{13.31	9	{13.45	13	—	—	{22.49	Hohenstaufen ✕ außer ⑥ , nich Hannover IC
IC 693	{16.30	9	{16.45	13	—	—	{2.35	Konsul ✕; [U] Fu u Würzburg: ve außer ⑥⑦, nic
D 499	19.39	9	19.55	13	20.11	4	5.43	⊣ 🛏
D 299	23.09	11	23.30	13	23.42	4	9.53	🚃, ⊣ bis Wür Regensburg, 🍷

Zeichenerklärung:
(TEE) = Trans-Europ-Express, nur 1. Klasse
IC = Intercity-Zug, 1. und 2. Klasse
D = Schnellzug
🚃 = Kurswagen
🛏 = Schlafwagen
⊣ = Liegewagen
✕ = Zugrestaurant
[✕] = Quick-Pick-Zugrestaurant
🍷 = Speisen und Getränke im Zug erhältlich
{ = verkehrt nicht täglich ode während eines bestimmte Zeitabschnittes
⚒ = an Werktagen
† = an Sonntagen und allgem Feiertagen
① = Montag
⑤ = Freitag
⑥ = Sonnabend
[U] = umsteigen

Setz die richtige Form des bestimmten Artikels
:r, die, das) ein!
ite in the correct form of the definite article.

Hast du . . . T-Shirt?
Er kauft . . . Kassette nicht.
Siehst du . . . Schallplatte da?
Hast du . . . Notizbuch?
Er will . . . Füller dort kaufen.

Wo sind diese Leute?

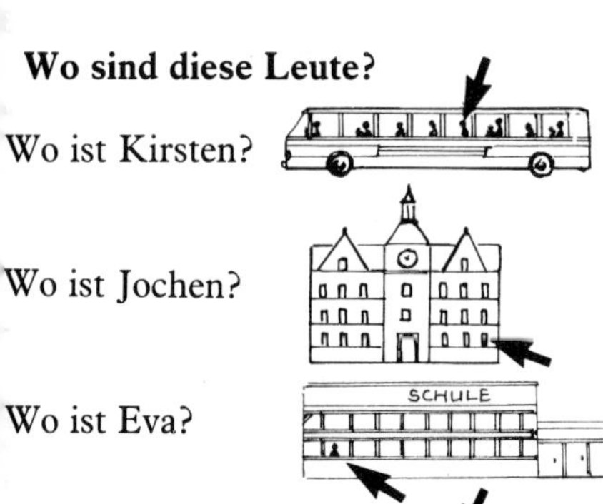

Wo ist Kirsten?

Wo ist Jochen?

Wo ist Eva?

Wo ist Marietta?

Wo ist Lutz?

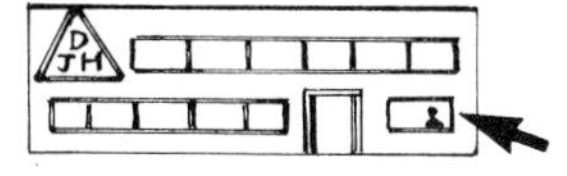

Wo ist Martina?

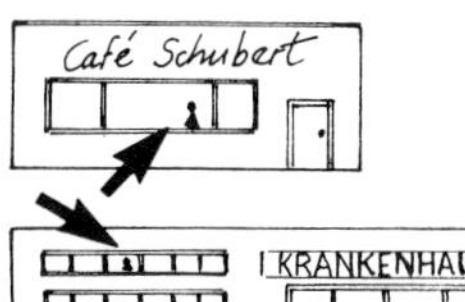

Wo ist Mark?

Wo ist Heidrun?

Dieser Text ist falsch gedruckt. Kannst du
richtig ausschreiben?
›osition the lines of this passage so that it makes
'e.

;ela
: Mutter braucht nur
in die Stadt fahren. Sie fragt
:r Freundin in die
:twas braucht und
ge Briefmarken und
lt. Ihre Freundin hört besonders gern
;ela
e Platte kaufen. Nach dem Einkaufen
Mutter, ob
e. Angela fährt mit
:eibt eine Liste aus.
: und möchte sich eine
ken sie zusammen eine Cola.

Kapitel 14 — Wiederholung

1. Was bestellt man? Wie stellt man die Frage?

a.

b.

c.

d.

e.

2. *You are with a friend. How do you ask him/her:*

a. if he/she is hungry
b. if he/she is thirsty
c. if he/she would like something to eat
d. if he/she would like something to drink?

3. *You are feeling generous! What would you say in order to offer these things to your friends?*

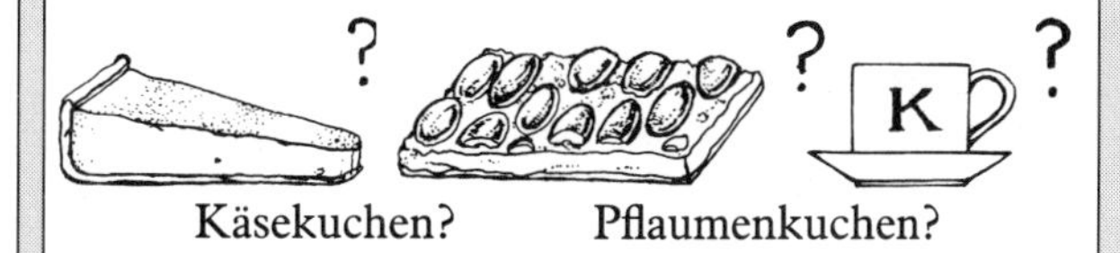

Käsekuchen? Pflaumenkuchen?

4. *This person would like you to help him/her with the bill. Can you interpret?*

"Could you call the waiter, please, and tell him we had an Apfelstrudel, *a piece of cheesecake, a pot of coffee and a glass of tea. I'll pay for it all together, I think."*

A

ERSTER TEIL (Seite 99)

1. Sieh dir die Ferientermine auf Seite 99 an und ergänze!

a. Die Ferien in ... beginnen am 29.7.
b. Die Ferien in ... beginnen am 18.6.
c. Die Ferien in ... beginnen am 24.6.
d. Die Ferien in ... beginnen am 15.7.
e. Die Ferien in ... enden am 28.8.

2. Wichtige Termine für den Kalender! Schreib aus!
Write out these important dates for your diary in full.

Zum Beispiel:
Wann hat Erich Geburtstag? (2.2.)

Am zweiten Februar.

a. Wann hat Birgit Geburtstag? (4.3.)
b. Wann beginnen die Sommerferien? (6.7.)
c. Wann beginnen die Osterferien? (5.4.)
d. Wann ist Pfingsten? (1.6.)
e. Wann ist Aschermittwoch? (22.2.)
f. Wann ist Sylvester? (31.12.)
g. Wann ist Heiligabend? (24.12.)
h. Wann hast du Geburtstag?

3. Sieh dir die Ferientermine auf Seite 99 an!
Such dir fünf Beispiele aus und schreib sie aus!

Zum Beispiel:
Baden-Württemberg (1.7.–14.8.)

In Baden-Württemberg gehen die Ferien vom ersten Juli bis zum vierzehnten August.

4. Wie beantwortet man diese Frage?
Den wievielten haben wir heute?

Zum Beispiel:
Den wievielten haben wir heute? (4.7.)

Wir haben den vierten Juli.

a. Den wievielten haben wir heute? (17.9.)
b. Den wievielten haben wir heute? (3.3.)
c. Den wievielten haben wir heute? (27.5.)

ZWEITER TEIL (Seite 100)

1. Ihr oder **sein?**

a. Karin fährt mit ihrem/seinem Bruder.
b. Jens fährt mit ihrer/seiner Schwester.
c. Er fährt mit ihrem/seinem Freund.
d. Renate fährt mit ihrer/seiner Freundin.
e. Jochen fährt mit ihren/seinen Eltern.

2. Was haben diese Leute vor?

Zum Beispiel:

Jens

Jens hat vor, schwimmen zu gehen.

a. Martina

b. Hannelore

c. Hans-Peter

d. Verena

e. Tobias

3. Lies dir folgenden Brief durch!

1st August.

Dear Mum and Dad,
How are you? It must be very quiet now I'm gone! I've been having a really good time at Stefan's. Did you get my postcards? Save the stamps for me. I'm going to Bamberg on the 24th and staying there for three days and then having two more days in Ulm after that. You remember Peter? I'm going with him and his sister. I must get on and write to the Youth Hostel and make the booking.
Must close now. Excuse the scrawl.
Love,
John

a. *Write the letter John sends to the youth hostel in Bamberg to make the booking.*
b. *Write the letter he sends to the youth hostel in Ul to make the booking.*

:rgänze diese Briefe!

Leicester, . . . 4. März

:rr Bernds,

be . . . , im Sommer nach Deutschland zu . . . .
offen, am 10. Juli in Köln . . . und möchten in
ıgendherberge . . . . Haben Sie am 10. und am
ıli Platz . . . ? Wir . . . ein Mädchen und zwei
:n.

Ich danke . . . im voraus.
Mit bestem . . .

John Richards

Colchester, . . . 3. Februar

ɔergsvater,

: vor, . . . Mai mit . . . Bruder nach
ıland zu fahren. Wir kommen . . . 6. Mai in
ırg an und fahren . . . 8. Mai ab. Bitte
eren Sie zwei Plätze für . . . drei Nächte . . .
. . . 8. Mai.

Ihr

Trevor Bee

ITTER TEIL (Seite 104)

Vann haben diese Leute geschrieben?

many days, weeks or months earlier did these le write?

ı Beispiel:

. . [3T] . . . .

ıabe vor drei Tagen geschrieben.

Jlrich . . . [1W] . . . .

ıarianne . . . [2M] . . . .

Jwe . . . [3T] . . . .

eter und Elvira . . . [3M] . . . .

:h . . . [10T] . . . .

SECHSTER TEIL (Seite 110)

1. In der Jugendherberge. Wie heißen diese Zimmer?

Give the names of these rooms.

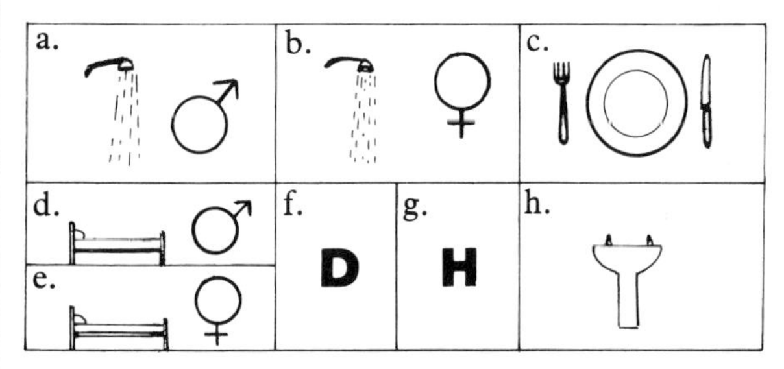

B

1. Ergänze!

a. Das ist m. . . Bruder.
b. Das ist i. . . Schwester.
c. Du hast m. . . Kuli!
d. Sie hat m. . . Heft!
e. Das ist m. . . Fahrrad.
f. Ich fahre mit m. . . Schwester.
g. Er fährt mit s. . . Freund.
h. Kannst du m. . . Tasche sehen?
i. Hast du s. . . Hund gesehen?
j. Hast du i. . . Wohnung gesehen?

2. Vervollständige folgende Sätze!

Zum Beispiel:
Nach . . . Mittagessen trinken wir Kaffee.

Nach **dem** Mittagessen trinken wir Kaffee.

a. Nach . . . Hauptreisezeit ist der Urlaub billiger.
b. Vor . . . Abendessen sehen wir immer fern.
c. Nach . . . Schwimmen haben wir meistens Hunger.
d. Vor . . . Abfahrt muß man die Türe schließen.
e. Nach . . . Wochenende muß man wieder in die Schule.
f. Nach . . . Film gehen sie zur Wurstbude.
g. Vor . . . Reise gehen die Passagiere an Bord.
h. Nach . . . Frühstück fahren wir ab.

3. Vervollständige die Sätze!

Was macht man in den verschiedenen Räumen der Jugendherberge?

a. Der Herbergsvater arbeitet . . . .
b. Man sieht . . . fern.
c. Man spielt Tischtennis . . . .
d. Man nimmt die Mahlzeiten . . . .
e. Man kocht . . . .
f. Man schläft . . . .

4. Wortstellung

Start your answer with the underlined words.

Zum Beispiel:
Wann war er in Urlaub? – im Mai?
Ja. Im Mai war er in Urlaub.

a. Wie fährt er meistens? – mit dem Rad?
b. Wann hat er ihn gekauft? – gestern?
c. Wann fährt sie nach England? – im August?
d. Kommt Günther meistens zu spät?
e. Spielt sie jeden Tag Tennis?
f. Wie oft geht er schwimmen? – einmal die Woche?
g. Fährt sie immer mit dem Bus?

5. Bilde Sätze!

Write sentences, using each verb in the second column once.

Zum Beispiel:
Wir möchten am 30. August ankommen.
oder
Wir haben vor, am 30. August anzukommen.

Ich	können müssen wollen	am 30. August ankommen.
Wir Doris	hoffen, versuchen, vorhaben,	am 30. August anzukommen.

6. Mit oder ohne ‚zu'?

a. Ich hoffe, im Mai (ankommen).
b. Ich möchte nach Bonn (fahren).
c. Wir müssen einen Brief an den Herbergsvater (schreiben).
d. Wann hast du vor, nach Deutschland (fahren)?
e. Mein Bruder will im nächsten Monat nach Wien (fahren).
f. Ich hoffe, einen Platz (reservieren).
g. Könnt ihr den Herbergsvater (anrufen)?
h. Versuche, den Herbergsvater (anrufen)!
i. Kannst du eine Briefmarke für mich (kaufen)?

7. Setz ins Plural!

a. Schlafsack
b. Platz
c. Nacht
d. Ausweis
e. Fahrplan
f. Umschlag
g. Briefmarke
h. Zeitschrift
i. Buch
j. Mahlzeit

Kapitel 15 — Wiederholung

1. Kannst du den Dialog vollenden?
„Herr . . . ! . . . , bitte."
„Das war?"
„ . . . Tee mit Zitrone, ein . . . Kaffee, und zwei Käsekuchen."
„Geht das zusammen oder . . . ?"
„ . . . , bitte."
„Acht Mark vierzig."

2. Wie ist die Frage und wie ist die Antwort?

a.

b.
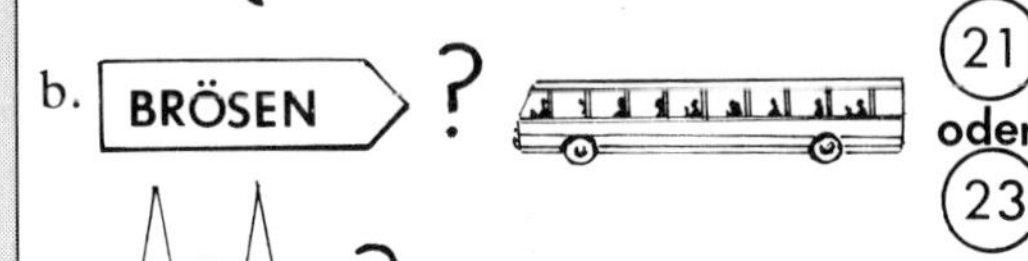

c.
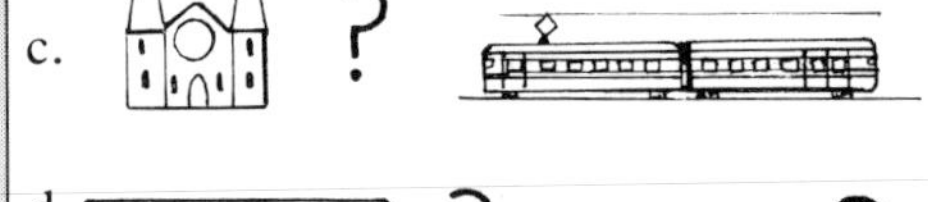

d.
e.
f.

3. Wo ist die Haltestelle?

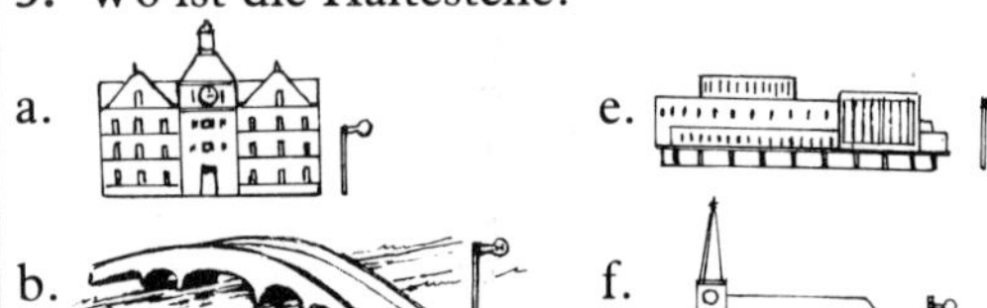

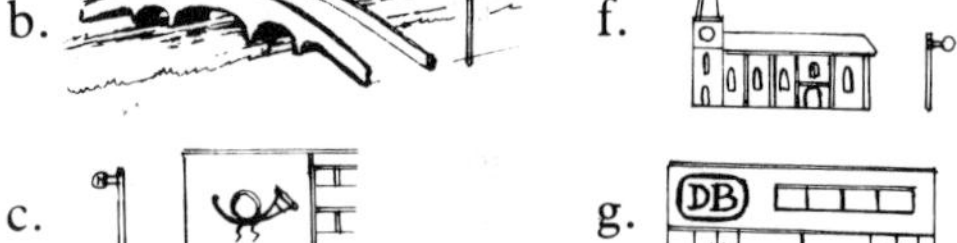

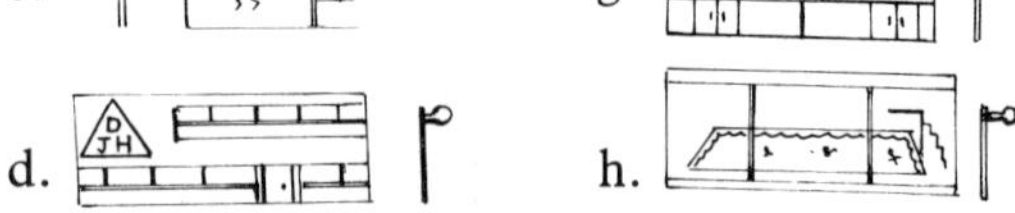

a. e. b. f. c. g. d. h.

4. *How would you ask the driver if he goes to these places and if you can get out there?*

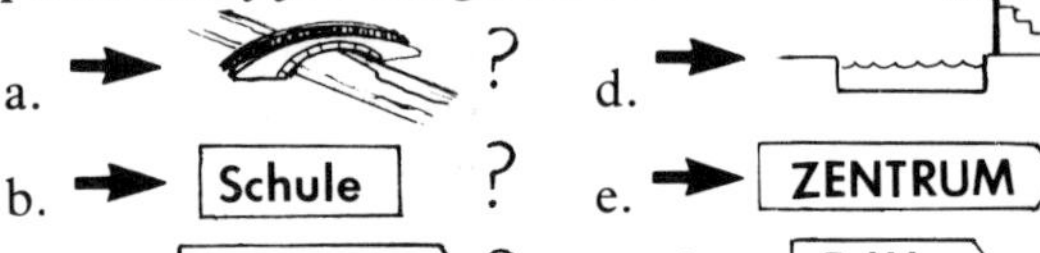

a. d. b. e. c. f.

STER TEIL (Seite 114)

Verbessere die Sätze!

k at the letters and postcards on pages 114–115 and ct the following sentences, where necessary.

Chrissens Postkarte

(i) Er schreibt an den Herbergsvater.
(ii) Er kommt am Sonntag an.
(iii) Er fährt nach Mainz über Forbach.
(iv) Er hat zwei Koffer.
(v) Er hat diese Postkarte am 21. Juli geschrieben.

Claudias Postkarte

(i) Sie schreibt an ihren Freund Chris.
(ii) Sie hat seinen Brief bekommen.
(iii) Ihre Familie kann ihn nicht abholen.

Sallys Postkarte

(i) Sie kommt in der Woche an.
(ii) Sie kommt am Vormittag an.
(iii) Sally hat den Brief geschrieben.
(iv) Reinhardt wohnt in der DDR.

Val und Ralphs Brief

(i) Val und Ralph wohnen in Nordwestengland.
(ii) Sie haben vor, am Nachmittag anzukommen.
(iii) Der Zug fährt durch.
(iv) Das Wetter in England ist nicht schlecht.
(v) Brigitte ist oft mit Ben spazieren gegangen.
(vi) Val und Ralph fahren im April nach Deutschland.

Malcolms Brief

(i) Malcolm schreibt an die Familie Schneider.
(ii) Er fährt mit dem Auto nach Deutschland.
(iii) Er hat vor, im Herbst nach Deutschland zu fahren.
(iv) Er hat vor, in Deutschland eine Universität zu besuchen.
(v) Die Vorwahl für Geldern ist 051.

2. Vervollständige den folgenden Brief!

Complete this letter, choosing words from the table underneath.

14, Chestnut Drive,
Bexleyheath,
Kent.

den 3. April

Lieber Christoph,

weißt Du wann ich . . . ? Morgens . . . 06.02! Ich . . . in Mönchen-Gladbach um und muß dort eine halbe Stunde . . . Kommst Du . . . abholen?

Ich freue mich sehr auf die . . . . Ich bringe . . . Tennisschläger mit. . . . das Wetter gut ist, können wir vielleicht Tennis spielen.

Bis bald!
Es grüßt Dich
. . . Peter.

komme	mich	ankomme	wenn	wann
abfahre	um	Ferien	warten	meinen
Dein	Urlaub	mir	steige	

ZWEITER TEIL (Seite 118)

1.

a *Complete the following sentences, using* **mein-**.

(i) Das ist . . . Bruder.
(ii) Das ist . . . Schwester.
(iii) Das ist . . . Mutter.
(iv) Das ist . . . Großmutter.
(v) Das ist . . . Freund.
(vi) Das ist . . . Frau.
(vii) Das sind . . . Eltern.
(viii) Das sind . . . Geschwister.

b. *Complete the following sentences, using* **dein-**.

(i) Ist das . . . Vater?
(ii) Ist das . . . Tochter?
(iii) Das ist . . . Sohn, nicht wahr?
(iv) Ist das . . . Katze?
(v) Ist das . . . Freundin?
(vi) Ist das . . . Mann?

c. *Complete the following sentences, using* **unser-**.

(i) Das sind . . . Kinder, Joan und Alan.
(ii) Das ist . . . Sohn, Martin.
(iii) Das ist . . . Haus.
(iv) Das sind . . . Töchter.
(v) Das ist . . . Hund.
(vi) Das ist . . . Meerschweinchen.

2. Ergänze folgende Dialoge!

Zum Beispiel:
,,Ist das euer Haus?"
,,Ja. Das ist unser Haus."

,,Ist das dein Bruder?"
,,Ja. Das ist mein Bruder."

a. ,,Ist das dein Vater?"
,,Ja. Das ist . . . Vater."

b. ,,Ist das euer Auto?"
,,Ja. Das ist . . . Auto."

c. ,,Ist das deine Schwester?"
,,Ja. Das ist . . . Schwester, Maria."

d. ,,Ist das euer Hund?"
,,Ja. Das ist . . . Hund."

e. ,,Ist das deine Freundin?"
,,Ja. Das ist . . . Freundin, Ulrike."

3. Setz die richtige Form von letzt- oder jede-ein!

Complete these sentences by using a form of **letzt-** *or* **jede-**, *as appropriate.*

a. ,,Im Januar war ich in der Schweiz."
,,War das . . . Jahr?"

b. Ich trinke . . . Abend Tee.

c. ,,Im August war ich in Mallorca."
,,War das . . . Sommer?"

d. Ich fahre . . . Tag in die Stadt.

e. Wo warst du . . . Woche, Dienstag?

f. . . . Sommer waren wir in England.

g. . . . Winter fahren wir in die Schweiz.

h. . . . Herbst haben wir Urlaub in Bayern gemacht.

i. . . . Vormittag mache ich eine Stunde Training.

j. . . . Frühling war ich im Krankenhaus.

4. Kannst du eine Skizze machen?

Read these passages and draw a sketch of the photograph described in each.

a. Gary spricht und zeigt ein Foto.
,,Das ist mein Vater. Siehst du? Er spielt Fußball mit meiner Schwester, Sarah. Das w im Südwesten – es war ein sehr schöner Campingplatz. Das ist unser Zelt auf der rec Seite. Siehst du Mutti drin? Unser Hund ist auch da irgendwo – er ist ganz klein. Da ist e oben links."

b. Linda zeigt ein Foto.
,,Das ist die ganze Familie. Wir sind bei dies Wetter spazierengegangen! Das war ganz du – siehst du den Regen? Das ist mein Bruder dem langen Anorak. Er war Vatis Anorak un viel zu groß für Thomas, aber der hatte kein Das ist Mick – ein Labrador."
,,Und die hier?"
,,Das sind meine Eltern mit dem Opa. Er ge gern spazieren. Ich habe keine Oma. Sie ist gestorben. Vor vier oder fünf Jahren."

c. Michael spricht.
,,Da bin ich."
,,Wo war das?"
,,Ich weiß nicht . . . wo war das? Ja. Das mu Titchworth sein. Wir sitzen im Gras in der N der alten Kirche da. Siehst du?"
,,Und wer ist das?"
,,Also. Rechts das ist Peter, mein Freund, u dann kommt Sally – sie ist Peters Schwester dann komme ich und dann Andrew und dan auf der linken Seite sitzt meine Freundin."
,,Das Wetter war schön, nicht wahr?"
,,Ja. Es war sehr warm. Wie du siehst, essen alle Eis."

DRITTER TEIL (Seite 122)

1. Sieh dir Seite 122 an! Was fragt man?

What questions are these people asking?

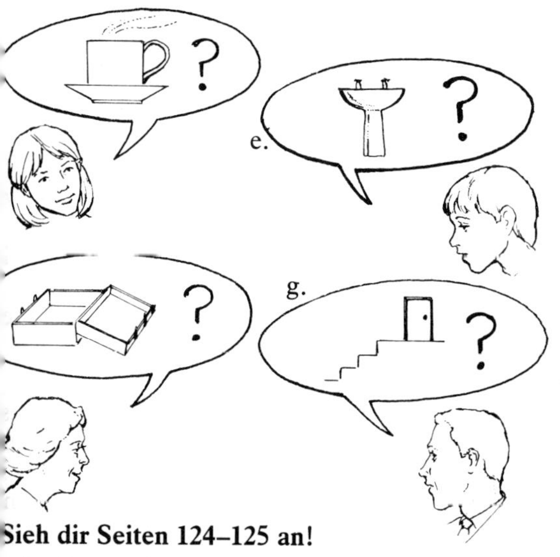

Sieh dir Seiten 124–125 an!

(i) Wer hat geschrieben?
(ii) An wen hat er geschrieben?
(iii) Wo haben sie ihn abgeholt?
(iv) Wann ißt die Familie?
(v) Was möchte er vor dem Essen machen?
(vi) Was macht er auf seinem Zimmer?
(vii) Wie fühlt er sich (*how does he feel*) nach der langen Reise?

(i) Was möchte er nach dem Essen machen?
(ii) Was kennt er nicht?
(iii) Wenn man nach England anruft, was wählt man zuerst?

ERTER TEIL (Seite 126)

Verbessere folgende Sätze!
k at pages 126 and 127 and correct the following nces, where necessary.

Lucy
(i) Lucy ist über Calais gefahren.
(ii) Sie hat das Luftkissenboot genommen.
(iii) Die Überfahrt war stürmisch.

Kevin
(i) Kevin ist mit der Fähre gefahren.
(ii) Er ist über Hoek van Holland gefahren.
(iii) Er ist mit dem Flugzeug weitergeflogen.
(iv) Die Reise war nicht besonders gut.

ill
(i) Die Reise war sehr gut.
(ii) Sie ist mit der Bahn nach Frankfurt gefahren.
(ii) Sie ist um zehn Uhr angekommen.

ndy
(i) Die Reise war sehr schlecht.
(ii) Er hat im Zug übernachtet.
(ii) Er hat die Reise mit dem Bus gemacht.

2. Ergänze!

a. (i) Ulrich . . . mit dem Wagen gefahren.
(ii) Annette . . . München um 12 Uhr verlassen.
(iii) Martina . . . im Zug geschlafen.
(iv) Frank . . . zweimal umgestiegen.
(v) Heike und Ute . . . die Fähre genommen.
(vi) Norbert und Bodo . . . um drei Uhr angekommen.

b. (i) Kurt ist heute morgen um 3 Uhr (abfahren).
(ii) Erika ist nach England (fliegen).
(iii) Wo hast du unterwegs (übernachten)?
(iv) Welches Buch hast du im Zug (lesen)?
(v) Hast du eine gute Reise (haben)?
(vi) Wie hast du die Überfahrt (machen)?

B

1. Lies folgenden Brief!

den 24. Juli

Liebe Andrea,
wir sind gestern zurückgekommen. Südfrankreich war sehr schön. Sonne, Sonne, Sonne und kein Tröpfchen Regen! Wir haben nichts Besonderes gemacht: natürlich nach Avignon, Arles, usw gefahren – sehr interessant, aber jeden Tag sind wir geschwommen – das Wasser war sooo warm! Ulrike hat viel gesegelt. Wir haben alle zu viel gegessen! Nächstes Jahr fahren wir wahrscheinlich wieder dahin.

Ich melde mich in den nächsten Tagen.

Bis dann

Deine Ulrike.

Imagine that you met Ulrike without seeing her letter. What would she be able to tell you about her family holiday in answer to your questions?

a. Du: Wann hast du dieses Jahr Urlaub gemacht?
Ulrike: . . . .

b. Du: Wo warst du denn?
Ulrike: . . . .

c. Du: Das kenne ich gar nicht. Wie war es?
Ulrike: . . .

d. Du: Und das Wetter war auch schön?
Ulrike: . . . .

e. Du: Ich möchte auch dahin. Vielleicht nächstes Jahr. Was ist da zu machen?
Ulrike: . . . .

2. *Give the past participles.*

Zum Beispiel:
Ich habe (schreiben).
Ich habe geschrieben.

a. Er hat einen Brief nach England (schicken).
b. Sie haben zwei Betten (reservieren).
c. Hast du meinen Brief (bekommen)?
d. Er ist nach Frankfurt (fliegen).
e. Sie ist mit dem Auto (kommen).
f. Sie haben das Luftkissenboot (nehmen).
g. Ich habe sehr gut (schlafen).
h. Ich habe auch eine sehr interessante Zeitschrift (lesen).
i. Bist du über Calais oder Ostende (fahren)?
j. Was hast du während der Überfahrt (machen)?

3. Was haben sie alle gemacht?

a. Hier sind einige Rechnungen: was haben sie gegessen oder getrunken?

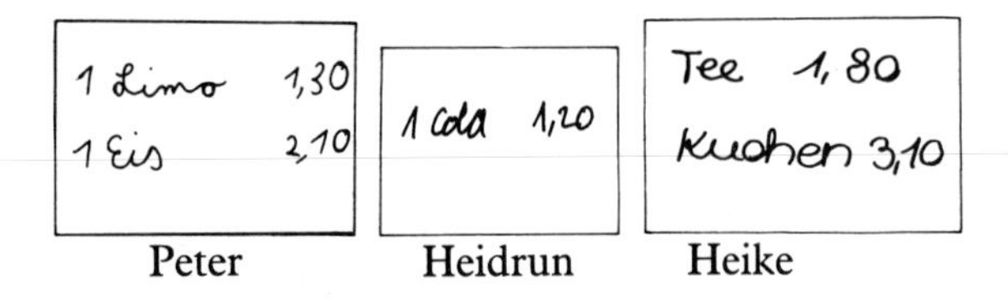

Peter Heidrun Heike

b. Und was haben diese Leute gekauft?

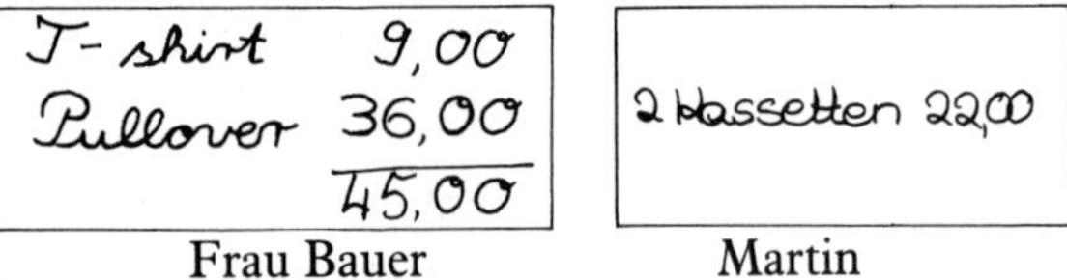

Frau Bauer Martin

c. Und wieviel haben sie bezahlt?

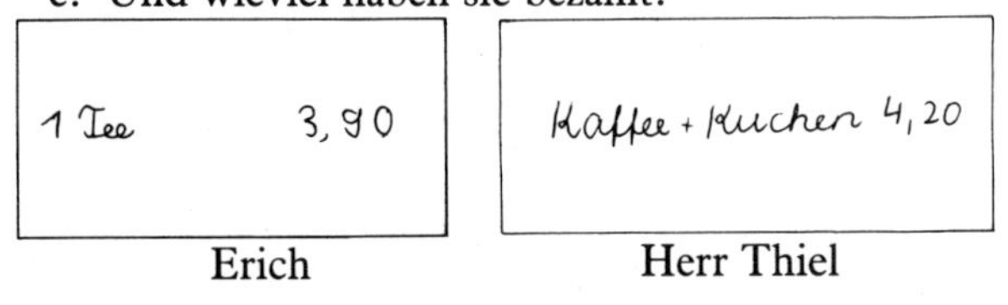

Erich Herr Thiel

d. Und wieviel Geld haben sie bekommen?

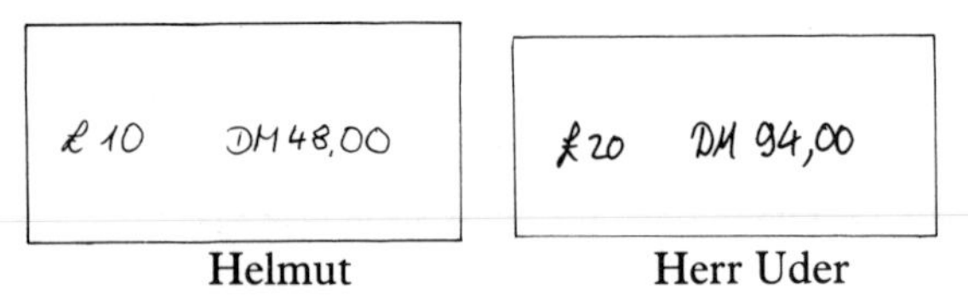

Helmut Herr Uder

4. Schreib folgende Verben aus!

a. ankommen	d. skilaufen	g. wollen
b. einkaufen	e. fernsehen	h. haben
c. radfahren	f. nehmen	i. sein

5. Bilde Sätze! Achte auf die Wortstellung!
Construct sentences using the separable verbs on the left. Pay careful attention to the word order.

Zum Beispiel:
durchfahren der Zug
Der Zug fährt durch.

a. aufschreiben	Sie / können / das/?
b. radfahren	ich / gern/.
c. umsteigen	müssen / in Koblenz / wir/.
d. aufmachen	um 17 Uhr / die Jugendherberge/.
e. zumachen	um 18 Uhr / der Supermarkt
f. fernsehen	möchte / ich / heute abend/.
g. ankommen	um 8 Uhr / der Zug / auf Gleis 7/.
h. abfahren	um 7 Uhr / der Bus/.
i. vorhaben	Peter und Birgit / ins Kino / gehen / zu/.
j. skilaufen	Andreas / möchte / in den Weihnachtsferien/.
k. umsteigen	Sie / brauchen / in Köln / nich zu/.
l. ankommen	wir / um 3 Uhr / hoffen / zu

6. *Use the right form of the modal verb to fill the fi gap in each sentence and choose a verb from the box the bottom of this exercise to fill the second gap.*

a. können
(i) Er . . . gut . . . .
(ii) Herr und Frau Weber . . . heute abend nich . . . .
(iii) . . . du mit mir in die Stadt . . .?

b. müssen
(i) Sie . . . am Rathaus . . . .
(ii) Ich . . . zu Hause . . . .
(iii) Wir . . . unsere Hausaufgaben heute abend . . . .

c. wollen
(i) Was . . . Sie . . .?
(ii) Ich . . . mir einen Pullover . . . .
(iii) . . . du dich . . .?

anrufen aussteigen kommen essen kaufen waschen schwimmen machen fahren

7. Vervollständige den folgenden Text!

Ulrich . . . heute Nachmittag in Regensburg angekommen. Seine Freunde haben ihn mit den Wagen . . . Bahnhof abgeholt und sie . . . nach Hause gefahren. . . . Hause hat er zuerst eine Ta Tee . . . und dann ist er auf sein . . . gegangen, w er . . . Koffer ausgepackt hat. Er . . . sich noch v

ı Abendessen geduscht. Nach seinem ersten
ȝen . . . in Deutschland ist er früh ins . . .
angen.

einen am getrunken Tag ist hat sind zu Zimmer Bett

Write a postcard to a friend in Germany, saying
n you are arriving and how much you are looking
vard to your stay.
ı't forget to sign off. (You will find some ideas to
› you on pages 114–115.)

Ergänze!

n Beispiel:
. ist ein Geschenk für . . . Vater.
. ist ein Geschenk für meinen Vater.

Das ist ein Geschenk für . . . Opa.
Das ist ein Geschenk für . . . Onkel.
Das ist ein Geschenk für . . . Schwester.
Das ist ein Geschenk für . . . Freund.
Das ist ein Geschenk für . . . Eltern.

Ergänze!

n Beispiel:

bin ich mit meiner Schwester.

a. . . . Oma.

d. . . . Freund.

b. . . . Vater.

e. . . . Freunden.

c. . . . Hund.

Setz das richtige Pronomen (ihn, sie, es) ein!

Hast du mein Buch? Ja. Ich habe . . . hier.
Hast du mein Lineal? Nein. Ich habe . . . nicht.
Hast du meine Tasche? Ja. . . . .
Hast du meinen Radiergummi? Nein. . . . .
Hast du mein Heft? Nein. . . . .
Hast du meinen Bleistift? Ja. . . . .
Hast du meinen Kuli? Ja. . . . .
Hast du mein Fahrrad? Nein. . . . .
Hast du meine Postkarte? Ja. . . . .
Hast du meine Telefonnummer? Nein. . . . .

Kapitel 16 – Wiederholung

1. Wie fahre ich . . . ? Sie können . . . .

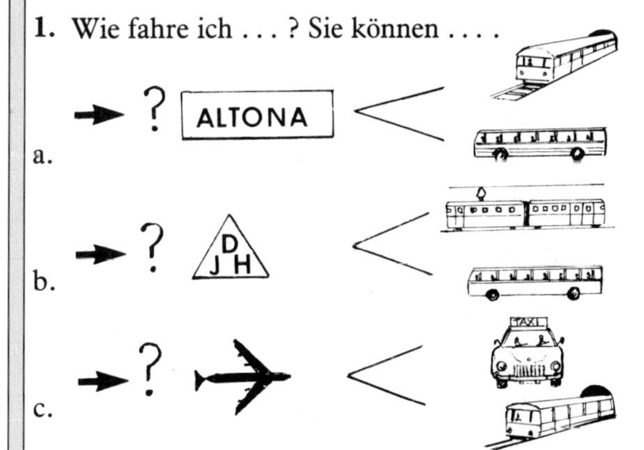

2. Kannst du hier Sätze schreiben, die mit ‚wenn' beginnen?
Vorsicht! Gehen oder fahren?

a. Bodo

b. Julia

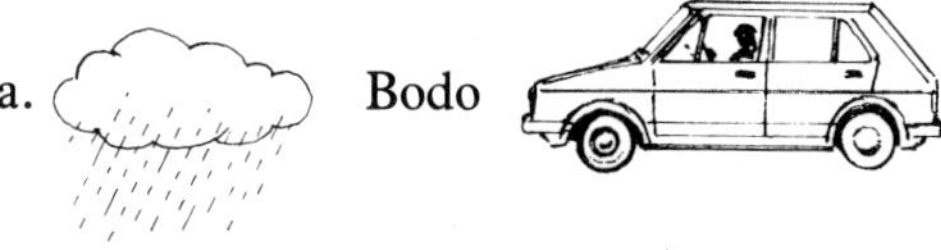

c. Lars

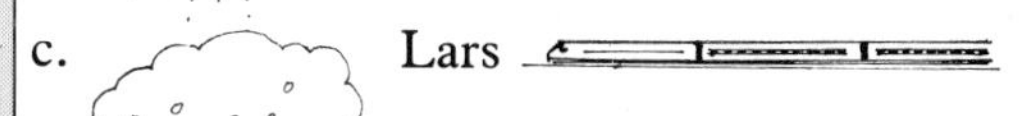

d. Ute

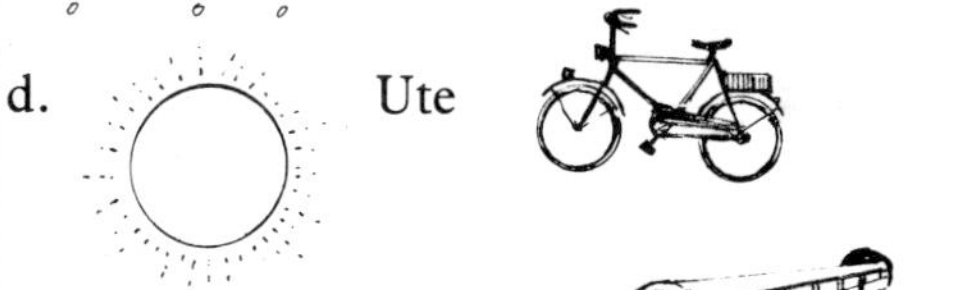

e. Sabine

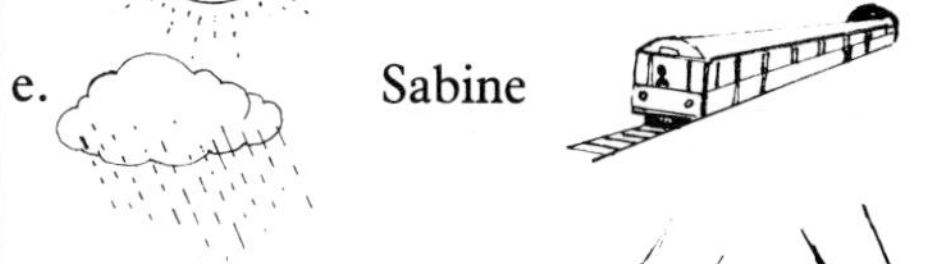

f. Tobias

3. Das Wetter für morgen.

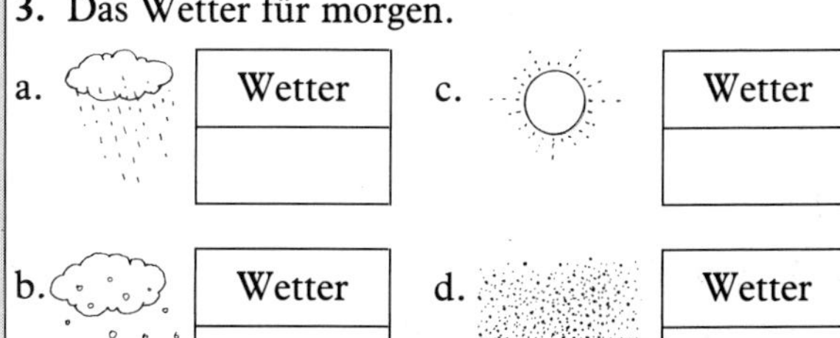

Wiederholung (Fortsetzung)

4. Füll die Wetterkarte aus! Du brauchst zwei Wetterkarten.
Wie ist das Wetter heute?
(Für die Symbole sieh dir Seite 81 an!)

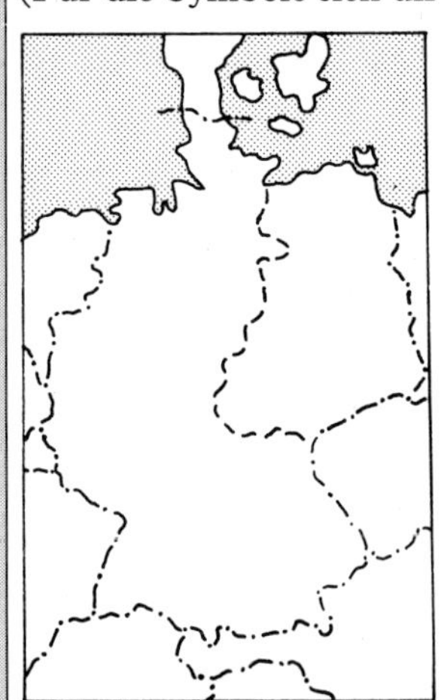

a. Im Norden beträgt die Temperatur 18°, im Süden 20°, im Westen 21°, und in der Mitte 17°.
Es gibt Regen im Norden und in der Mitte. Schauer im Westen und Sonne im Süden.
Der Wind kommt von Nordwesten im Norden und in der Mitte und von Westen im Westen und im Süden.

b. Die Temperatur beträgt überall 8°. Schneeschauer im Süden und in der Mitte. Sonnig im Norden und im Westen. Wind kommt von Osten in der Mitte und im Norden, von Südosten im Süden und im Westen.

5. Mit der Bahn fahren.

a. Du möchtest nach Hamburg fahren. Du brauchst folgendes zu wissen:
Abfahrtszeit
Ankunftszeit
Gleis.
Was sagst du?

b. Was sagst du am Schalter?
(i) Du brauchst eine einfache Karte für eine Person nach Mainz.
(ii) Du brauchst eine Rückfahrkarte für zwei Personen nach Bonn.
(iii) Du brauchst zwei einfache Karten nach Berlin.

ERSTER TEIL (Seite 133)

1. Ergänze!

a. Zum Frühstück esse ich . . . .
b. Zum Mittagessen esse ich . . . .
c. Zum Abendbrot esse ich . . . .

ZWEITER TEIL (Seite 135)

1. *If you want some more of the following, what do you say?*

a. Kuchen.
b. Salami.
c. Erbsen.
d. Brot.
e. Tee.
f. Wein.

2. *How many types of food can you write down from memory? Remember:* **der, die, das**!

DRITTER TEIL (Seite 137)

1. Das ist Heidis Einkaufsliste. Wohin geht sie um die Lebensmittel zu kaufen?

Zum Beispiel:
Um den (die, das, die) . . . zu kaufen, geht sie . .

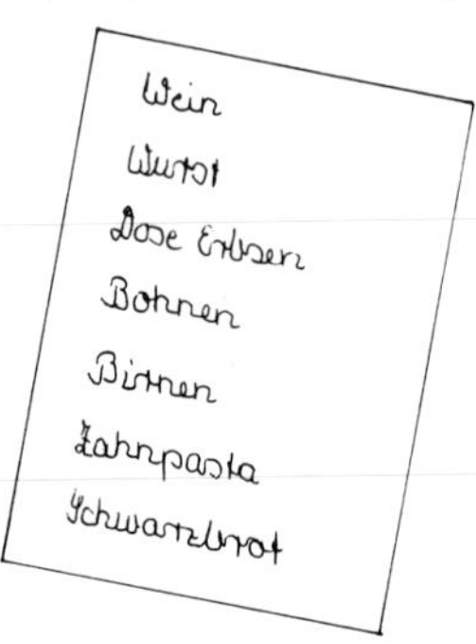
Wein
Wurst
Dose Erbsen
Bohnen
Birnen
Zahnpasta
Schwarzbrot

1. Wer hat's gegessen?

Zum Beispiel:
Wo ist der Käse?

Peter 

Peter hat ihn gegessen.

a. Wo ist die Wurst?

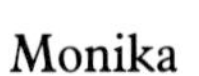
Monika 

b. Wo ist die Schokolade?

Angelika 

c. Wo ist das B

Ulrich 

Wo ist das Fleisch?   e. Und der Fisch?

lli    Muschi 

ervollständige folgende Sätze!

in

... Mai fahren wir in Urlaub.
Heute abend gehen wir ... Theater.
Ich habe ... August Geburtstag.
Möchtest du mit mir ... Kino gehen?

an

Die Haltestelle ist ... Brücke.
Du steigst ... Bahnhof aus.
Ich komme ... 3. August an.

mit

Ich komme mit mein... Schwester und mit mein... Bruder.
Ich fahre mit ... Bahn.
Mit ... Linie fährt man am besten zum Zoo?

rgänze!

n Beispiel:
ruar ist der ... Monat.
ruar ist der zweite Monat.

anuar ist der ... Monat.
März ....
uli ....
August ....
November ....

rite out the names of the months which are not tioned in Exercise 3.

rgänze!

ch freue ... auf deinen Besuch.
Peter stellt ... vor.
Vor dem Essen wäscht er ... die Hände.
Möchtest du ... frisch machen?
ch möchte ... ganz gerne duschen.

etz das richtige Pronomen ein!

Wo ist mein Heft? Ich habe ... hier.
Wo ist mein Buch? Hast du ... ?
Wo sind die Bleistifte? Stefan hat ....
Wo ist deine Tasche? Ich habe ... hier.
Wo ist mein Geld? Du hast ... in der Hand.
Wo ist mein Rad? Rainer hat ....
Wo ist die Postkarte? Mutti hat ... schon geschickt.
Wo sind die Handtücher? Ich habe ... alle hier.

7. Wie sind sie gefahren?

a. Karl-Heinz hat ... Bus genommen.
b. Maria hat ... Schiff genommen.
c. Rainer hat ... Wagen genommen.
d. Uschi hat ... Zug genommen.
e. Paul hat ... Flugzeug genommen.
f. Peter hat ... Fähre genommen.

8. Beantworte die Fragen!

a. Was macht Lutz?
b. Was macht Ingrid?

9. Setz die richtige Form des unbestimmten Artikels ein!
Write in the correct form of **ein.**

a. Karl bestellt ... Tasse Tee und ... Kännchen Kaffee.
b. Gerda schreibt an ... Jugendherberge in Deutschland.
c. Helga macht ... angenehme Überfahrt.
d. Dorothea ruft ... Freund an.
e. Hermann packt ... Pullover.
f. Heinz kauft ... Film und ... Notizbuch.
g. Michael hat ... Brief an seinen Freund geschickt.
h. Kannst du ... Postkarte schreiben?
i. Die Familie Bauer hat ... sehr schönen Hund.
j. Kannst du mir ... Tube Zahnpasta kaufen, bitte?

10. Ergänze!

a. Er spielt Tennis mit ... Bruder. (ihr)
b. Kennst du ... Schwester, Inge? (mein)
c. Hast du ... Fahrrad gesehen? Es ist ganz neu. (sein)
d. ... Haus ist auf der rechten Seite. (unser)
e. Das ist ... Haus da. (mein)
f. Wer hat ... Kuchen gegessen? (mein)
g. Ich komme gleich. Zuerst trinke ich ... Tasse Kaffee. (mein)
h. Ich kann ... Kuli nicht finden. (mein)
i. Ist das ... Kuli? (dein)
j. Das bin ich mit ... Schwester. (mein)
k. Siehst du ... Bruder da? Im Zelt? (sein)
l. Was macht sie? Sie sucht ... Hund. (ihr)

11. Reisebeschreibung!
Wie hast du die Reise nach Saarbrücken gemacht?

Ergänze!
Choose the correct missing word from the box below to describe how you travelled to **Saarbrücken**.

Ich . . . um 10 Uhr in London . . . .
Ich . . . über Calais . . . .
Ich . . . in Metz . . . .
Ich . . . um 23 Uhr in Saarbrücken . . . .

ankommen	abfahren	fahren	umsteigen

12. *How many means of transport can you list in German? (You've been given at least eight.) Don't forget:* **der**, **die**, **das**!

13. Setz die Partizipien ein!

a. Florian hat Tee (trinken).
b. Margaret hat einen Brief (schreiben).
c. Heinz hat eine Postkarte (schicken).
d. Frau Müller hat ein Stück Kuchen (bestellen).
e. Doris hat ein gutes Buch (lesen).
f. Horst hat im Zug (schlafen).
g. Helga hat eine gute Überfahrt (haben).
h. Rolf ist in Stuttgart (umsteigen).
i. Lisa ist um 10.00 Uhr (abfahren).
j. Bernd ist um 12.00 Uhr (ankommen).

14. *Give a reason to explain these people's actions. Use* **um . . . zu** *in your answers.*

a. Karl geht zum Bahnhof.

b. Dorothea fährt in die Stadt.

c. Andrea geht ins Wohnzimmer.

d. Helmut und Kirsten gehen ins Café.

e. Inge geht in die Telefonzelle.

f. Hermann geht zur Post.

g. Barbara hat den Zug genommen. → KÖLN

h. Lutz hat an den Herbergsvater geschrieben.

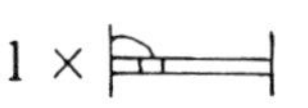

Kapitel 17 – Wiederholung

1. *You are at the railway station.*

a. *Tell the official you want to travel to* Kiel *next Thursday afternoon. (The train goes, you are tol at 13.00.) Ask if you have to change.*
b. *Say you want to go to* Mannheim *next Monday morning. (You are told there is a train at 14.50. Ask when it arrives, whether you have to change and where the train goes from.*
c. *Say you want to go to* Herfurt. *When does the t leave? You want a return for two people.*

2. Kannst du die Frage stellen? Du bist mit Freunden zusammen.

a. Andrea ? Tennis? Ich spiele am Freit
b. Hannelore und Bodo ? Kino? Am Samstagabend.
c. Inge ? schwimmen? Donnerstag.
d. Peter ? Disco? Am Freitagabend.
e. Manfred und Anja ? segeln? Am Sonntagnachmittag.
f. Karin und Mark ? Jugendklub? In fü Minuten!

3. *Paul and Wendy are planning a holiday.*

"Shall we go to Würzburg *when we're in German*
"OK, and to Heidelberg *too: it's not far from ther*
"For how long?"
"Well, we could stay at youth hostels for three nigh each place – that would mean 29th to 31st July in Würzburg, *and the first three days of August in* Heidelberg."
"OK, let's book. Can you write the letters? Your German's better than mine."
"You need the practice! You do one and I'll do the other and we'll see who gets a reply."

Kannst du beide Briefe schreiben?

STER TEIL (Seite 141)

Diese Leute sind krank. Was haben sie?

'EITER TEIL (Seite 142)

What would these people say if asked what was ng with them?

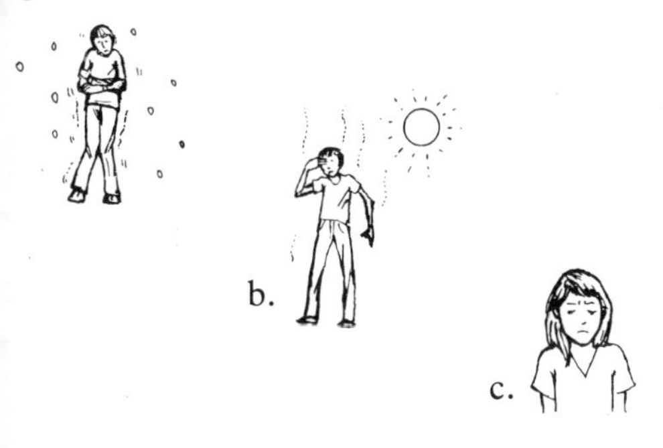

Setz die richtige Form des unbestimmten ikels ein!

te in the correct form of **ein**.

Dative!

Ich wohne hier seit ... Jahr.
Mir ist seit ... Woche schlecht.
Ich habe schon seit ... Tag Kopfschmerzen.
Ich warte schon seit ... Stunde.

Sieh dir Seite 145 an! Beantworte folgende gen!

Seit wann ist Andreas krank?
Ist er zur Arbeit gegangen?
Wer ruft an?
Ist er zur Apotheke gegangen?
Was hat er bekommen?
Was macht er am Abend?
Hat er Zahnschmerzen?

B

1. Ergänze! sie oder **ihn?**

a. ,, Kennst du unseren Arzt?"
,, Nein. Ich kenne ... nicht."

b. ,,Kennst du hier einen Zahnarzt?"
,,Ja. Ich rufe ... gleich an."

c. ,,Wie heißt deine Ärztin?"
,,Meyer. Ich rufe ... gleich an, oder?"

d. ,,Kennst du unseren Arzt?"
,,Ja. Aber ich brauche ... heute nicht anzurufen. Ich gehe lieber zur Apotheke."

e. ,,Kann ich unsere Ärztin für dich anrufen?"
,,Nein. Ich will ... nicht anrufen. Ich gehe zur Apotheke. Vielleicht rufe ich ... morgen an."

f. ,,Kennst du hier einen Zahnarzt?"
,,Ja. Brauchst du ... heute?"
,,Ja. Mein Zahn tut enorm weh."

g. ,,Du kennst unseren Arzt, nicht wahr? Möchtest du ... anrufen?"
,,Danke, heute nicht. Vielleicht rufe ich ... morgen an."

2. Der, die oder **das?**

a. ... Apotheke
b. ... Mittel
c. ... Fähre
d. ... Reise
e. ... Ei
f. ... Brot
g. ... Garage
h. ... Überfahrt
i. ... Fleisch
j. ... Bier

3. Ergänze! Präpositionen plus Dativ (**an, mit, bei, aus, zu, seit**).

a. Bei gut... Wetter fahre ich mit ... Rad; bei schlecht... Wetter fahre ich mit ... Straßenbahn.
b. Heidi kommt aus ... Schweiz.
c. Wie komme ich am besten ... Schloßkirche?
d. Wie komme ich am besten ... Stadion?
e. Das ist mein Vater mit unser... Hund.
f. Das ist meine Schwester mit ihr... Freundin.
g. Das bin ich mit mein... Großmutter.
h. Ich habe seit ein... Woche Kopfschmerzen.
i. Wir haben seit ein... Jahr einen VW.
j. Kann man ... Berlinerplatz aussteigen?
k. Er wohnt bei sein... Großmutter.

4. Setz die richtige Form von ‚mein-' ein!

a. Ich bin mit . . . Bruder in Urlaub gefahren.
b. Ich fahre jeden Tag mit . . . Mutter zur Schule.
c. Da ist Peter! Er ist mit . . . Schwester.
d. Ich habe den Brief mit . . . neuen Füller geschrieben.
e. Ich habe mit . . . Arzt telefoniert.
f. Das ist Peter. Er geht mit . . . Hund spazieren.
g. Da bin ich mit . . . Großmutter.
h. Am Samstag arbeite ich mit . . . Vater.

5. Setz die Partizipien ein!

a. Hast du genug (essen)?
b. Hat der Herbergsvater die Plätze (reservieren)?
c. Haben die Erbsen gut (schmecken)?
d. Hast du die Karotten (probieren)?
e. Wie bist du nach Deutschland (fahren)?
f. Bist du (fliegen)?
g. Ich habe das Luftkissenboot (nehmen).
h. Ich habe London um 10 Uhr (verlassen).
i. Was hast du (bestellen)?
j. Hast du viel (segeln)?

6. Was hat Ulrich gemacht?

Zum Beispiel:

1 Kännchen Kaffee	2,60

Er hat 2,60 bezahlt. Er hat ein Kännchen Kaffee getrunken.

£10 = 48DM

Er hat £10 gewechselt.

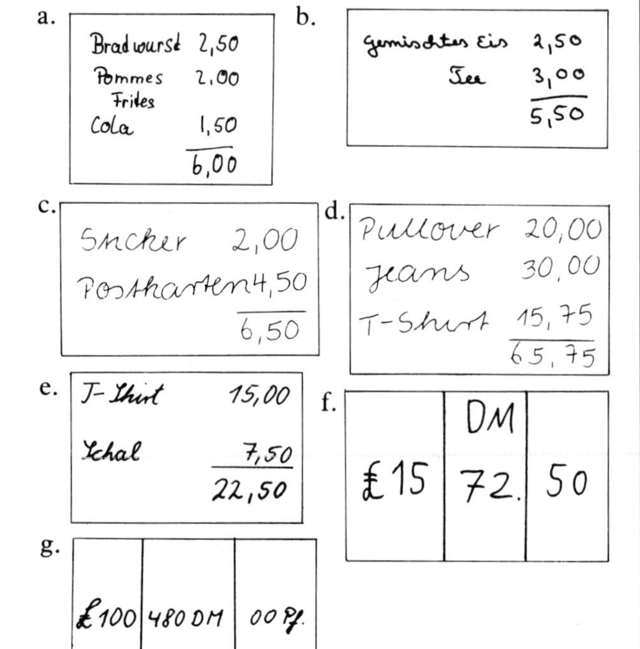

a.

Bradwurst	2,50
Pommes Frites	2,00
Cola	1,50
	6,00

b.

gemischtes Eis	2,50
Tee	3,00
	5,50

c.

Snicker	2,00
Postkarten	4,50
	6,50

d.

Pullover	20,00
Jeans	30,00
T-Shirt	15,75
	65,75

e.

T-Shirt	15,00
Schal	7,50
	22,50

f.

	DM	
£15	72.	50

g.

£100	480 DM	00 Pf.

Kapitel 18 – Wiederholung

1. *Can you complete the following letter?*

Hull, . . . 18. Februa

. . . Herbergseltern,

ich fahre . . . August mit meinen zwei Brüdern . . . Deutschland. Wir hoffen, . . . 2 August in Werden anzukommen und möchten eine Woche lang dort bleiben. Hätten Sie . . . 2. bis . . . 9. August . . . frei?

mit bestem Gruß

Linda Sergeant

2. *You're going on holiday with your friend and y are checking whether you both have the following items. Your friend says whether he/she has them or*

a. „Hast du den  ?"

„Ja. Ich h . . . hier."

b. „Hast du den  ?"

„Nein. Ich habe . . . nicht."

c. „Hast du deine  ?"

„Nein. . . . ."

d. „Hast du das 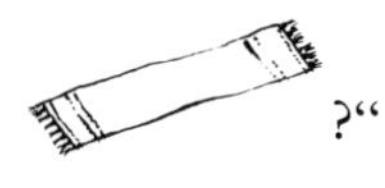 ?"

„Ja. . . . . .

e. „Hast du den 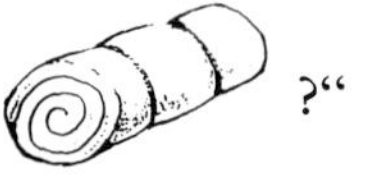 ?"

„Ja. . . . . .

f. „Hast du die 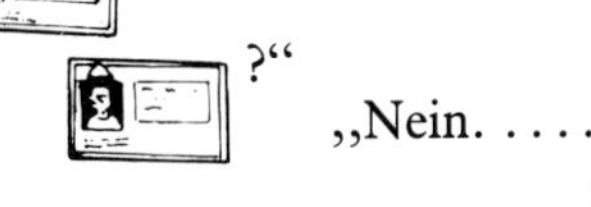 ?"

„Nein. . . . .

g. „Hast du Regines

Corvey Str 9
43 Essen 1

?"

„Nein . . . . . .

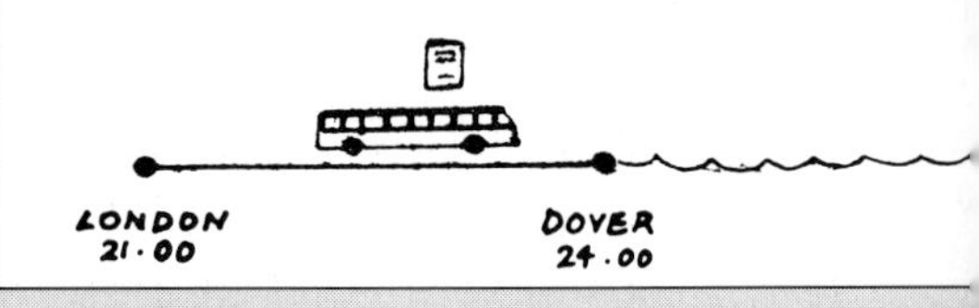

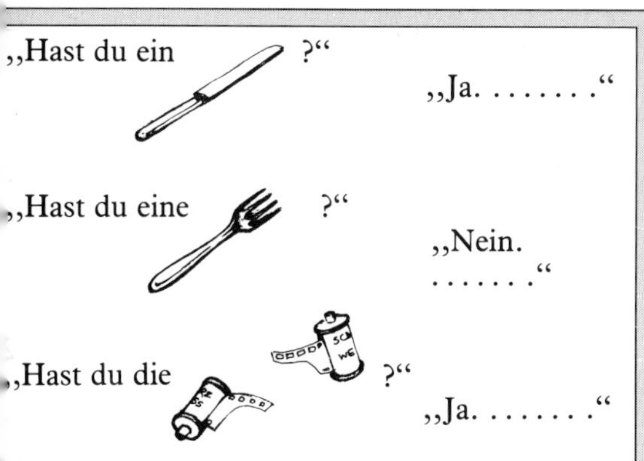

„Hast du ein ?"
„Ja. . . . ."
„Hast du eine ?"
„Nein.
. . . ."
„Hast du die ?"
„Ja. . . . ."

You arrive at the youth hostel and explain that you
te two weeks ago to make a reservation. How does
conversation with the warden go?

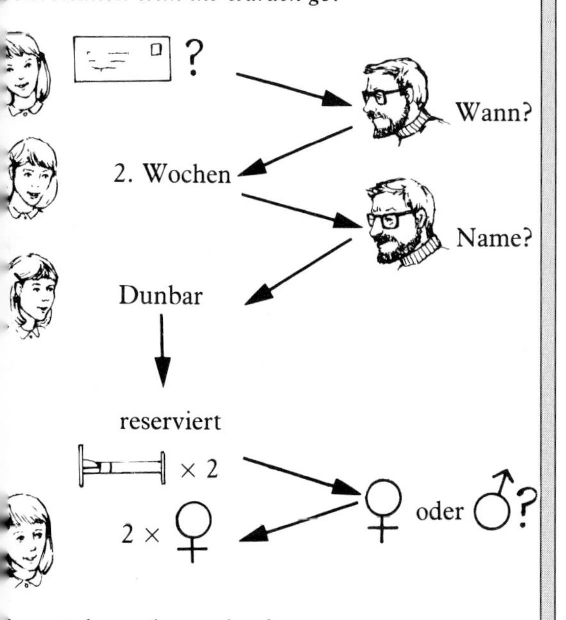

'as möchtest du machen?

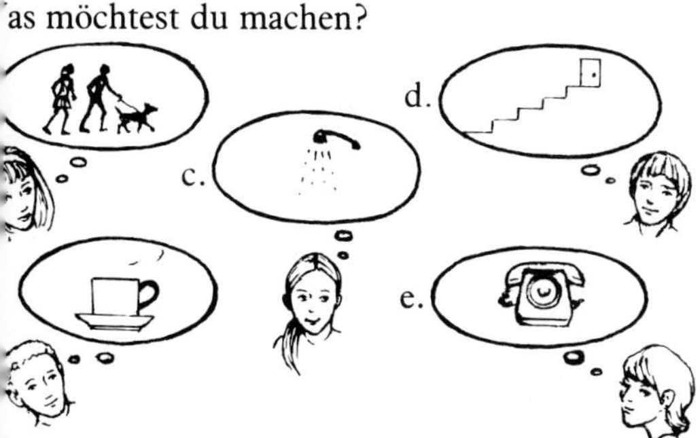

ie war die Reise?
ou relate how you travelled, what time you set off
rrived and what you did during the journey?

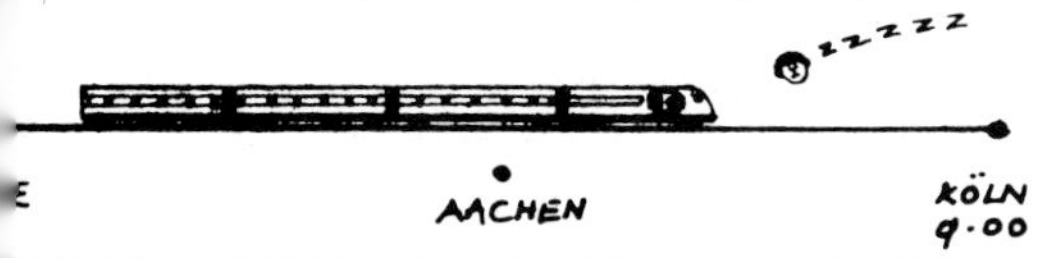

A

ERSTER TEIL (Seite 149)

1. Wie spät ist es? Schreib aus!

Zum Beispiel:
10.15
Es ist Viertel nach zehn.

a. 11.00
b. 3.45
c. 12.15
d. 9.25
e. 1.10
f. 11.35
g. 10.55

ZWEITER TEIL (Seite 150)

1. Lies jetzt den Text auf Seite 150 und beanworte folgende Fragen!

a. Seit wann ist Sandra in Saarbrücken?
b. Ist sie zum ersten Mal da?
c. Was erwarten die Freunde?
d. Wen ruft sie an?

2. Lies dir den Text auf Seiten 150–151 durch und beantworte folgende Fragen!

a. Wo ist Sandra?
b. Was macht sie?
c. Wie oft versucht sie, die Nummer zu wählen?
d. Wie oft wählt sie die falsche Nummer?

B

1. Der Wennsatz. Bilde Sätze!

Zum Beispiel:
Wenn man Bauchschmerzen hat, geht man zur Apotheke.

a. Wenn man Zahnschmerzen hat, (Zahnarzt gehen).
b. Wenn man ein gemischtes Eis will, (Café gehen).
c. Wenn man mit der Bahn fahren will, (Bahnhof gehen).
d. Wenn man mit dem Flugzeug reisen will, (Flughafen gehen).
e. Wenn man schwimmen gehen will, (Schwimmbad gehen).
f. Wenn man anrufen will, (Telefonzelle suchen).
g. Wenn man einkaufen will, (Stadt fahren).

2. In welchen Ländern liegen die folgenden Städte?

a. Hamburg
b. Bern
c. Linz
d. Magdeburg
e. Dresden
f. Dublin
g. Birmingham
h. Aberdeen
i. Cardiff
j. Paris
k. Madrid
l. Rom
m. Kopenhagen
n. Brüssel
o. Straßburg

3. *Give the past participles for the following verbs.*

a. essen
b. trinken
c. bezahlen
d. verbringen
e. gehen
f. bleiben
g. fahren
h. finden
i. fliegen
j. ankommen

4. *Make sentences, putting each of the verbs in the previous exercise in the perfect tense.*

Zum Beispiel:
Ich habe im Zug gegessen.
Vorsicht! **sein** oder **haben**?

5. *What are the infinitives of these strong verbs?*

a. geschwommen
b. gegangen
c. gesehen
d. bekommen
e. ausgestiegen
f. umgestiegen
g. geschrieben
h. genommen
i. gelesen
j. geschlafen

6. Was wollen sie kaufen?

a. Ulrich	b. Sigrun
Schlüssel Badehose Film Seife	Fahrradlicht Anorak Tennisbälle Sticker

c. Winfried	d. Kirsten
Farbstift Schreibpapier Tennisschläger Füller	Kuli Zahnpasta eine Briefmarke (60Pfg) Stadtplan

Kapitel 19 – Wiederholung

1. *How would you ask people who had just arrived your house whether they would like to do these thing.*

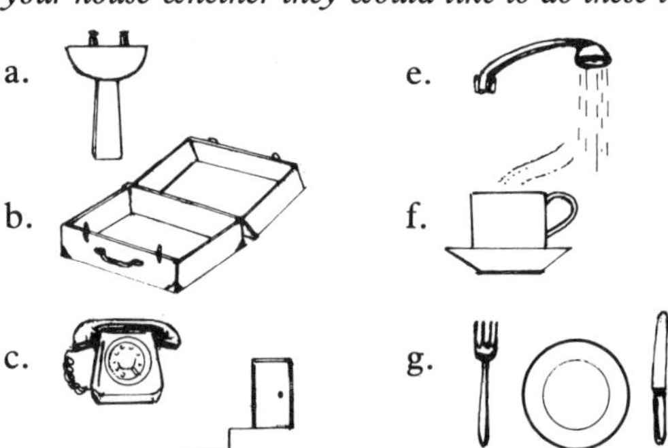

2. *Imagine this is your family photo. Can you desc it?*

Zum Beispiel:
a. Das ist meine . . . .

a. *Gran*
b. *broth*
c. *sister*
d. *dog*
e. *Gran*
f. *house*
g. *Mum*
h. *room*
i. *cat*
j. *Dad*

3. Herr Baums Geschäftsreise.
Beschreib die Reise!

Zum Beispiel:
Am Montag um 10.00 Uhr hat er Oslo verlassen ist nach Berlin . . . .

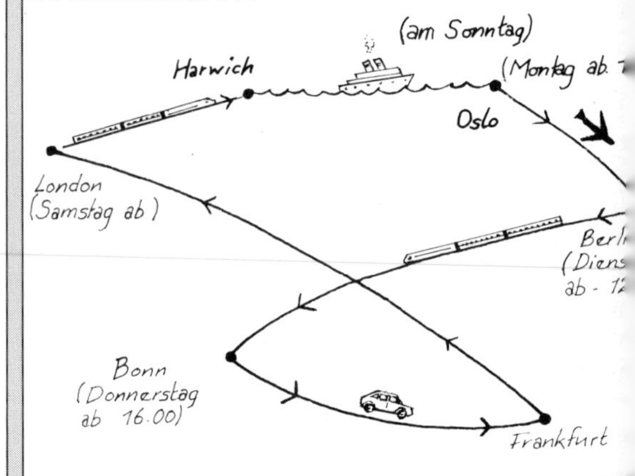

STER TEIL (Seite 160)

/ollende folgenden Dialog!

ast du Lust, mit mir . . . Sportzentrum zu
en?"
, das ist eine gute Idee. Zuerst würde ich aber
ı in . . . Stadt fahren. Ich . . . eine Schachtel
ınisbälle für . . . Jugendklub."
a gut. Wie lange brauchst du?"
ıngefähr eine . . . . Warum . . . du nicht mit? Wir
ınen dann direkt . . . Sportzentrum gehen."
:in. . . . hole meinen Mantel."

/ollende die folgenden Sätze!

Iast du Lust, einen . . . zu machen?
ch würde lieber eine . . . machen.
Möchtest du . . . machen?
Möchtest du ins . . . gehen?
ch würde lieber . . . gehen.

ıhrradtour	Stadt	Kuchen	Kino	Tee
otos	Spaziergang	schwimmen	Disko	

Match up the questions with the answers below.

schreibt an den Herbergsvater?
hat meinen Kuli?
ist Manfred?
ın kommt der Bus an?
ın fährst du?
ın fährt der nächste Zug nach Oldenburg?
ıin fährt der Zug?
ıin möchten Sie fahren?
ist der Flughafen?
steht die Telefonzelle?
ist Herr Schmidt?
liegt Regensburg?

fahre morgen.
Süden.
16.00 Uhr.
h Freiburg.
mache es. Wann wollen wir fahren?
Kilometer von Frankfurt entfernt.
habe ihn hier.
Rathaus.
st mein Bruder.
nächste fährt um 18.00.
will nach Wien fahren.
Schwimmbad.

4. Ergänze!
Complete these questions with **Wann, Wohin, Wer,** *or* **Wo.** *(In some cases it is possible to use more than one of these words.)*

a. . . . ruft an?
b. . . . essen wir?
c. . . . hast du Amsterdam verlassen?
d. . . . ist da?
e. . . . steht das Hermannsdenkmal?
f. . . . fährst du?
g. . . . ist mit dir nach England gefahren?
h. . . . sitzt im Café?
i. . . . fährt dieser Zug?
j. . . . ist John gefahren?
k. . . . bist du?
l. . . . kommst du in London an?
m. . . . möchtest du fahren?
n. . . . fährt der Zug ab?

5. Sieh dir Seite 163 an!
How would you tell a friend what the weather is going to be like?

6. Sieh dir Seite 163 an! Beantworte!

a. An welchem Tag machen sie den Ausflug?
b. Machen sie eine Fahrradtour?
c. Was wollen sie machen, wenn es regnet?
d. Was bereitet Martin vor?
e. Wo treffen sich die Freunde?

DRITTER TEIL (Seite 168)

1. Richtig oder falsch? Verbessere die falschen Sätze!

a. Sally schreibt an Ingo.
b. Sie ist nach Losheim gefahren.
c. Sie sind geschwommen.
d. Sie haben in Dreisbach übernachtet.

2. Sieh dir Seite 168 an!

a. (i) *Where has Ingo been?*
(ii) *When did he stay at the youth hostel?*

b. (i) *What does Sabine do during the day now?*
(ii) *Where was Richard before Sabine's holiday in France?*
(iii) *Where did Sabine stay in Montpellier? And before that?*
(iv) *How did she spend her evenings in Montpellier?*
(v) *Did they come straight back home?*
(vi) *What did Dietrich do?*
(vii) *What had Richard obviously asked for in his last letter?*
(viii) *How long did his letter take to reach Sabine?*

B

In + Akkusativ

1. Ergänze folgende Sätze!

a. Hannelore geht heute . . . Schwimmbad.
b. Willst du mit mir in . . . Diskothek gehen?
c. Hast du Lust, in . . . Ausstellung zu gehen?
d. Er geht jeden Dienstag in . . . Jugendklub.
e. Komm, fahren wir in . . . Stadt.
f. Wir wollen heute abend . . . Theater gehen.
g. Gehen wir . . . Jugendzentrum. Heute gibt's ein Konzert.
h. Der Peter will nicht . . . Museum gehen.

2. Bilde Sätze!

Zum Beispiel:
Sportzentrum / Ausflug
,,Möchtest du ins Sportzentrum?"
,,Nein. Ich würde lieber einen Ausflug machen."

a. Schwimmbad / Fahrradtour
b. Stadt / Wanderung
c. Galerie / Stadtbummel
d. Ausstellung / Einkaufsbummel

3. Sieh dir den Fahrplan (Frankfurt – Saarbrücken) an und beantworte folgende Fragen!

a. In welchem Monat fängt der Fahrplan an?
b. Du fährst mit dem Zug Nr. D254:
Wann kommst du in Saarbrücken an?
Kannst du im Zug etwas zu essen bekommen?
c. Du fährst um 18.45.
Was für ein Zug ist er?
Mußt du umsteigen?
d. Du fährst mit dem Zug Nr. IC 693:
Wo steigst du um?
Wann fährt der Zug in Mannheim ab?
Wann kommt er in Saarbrücken an?
e. Du möchtest am Abend fahren und du möchtest vom Zug aus telefonieren. Mit welchem Zug fährst du?
f. Kann man am Sonntag mit dem Zug Nr. IC 599 fahren?
g. Du fährst mit dem Zug Nummer IC 573. Mit welchem Zug fährst du von Mannheim weiter?
h. Der Zug Nr. E3108 verläßt Mannheim um 06.27. Fährt er jeden Tag?
i. Vollende folgende Sätze!
(i) Der Zug Nr E 3356 fährt um . . . und kommt um . . . in Saarbrücken an.
(ii) Der Zug . . . 10.37 Uhr ab und kommt . . . .
(iii) Wenn man mit dem Zug Nr. 3364 fährt, muß man in Bingerbrück . . . .

j. Wie weit ist es von Frankfurt nach Saarbrück
k. Was kostet eine Rückfahrkarte 2. Klasse nach Saarbrücken?
l. Was bedeuten:

Hbf Ffm Nr DM Saarbr DB

Fahr lieber mit der Bundesbah

Gültig vom 27. September 1981 bis 22. Mai 1982

Frankfurt (M)—Saarbrücken 204 k

Zug-Nr.	Abfahrt Ffm Hbf	Ankunft Saarbr Hbf	Service im Zug	Besonderheiten
7101	0.18	6.14		[U] Darmstadt an 0.48, ab 3.1 [U] Mannheim an 3.51, ab 4. nicht 25., 26. XII., 1. I., 12. IV.
D 473	4.31	8.26		[U] Mannheim an 5.24, ab 6. verkehrt nur werktags
D 824	4.36	8.27		[U] Bingerbrück an 5.31, ab 5 verkehrt nur werktags
E 2020	6.01	9.31		[U] Bingerbrück an 6.55, ab 7
IC 152	7.56	10.08	✗	
D 222	8.25	11.27		[U] Mainz Hbf an 8.51, ab 9.0
IC 171	9.37	12.31	[✗] 🍷	[U] Mannheim an 10.21, ab 1 [✗] Ffm—Mannheim 🍷 Kaiserslautern—Saarbrü
D 254	9.56	12.31	🍷	
IC 573	10.37	13.08	✗ 🍷	[U] Mannheim an 11.21, ab 1 nur Mo—Sa, nicht 25.—27. 10.—12. IV. ✗ Ffm—Mannheim 🍷 Mannheim—Saarbrücken
E 3354	10.37	13.48		
IC 599	11.37	14.36	✗	[U] Mannheim an 12.21, ab 1 nur Mo—Sa, nicht 25.—27. 10.—12. IV. ✗ Ffm—Mannheim
E 3356	12.28	15.58		
E 3043	12.45	16.00		[U] Mannheim am 13.55, ab
D 256	14.53	16.59	🍷	
IC 575	15.37	18.10	✗ 🍷	[U] Mannheim an 16.21, ab 1 ✗ Ffm—Mannheim 🍷 Mannheim—Saarbrücken
258	16.16	18.48	🍷	
3360	16.20	19.49		
D 862	17.02	19.21	🍷	
E 3157	17.42	20.31	🍷	[U] Mannheim an 18.49, ab 1 🍷 Mannheim—Saarbrücken
IC 691	18.37	21.25	✗ ☎	Mannheim an 19.21, ab 1 ✗☎ Ffm—Mannheim
E 3364	18.45	22.07		[U] Bingerbrück an 19.41, ab
D 864	20.01	22.18	🍷	
D 354	20.40	23.33	🍷	
IC 693	21.38	23.58	✗	[U] Mannheim an 22.22, ab 2
D 252	22.46	1.26		

Fahrpreise in DM: (Tarifstand: 1. 10. 81)	einfache Fahrt 2. Klasse	einfache Fahrt 1. Klasse	Hin- und Rü 2. Klasse	1
	34,00	51,00	68,00	
Zuschläge für IC-Züge:	5,00	10,00		

IC = 1. und 2. Klasse, bes Zuschlag
D = 1. und 2. Klasse
E = 1. und 2. Klasse
✗ = Zugrestaurant
🍷 = Speisen und Ge im Zug erhältlic
☎ = Münz-Zugtelefo
[U] = umsteigen

Herausgeber: Deutsch
Fahrk
Frankf

rammar Summary

Persons

son	*Singular*	*Plural*
t	Ich *I*	wir *we*
ond (familiar)	du *you*	ihr *you*
ond (polite)	Sie *you*	Sie *you*
rd (masc.)	er *he, it*	
rd (fem.)	sie *she, it*	sie *they*
rd (neuter)	es *it*	

and **ihr** *are used:*
among relatives
among friends
among young people
when an adult is talking to children.

is used:
between adults who do not know each other well
by young people when they are speaking to adults to whom they have no close relationship.

Tenses

esent tense

ember that the German present tense has only ***one*** *. (English has three!)*
1 Beispiel:

singe *I sing*
I do sing
I am singing

ak verbs

1 Beispiel:

hen *to make, to do*

	mach**e**	wir	mach**en**
	mach**st**	ihr	mach**t**
e/es	mach**t**	Sie	mach**en**
		sie	mach**en**

Conjugating a weak verb

a. *Form the 'stem' by crossing* **-en** *off the infinitive:*
machen → **mach-** kochen → **koch-**
spielen → **spiel-**

b. *Add the endings:*

ich . . . **e**	wir . . . **en**
du . . . **st**	ihr . . . **t**
er . . . **t**	
sie . . . **t**	sie . . . **en**
es . . . **t**	
	Sie . . . **en**

Here are some more examples of weak verbs:
spielen tanzen kochen nähen.

Strong verbs

Zum Beispiel:

fahren *to drive, travel*

ich	fahr**e**	wir	fahr**en**
du	fähr**st**	ihr	fahr**t**
er/sie/es	fähr**t**	Sie	fahr**en**
		sie	fahr**en**

Note:
The endings are the same as for the weak verb ***but there is a vowel change in the second and third persons singular.*** *In the example given here the sound is changed by an* **Umlaut**.

Another strong verb

sehen *to see*

ich	seh**e**	wir	seh**en**
du	sieh**st**	ihr	seh**t**
er/sie/es	sieh**t**	Sie	seh**en**
		sie	seh**en**

Note:
Again the endings are the same as those of weak verbs but there is a ***vowel change*** *in the stem. This occurs* ***in the second and third persons singular.*** *This time the change is brought about by changing* **e** *to* **ie**.

Here are some more examples of the vowel change in strong verbs. In each case the third person singular is given.

nehmen **nimmt**
geben **gibt**
lesen **liest**
laufen **läuft**

Here are two more verbs which do not conform exactly to the above pattern. (The differences are underlined.)

sammeln *to collect*

ich	sammle	wir	sammeln
du	sammelst	ihr	sammelt
er/sie/es	sammelt	Sie	sammeln
		sie	sammeln

arbeiten *to work*

ich	arbeite	wir	arbeiten
du	arbeitest	ihr	arbeitet
er/sie/es	arbeitet	Sie	arbeiten
		sie	arbeiten

(In this second example the **-e** *of the first person singular is retained throughout.)*

Reflexive verbs

Zum Beispiel:

sich waschen sich duschen sich frisch machen

ich	wasche **mich**	wir	waschen **uns**
du	wäschst **dich**	ihr	wascht **euch**
er/sie/es	wäscht **sich**	Sie	waschen **sich**
		sie	waschen **sich**

Three important verbs
haben, sein *and* wissen

haben *to have*

ich	habe	wir	haben
du	hast	ihr	habt
er/sie/es	hat	Sie	haben
		sie	haben

sein *to be*

ich	bin	wir	sind
du	bist	ihr	seid
er/sie/es	ist	Sie	sind
		sie	sind

wissen *to know*

ich	weiß	wir	wissen
du	weißt	ihr	wisst
er/sie/es	weiß	Sie	wissen
		sie	wissen

Separable verbs

Separable verbs are so called because they are made of two parts which separate at certain times.

Zum Beispiel:

ankommen *to arrive*
Der Zug **kommt** um 10 Uhr **an**.
The separable prefix **an** *goes to the end of the clause*
Here are some more examples:

aussteigen *to get out*
Er **steigt** in München **aus**.

zuhören *to listen to*
Er **hört** gut **zu**.

radfahren *to cycle*
Ich **fahre** gern **rad**.

However, if the infinitive or the past participle of th separable verb is used, the verb remains one word:

Infinitive: Sie müssen in München **aussteigen**.

Past participle: Er ist um 3 Uhr **angekommen**.

Perfect Tense

The perfect tense of a verb is made up of two parts: present tense of **haben** *or* **sein** *and the past particip of the verb.*

The past participle of weak verbs

Add **ge-** *to the front of the stem and* **-(e)t** *to the end*
Zum Beispiel:

spielen	spiel-	**ge**spiel**t**
kochen	koch-	**ge**koch**t**
arbeiten	arbeit-	**ge**arbeit**et**

The past participle of strong verbs

There are no rules to follow here and no set pattern these verbs: the only thing to do is to learn them! Th list at the end of the Grammar Summary gives all th verbs you need to know at this stage.
Zum Beispiel:

kommen **gekommen**
gehen **gegangen**
singen **gesungen**

The past participle of mixed verbs

These verbs add **ge-** *and* **-(e)t** *to the stem, but also change the vowel.*
Zum Beispiel:

bringen **gebracht**

ɛ past participle of separable verbs

*separable prefix (***an, auf, unter,** usw*) is added to* *ɔast participle.*

ı Beispiel:

teigen **umgestiegen**
ɔmmen **angekommen**
ɛrbringen **untergebracht**

ɛ past participle of inseparable verbs

.e prefix is inseparable there is no **ge-**.
parable prefixes are:

ver- emp- ent- er- zer-.

ı Beispiel:

itive	*Past participle*
chen	besucht
uchen	versucht
fehlen	empfohlen
.ehmen	entnommen
den	erfunden
rechen	zerbrochen

ɛ past participle of verbs ending in -en.

ɛe verbs have no **ge-** *added to them in the past iciple.*

ı Beispiel:

itive	*Past participle*
ɔieren	probiert
rieren	repariert
rvieren	reserviert

ich verbs take sein in the perfect tense l which take haben?

n *is used to make up the perfect tense of most s.*

ransitive verbs (ie. verbs that can take an object) **haben**.

Beispiel:

habe den Kuli **gekauft**.
habe den Brief **geschrieben**.

***ansitive verbs that do not show a change of e or state also take* haben.**

Beispiel:

at geregnet.

***ansitive verbs that show a change of place or ɛ take* sein.**

Beispiel:

t gegangen.
ind umgestiegen.
ɛe show a change of place.)

Er ist eingeschlafen. *(He fell asleep.)*
Ich bin aufgewacht. *(I woke up.)*
(These show a change of state.)

Note the following exception to these rules:
Sie ist geblieben.
All verbs that take **sein** *in the perfect tense are marked with an asterisk in the glossary and in the verb list at the end of this summary.*

How to form questions

Present tense

Zum Beispiel:

Hast du Hunger?
Wann kommst du in Hamburg an?

Perfect tense

Zum Beispiel:

Hast du den Film gesehen?
Hast du gut geschlafen?
Wann bist du in London angekommen?
Wie bist du gefahren?

Note the word order. In questions the verb always precedes the subject and even the past participle retains its usual position at the end of the clause.

How to form negatives

Zum Beispiel:

Positive	*Negative*
Ich tanze.	Ich tanze **nicht**.
Ich habe getanzt.	Ich habe **nicht** getanzt.
Ich habe den Tee getrunken.	Ich habe den Tee **nicht** getrunken.
Ich habe vor, nach Deutschland zu fahren.	Ich habe **nicht** vor, nach Deutschland zu fahren.

In each example, **nicht** *is added to the sentence to form the negative and is associated with the word it negates.*

Two other ways of forming a negative

kein *(not a, no, not any)*
Zum Beispiel:

Wir haben **keinen** Hund.

sondern *('but' after a negative, as in 'not only . . . but')*
Zum Beispiel:

Im Sommer fahren wir nicht in Urlaub **sondern** verbringen die Ferien zu Hause.

Word order

The main verb **must** *be the second idea in a main sentence.*

First idea	*Second idea*	*Third idea*	*Fourth idea*
Ich	fahre	nach Ulm.	
Am Samstag	fahre	ich	nach Ulm.
Wenn ich genug Geld habe,	fahre	ich	nach Ulm.

When expressions of ***Time, Manner*** *and/or* ***Place*** *occur in a sentence, they must occur in the following order: Time, Manner, Place.*

Zum Beispiel:

	Time	*Manner*	*Place*
Er fährt	um 3 Uhr	mit dem Bus	nach Hause.

Er fährt nach Hause. *(Place)*
Er fährt um 3 Uhr nach Hause. *(Time Place)*
Er fährt um 3 Uhr mit dem Bus nach Hause. *(Time Manner Place)*

Verbs taking zu *with the infinitive*

Most verbs need **zu** *before the infinitive that follows them.*
Zum Beispiel:

brauchen Du brauchst nicht, in die Stadt **zu** fahren.
vorhaben Ich habe vor, im April nach Köln **zu** fahren.
beschließen Er hat beschlossen, eine Gitarre **zu** kaufen.

The position in the sentence of **zu** *with a separable verb should be noted.*
Zum Beispiel:

hoffen Ich hoffe, am 20. August an**zu**kommen.

Modal Verbs

These verbs are irregular in the singular of the present tense.
When followed by a verb, they are followed by infinitive *(without* zu*).*

mögen *to like, to want to*

ich	mag	wir	mögen
du	magst	ihr	mögt
er/sie/es	mag	Sie	mögen
		sie	mögen

mögen *is most often used in the following form:*

möchten *would like*

ich	möchte	wir	möchten
du	möchtest	ihr	möchtet
er/sie/es	möchte	Sie	möchten
		sie	möchten

Zum Beispiel:

Ich mag Pommes Frites.	*I like chips.*
Ich möchte Pommes Frites essen.	*I would like to eat som[e] chips.*
Möchtest du noch etwas?	*Would you like some m[ore]*

müssen *to have to*

ich	muß	wir	müssen
du	mußt	ihr	müßt
er/sie/es	muß	Sie	müssen
		sie	müssen

Zum Beispiel:

Muß ich umsteigen?
Sie müssen in Bonn umsteigen.
(For information on when to use **ss** *or* **ß**, *see below*

können *to be able to*

ich	kann	wir	können
du	kannst	ihr	könnt
er/sie/es	kann	Sie	können
		sie	können

Zum Beispiel:

Kannst du etwas für mich kaufen?
Sie können am Rathaus aussteigen.
Kannst du mir einen Kuli kaufen?

wollen *to want to*

ich	will	wir	wollen
du	willst	ihr	wollt
er/sie/es	will	Sie	wollen
		sie	wollen

Zum Beispiel:

Was wollen Sie kaufen?
Was willst du machen?

'en *to be allowed to*

	darf	wir	dürfen
	darfst	ihr	dürft
e/es	darf	Sie	dürfen
		sie	dürfen

ı Beispiel:
f ich noch ein Stück Kuchen haben?
. darf es sein?

" *or* "ß"?

used:

t the end of a word;
:um Beispiel:
ıuß Schloß Fluß Fuß

efore a third consonant;
:um Beispiel:
ıußte Fußgängerzone Schloßpark

etween two vowels when the first one is long.
,um Beispiel:
ießen großes aßen Füße

lote:
'hen the vowel sound is short, use **ss**.
ıüssen wissen interessant.

e Cases

e are four cases.

'ominative: *the subject of the verb.*
Zum Beispiel:
Der Junge ist 14.

ccusative: *the direct object of the verb.*
Zum Beispiel:
Er kauft **den Pullover**.

enitive: *this case denotes possession.*
Zum Beispiel:
Das wichtigste Industrieland **der Bundesrepublik**.

ative: *the indirect object.*
Zum Beispiel:
Er schickt **dem Herbergsvater** einen Brief.
Geben Sie **mir** den Kuli.

The Articles

The definite article: der, die, das

	Singular			*Plural*
	Masc.	*Fem.*	*Neut.*	
Nom.	der	die	das	die
Acc.	den	die	das	die
Gen.	des	der	des	der
Dat.	dem	der	dem	den

Here are some common contractions of the definite article:
ans (an das)
am (an dem)
aufs (auf das)
beim (bei dem)
ins (in das)
im (in dem)
vom (von dem)
zum (zu dem)
zur (zu der)

The indefinite article: ein, eine, ein

	Singular		
	Masc.	*Fem.*	*Neut.*
Nom.	ein	eine	ein
Acc.	einen	eine	ein
Gen.	eines	einer	eines
Dat.	einem	einer	einem

The negative article: kein, keine, kein

	Singular			*Plural*
	Masc.	*Fem.*	*Neut.*	
Nom.	kein	keine	kein	keine
Acc.	keinen	keine	kein	keine
Gen.	keines	keiner	keines	keiner
Dat.	keinem	keiner	keinem	keinen

(Note that nouns in the dative plural almost always have an **-n**.*)*

Possessive Adjectives

mein *my*
dein *your (familiar)*
Ihr *your (polite)*
sein *his, its*
ihr *her, its*
unser *our*
euer *your (plural familiar)*
ihr *their*

These adjectives are all declined in the same way as the indefinite article.
Zum Beispiel:

mein

	Singular			Plural
	Masc.	*Fem.*	*Neut.*	
Nom.	mein	meine	mein	meine
Acc.	meinen	meine	mein	meine
Gen.	meines	meiner	meines	meiner
Dat.	meinem	meiner	meinem	meinen

Note:
The possessive adjective **euer** *drops its second* **e** *when it has an ending.*

	Singular			Plural
	Masc.	*Fem.*	*Neut.*	
Nom.	euer	eure	euer	eure
Acc.	euren	eure	euer	eure
Gen.	eures	eurer	eures	eurer
Dat.	eurem	eurer	eurem	euren

Plural Adjectives

einige *some*
wenige *a few*
ein paar *a few*
viele *a lot of, many*
mehrere *several*

Pronouns

Personal pronouns

er, sie, es, sie

	Singular			Plural
	Masc.	*Fem.*	*Neut.*	
Nom.	er	sie	es	sie
Acc.	ihn	sie	es	sie

Zum Beispiel:

Wo ist der Dosenöffner?
Hier ist **er**.
Wer hat den Dosenöffner?
Ich habe **ihn**.

	Singular	
Nom.	ich	Ich bin hungrig.
Dat.	mir	Mir ist kalt.

Interrogative pronouns

Nom.	wer	Wer ist das?
Dat.	wem	Mit wem arbeitest du?

Prepositions

Prepositions that always take the dativ

aus	Er kommt **aus der Schweiz**.
seit	Ich bin **seit drei Tagen** krank.
von	Viele Grüße **von Deinem Peter**.
nach	**Nach dem Schwimmen** habe ich immer Hunger.
zu	Fahren wir **zum Hallenbad**!
mit	Da bin ich **mit meiner Schwester**.
gegenüber	Die Post ist **gegenüber dem Bahnh**

Prepositions that take the accusative

für	Ich brauche das Geld **für mein Ho**
um	Der Klub ist **um die Ecke**.

Prepositions that take either the accusative or the dative

in
an
auf
vor
über

These prepositions take the **accusative** *if they deno* **motion**.
They take the **dative** *if they denote* **position**.
Zum Beispiel:

Motion „Hast du Lust, **in den Jugendklub** zu gehen?“
„Nein. Ich würde lieber **ins Kino** geh

Position Die Disco ist **im Jugendzentrum**.
Frank ist heute abend **im Theater**.

bs that take a preposition

freuen auf + *accusative*
Beispiel:
freue mich auf deinen Besuch.

eiben an + *accusative*
Beispiel:
schreibe an die Jugendherbergseltern.

pressions of Time

ressions of time using the accusative

n Tag *every day*
Woche *every week*
s Jahr *every year*

en Montag *last Monday*
e Woche *last week*
es Jahr *last year*

tes

s go in the dative when the meaning is 'in' or 'on

Beispiel:

pril
eptember
0. August
reißigsten August
rsten April
also Letter-writing conventions on this page.)

merals

dinal

;	22 zweiundzwanzig
:i	23 dreiundzwanzig
i	24 vierundzwanzig
	25 fünfundzwanzig
f	26 sechsundzwanzig
s	27 siebenundzwanzig
en	28 achtundzwanzig
t	29 neunundzwanzig
n	30 dreißig
hn	31 einunddreißig
	40 vierzig
ölf	50 fünfzig
eizehn	60 sechzig
rzehn	70 siebzig
nfzehn	80 achtzig
chzehn	90 neunzig
bzehn	100 hundert
ntzehn	101 hunderteins
unzehn	200 zweihundert
anzig	1000 tausend
undzwanzig	

Ordinals

To make ordinals (ie. first, tenth, twelfth, etc.) for numbers 1 – 19, add **-te** *to the cardinal number.*

Zum Beispiel:

der **zehnte**
der **zwölfte**

There are four exceptions to this rule.
der **erste** *the first*
der **dritte** *the third*
der **siebte** *the seventh*
der **achte** *the eighth*

To make ordinals for numbers 20 – 100, add **-ste** *to the cardinal number.*
Zum Beispiel:

der zwanzigste *the twentieth*
der einundzwanzigste *the twenty-first*

To make ordinals for numbers from 101 on, apply the rules given above.

Once, twice, etc.

To make these, add **-mal** *to the cardinal number.*
Zum Beispiel:

einmal *once (an exception: the* **s** *of* **eins** *is dropped)*
zweimal *twice*
dreimal *three times*
usw. *etc.*

Letter-writing conventions

The date and the address

In letters the date is written (in the accusative) at the top of the page next to the village or town where you live.
Zum Beispiel:

Essen, den 1. Februar
Weiskirchen, den 22. März

You do not write out your full name and address. This is often still put on the back of the envelope but people are now encouraged to put the sender's name and address on the front of the envelope in the bottom left-hand corner.

How to address someone in a letter

The word for 'Dear' changes according to whether who you are writing to is:
a. singular or plural
b. male or female.

	Singular	*Plural*
Masc.	*Fem.*	*Masc. or Fem.*
Lieber	Liebe	Liebe

Zum Beispiel:

Lieber Herr Braun,
Lieber Manfred,

Liebe Frau Schulze,
Liebe Jutta,

Liebe Herbergseltern,

Note:
If you are writing to two people you must repeat the word for 'Dear'.
Zum Beispiel:

Lieber Manfred, liebe Sigrid,

Note also this formal way of addressing someone in a letter:
Sehr geehrte Frau Simmer,
Sehr geehrter Herr Kranz,

How to set the letter out

Your letter heading should look like this:

Essen, den 3. März

Lieber Helmut,
Wie geht es Dir? Mir geht es gut...

'You' and 'your' in letters

When writing to someone, the words for 'you' and 'your' are written with capital letters.

Familiar

Singular	*Plural*
Du	Ihr
Dein	Euer

Polite

Singular	*Plural*
Sie	Sie
Ihr	Ihr

How to sign off a letter

Formal
mit freundlichen Grüßen
Hochachtungsvoll

Formal or informal
a. *with* **von**
viele Grüße von Deinem Peter
mit herzlichem Gruß von Deiner Margaret
mit herzlichen Grüßen von Deinem Michael
(Note the use of the dative after **von**.*)*

b. *without* **von**
viele Grüße
Ihr Peter

viele Grüße
Ihre Margaret

Informal
bis bald
schreib' bald wieder
Dein Peter
Deine Margaret

Note the use of the nominative without **von**.

Hin und Her

The prefix **hin-** *denotes* ***movement away from th*** ***speaker.***
The prefix **her-** *denotes* ***movement towards the speaker.***
Zum Beispiel:

Komm' her! *Come here!*
Geh' hin! *Go there!*

Hin *and* **her** *can be used with the question word* **w**
There are two possible word orders for questions m up in this way.

Wohin gehst du?
Wo gehst du hin?

The meaning is the same in both cases: Where are going to?

Her *can be combined with* **wo** *in the same way.*
Woher kommst du?
Wo kommst du her? } *Where have you come f*

rong and Mixed Verbs

eans the verb is conjugated with **sein** *in the perfect tense.)*

finitive	*Third Person Present*	*Past Participle*	*English*
ginnen	beginnt	begonnen	*to begin*
tragen	beträgt	betragen	*to come to*
gen	biegt	gebogen	*to bend, to turn*
iben	bleibt	geblieben	*to stay*
ngen	bringt	gebracht	*to bring*
en	ißt	gegessen	*to eat*
ren	fährt	gefahren	*to travel*
den	findet	gefunden	*to find*
gen	fliegt	geflogen	*to fly*
ßen	fließt	geflossen	*to flow*
en	gibt	gegeben	*to give*
en	geht	gegangen	*to go*
ßen	heißt	geheißen	*to be called*
fen	hilft	geholfen	*to help*
nen	kennt	gekannt	*to know (people, places)*
mmen	kommt	gekommen	*to come*
sen	läßt	gelassen	*to let, to leave*
fen	läuft	gelaufen	*to run*
en	liest	gelesen	*to read*
gen	liegt	gelegen	*to lie*
nmen	nimmt	genommen	*to take*
en	ruft	gerufen	*to call*
lafen	schläft	geschlafen	*to sleep*
ließen	schließt	geschlossen	*to shut*
reiben	schreibt	geschrieben	*to write*
wimmen	schwimmt	geschwommen	*to swim*
en	sieht	gesehen	*to see*
n	ist	gewesen	*to be*
echen	spricht	gesprochen	*to speak*
hen	steht	gestanden	*to stand*
igen	steigt	gestiegen	*to climb*
ffen	trifft	getroffen	*to meet*
iben	treibt	getrieben	*to drive, to go in for*
nken	trinkt	getrunken	*to drink*
	tut	getan	*to do, to make*
gessen	vergißt	vergessen	*to forget*
schen	wäscht	gewaschen	*to wash*
rden	wird	geworden	*to become*
rfen	wirft	geworfen	*to throw*
hen	zieht	gezogen	*to pull*

Glossary

1. The plurals of nouns are given in the brackets that follow them.
Zum Beispiel:

Singular	*Plural*
der Apfelstrudel (–)	die Apfelstrudel
der Apfel (¨)	die Äpfel
die Ankunft (¨e)	die Ankünfte
die Ampel (–n)	die Ampeln
der Anschluß (¨sse)	die Anschlüsse

2. The third person singular of the present tense and the past participle of verbs are given in brackets after the infinitive.
Zum Beispiel:

*laufen (läuft, gelaufen)

*3. Verbs marked * are conjugated with* **sein** *in the perfect tense.*

4. The following abbreviations have been used:
acc. *accusative*
dat. *dative*
gen. *genitive*
m. *masculine*
f. *feminine*
n. *neuter*
pl. *plural*
fam. *familiar*

A

das Abendbrot *supper, evening meal*
der Abend (–e) *evening*
das Abendessen *supper, evening meal*
*abfahren (fährt ab, abgefahren) *to set off*
die Abfahrt (–en) *departure*
abholen (holt ab, abgeholt) *to meet, to fetch*
das Abzeichen (–) *badge (sew-on variety)*
acht *eight*
achte(r) *eighth*
achtzehn *eighteen*
die Adresse (–n) *address*
alkoholfrei *non-alcoholic*
alle *all*
allein *alone*
alles *all*
also *therefore, so*
alt *old*
das Alter (–) *age*
Amerika *America*
die Ampel (–n) *traffic lights*
die Angelrute (–n) *fishing rod*
angenehm *pleasant*
*ankommen (kommt an, angekommen) *to arrive*
die Ankunft (¨e) *arrival*
der Anorak (–s) *anorak*
der Anruf (–e) *telephone call*
anrufen (ruft an, angerufen) *to telephone*
der Anschluß (¨sse) *connection*
antworten (antwortet, geantwortet) *to answer*
der Apfel (¨) *apple*
der Apfelsaft (¨e) *apple juice*
die Apfelsine (–n) *orange*
der Apfelstrudel (–) *apple-strudel*
das Apfelstreusel (–) *apple-crumble cake*
die Apotheke (–n) *chemist's shop*
der Apparat (–e) *camera*
der April *April*
arbeiten (arbeitet, gearbeitet) *to work*
der Arbeitsplatz (¨e) *place of work*
der Arzt (¨e) *male doctor*
die Ärztin (-nen) *female doctor*
Aschermittwoch *Ash Wednesday*
auch *too, also*
der Aufenthaltsraum (¨) *day room*
aufmachen (macht auf, aufgemacht) *to open*
der Aufschnitt (–e) *cold meats*
*aufstehen (steht auf, aufgestanden) *to get up*
auf Wiederhören *goodbye (on the telephone)*
auf Wiedersehen *goodbye*
der August *August*
der Ausflug (¨e) *excursion*
der Ausgang (¨e) *exit*
auspacken (packt aus, ausgepackt) *to unpack*
außer *+dat.* *except*
*aussteigen (steigt aus, ausgestiegen) *to get off*
die Auswahl (–en) *choice*
auswählen (wählt aus, ausgewählt) *to select, to choose*
der Ausweis (–e) *identity card, membership card*
der/die Auszubildende *apprentice*
der Automat (–en) *vending machine*

B

die Badehose (–n) *bathing trunks*
der Bademeister (–) *swimming pool attendant*
die Bademütze (–n) *bathing cap*
das Badetuch (¨er) *towel*
Baden-Württemberg *Baden-Wurttemberg (a federal* L
der Bahnhof (¨e) *station*
der Bahnsteig (–e) *platform*
die Banane (–n) *banana*
die Bank (–en) *bank*
die Basilika (–) *basilica*
basteln (bastelt, gebastelt) *to do odd jobs, to do a lot*
DIY/handicrafts
die Bauchschmerzen (pl.) *stomach pains, stomach-ach*
das Bauernhaus (¨er) *farmhouse*
die Baumwolle (–n) *cotton*
die Baustelle (–n) *work site*
Bayern *Bavaria (a federal* Land*)*
der Beamte (–n) *official, civil servant*
bedeckt *covered*
beginnen (beginnt, begonnen) *to begin*
beilegen (legt bei, beigelegt) *to enclose*
das Beispiel (–e) *example*

nnt *well-known*
mmen (bekommt, bekommen) *to get*
ien *Belgium*
bt *well-liked, popular*
Berg (–e) *mountain*
hmt *famous*
heid sagen + *dat.* *to tell, to let someone know*
hließen (beschließt, beschlossen) *to decide*
htigen (besichtigt, besichtigt) *to visit, to view*
nders *especially*
ellen (bestellt, bestellt) *to order*
Besuch (–e) *visit*
chen (besucht, besucht) *to visit*
Besucher (–) *visitor*
agen (beträgt, betragen) *to amount to, to come to*
Bettwäsche (–n) *bed linen*
Bevölkerung (–en) *population*
hlen (bezahlt, bezahlt) *to pay for*
Bier *beer*
Bierfest (–e) *beer festival*
Bierkrug (⸚e) *beer mug*
Bikini (–s) *bikini*
Bild (–er) *picture*
Birne (–n) *pear*
until
bißchen *a little*
please
n um + *acc.* (bittet, gebeten) *to ask for*
e, fahren ins *to drive off into the blue, go on a*
ystery tour
ben (bleibt, geblieben) *to stay*
Bleistift (–e) *pencil*
stupid
Bockwurst (⸚e) *a type of sausage*
Bohne (–n) *bean*
Bonbon (–s) *sweet*
chen (braucht, gebraucht) *to need*
nen *north German city and federal* Land
Brief (–e) *letter*
Briefkasten (⸚) *letter-box*
Briefmarke (–n) *stamp*
Broschüre (–n) *brochure*
Brot (-e) *bread*
Brötchen (–) *bread roll*
Brücke (–n) *bridge*
Bruder (⸚) *brother*
Buch (⸚er) *book*
Buchdruck (-) *printing*
Buchmesse (–n) *book fair*
Bundeskanzler *Chancellor of the FRG*
Bundesland (⸚er) *federal* Land *(state)*
Bundesrepublik *Federal Republic (of Germany)*
Burg (–en) *castle*
Büro (–s) *office*
Bus (–se) *bus*
Busfahrer (–) *bus driver*
Butter *butter*

Café (–s) *cafe*
die Campingausstellung (–en) *camping exhibition*
die Comics (*pl.*) *comics*
die Currywurst (⸚e) *sausage with curry sauce*

D

da *there*
die Dame (–n) *lady*
Damen *sign for ladies' toilets*
Dänemark *Denmark*
danke *thank you*
dazu *in addition, with it*
die DDR *GDR (the German Democratic Republic)*
dein *your (fam.)*
das Denkmal (⸚er) *monument*
deutsch *German*
Deutschland *Germany*
der Dezember *December*
der Dialog (–e) *dialogue*
dich *you (acc.)*
der Dichter (–) *poet*
dick *fat*
der Dienstag *Tuesday*
diese (*f. and pl.*) *this, these*
dieser (*m.*) *this*
dieses (*n.*) *this*
direkt *directly, exactly*
die Diskothek (–en) *disco*
diskutieren (diskutiert, diskutiert) *to discuss*
der Dom (–e) *cathedral*
der Donnerstag *Thursday*
dort *there*
der Dosenöffner (–) *tin-opener*
drei *three*
dreißig *thirty*
dreizehn *thirteen*
dritte(r) *third*
drüben *over there*
drücken (drückt, gedrückt) *to push*
die Druckerei (–en) *printer's*
du *you (fam.)*
dumm *stupid, silly*
der Durchfall *diarrhoea*
dürfen (darf, gedurft) *to be allowed to*
der Durst *thirst*
die Dusche (–n) *shower*
sich duschen (duscht sich, sich geduscht) *to shower*

E

die Ecke (–n) *corner*
das Ei (–er) *egg*
ein *a, one*
einfach *easy*
der Einfluß (⸚e) *influence*
der Eingang (⸚e) *entrance*
einige *some*
einkaufen (kauft ein, eingekauft) *to go shopping*
der Einkaufsbummel (–) *shopping spree*

einmal *once*
einnehmen (nimmt ein, eingenommen) *to take (a meal)*
eins *one*
die Eintrittskarte (–n) *entrance ticket*
der Einwohner (–) *inhabitant*
der Einwurf *slot*
der Einzelfahrschein (–e) *single ticket*
das Einzelkind (–er) *only child*
das Eis (–) *ice-cream*
das Eisen (–) *iron*
die Eisenbahn (–en) *railway*
die Eissorte (–n) *an ice-cream variety*
die Elektronik *electronics*
elf *eleven*
die Eltern (*pl.*) *parents*
die Energie (–en) *energy*
England *England*
englisch *English*
entführen (entführt, entführt) *to carry off, to lead away, to kidnap*
entnehmen (entnimmt, entnommen) *to take away*
Entschuldigung *Excuse me*
entsprechen (entspricht, entsprochen) *to correspond to*
enttäuscht *disappointed*
entweder *either*
entwerten (entwertet, entwertet) *to cancel tickets*
der Entwerter (–) *machine to cancel or punch tickets*
die Erbse (–n) *pea*
das Erdbeereis *strawberry ice-cream*
die Erdbeertorte (–n) *strawberry flan*
das Erdgeschoß (–e) *ground floor*
der Erfinder (–) *inventor*
sich erkundigen (erkundigt sich, sich erkundigt) *to find out information*
erst *only, first*
der Erwachsene (–n) *adult*
erwarten (erwartet, erwartet) *to expect*
das Essen *food*
essen (ißt, gegessen) *to eat*
der Essig (–e) *vinegar*
etwa *about*
etwas *something*
euer *your (fam. pl.)*

F

der Fahrausweis (–e) *bus/train ticket*
die Fähre (–n) *ferry*
*fahren (fährt, gefahren) *to travel*
der Fahrgast (¨–e) *passenger*
das Fahrgeld (–er) *fare*
die Fahrkarte (–n) *bus/train ticket*
der Fahrkartenschalter (–) *ticket counter*
der Fahrplan (¨–e) *timetable*
die Fahrplanauskunft (¨–e) *travel information*
das Fahrrad (¨–er) *cycle*
das Fahrradlicht (–er) *cycle lamp*
die Fahrradtour (–en) *cycle tour*
falsch *wrong*
der Familienname (–n) *surname*
der Farbfilm (–e) *colour film*
der Farbstift (–e) *colour pencil*
der Februar *February*
feingeschnitzt *finely-carved*
die Ferien (*pl.*) *holidays*
das Feriendorf (¨–er) *holiday village*
das Ferngespräch (¨–er) *long distance call*
fernsehen (sieht fern, ferngesehen) *to watch TV*
der Fernsehraum (¨–er) *TV room*
der Film (–e) *film*
der Filzstift (–e) *felt tip pen*
finden (findet, gefunden) *to find*
der Fisch (–e) *fish*
flach *flat*
die Flakes (*pl.*) *corn flakes*
die Flasche (–n) *bottle*
das Fleisch *meat*
die Fleischwurst (¨–e) *a type of sausage*
*fliegen (fliegt, geflogen) *to fly*
*fließen (fließt, geflossen) *to flow*
die Flöte (–n) *flute*
der Flughafen (¨–) *airport*
der Fluß (¨–sse) *river*
das Formular (–e) *form*
der Fotoapparat (–e) *camera*
fotografieren (fotografiert, fotografiert) *to photograph*
fragen (fragt, gefragt) *to question*
der Franken (–) *Swiss currency (100 Rappen)*
frankiert *stamped*
Frankreich *France*
der Franzose (–n) *Frenchman*
die Frau (–en) *woman, wife, Mrs*
das Fräulein *waitress, Miss*
frei *free, empty*
das Freibad (¨–er) *open air swimming pool*
im Freien *in the open air*
der Freitag *Friday*
die Freizeit *free time*
sich freuen auf *+acc.* (freut sich, sich gefreut) *to look forward to, to be happy about*
der Freund (–e) *male friend*
die Freundin (–nen) *female friend*
freundlich *friendly*
die Frikadelle (–n) *rissole, meatball*
frisch *fresh*
der Fruchtsaft (¨–e) *fruit juice*
früher *earlier*
der Frühling *spring*
das Frühstück *breakfast*
frühzeitig *early, in good time*
der Füller (–) *fountain-pen*
fünf *five*
fünfte (r) *fifth*
fünfzehn *fifteen*
der Funkamateur (–e) *CB enthusiast, radio ham*
für *+acc.* *for*
furchtbar *terrible, terribly*
der Fuß (¨–sse) *foot*
der Fußball (¨–e) *football*
der Fußballschuh (–e) *football boot*

Fußballspiel (–e) *football match*
Fußgängerzone (–n) *pedestrian precinct*

3abel (–n) *fork*
3alerie (–n) *gallery*
nicht *not at all*
Gastgeber (–) *host*
Gebäude (–) *building*
:n (gibt, gegeben) *to give*
)ren *born*
Gebrüder (*pl.*) *the brothers (Grimm)*
Geburtstag (–e) *birthday*
3egend (–en) *region, surroundings*
:n (geht, gegangen) *to go*
Geige (–n) *violin*
Geld (–er) *money*
Geldschein (–e) *banknote*
Geldstück (–e) *coin*
Geldwechsel *exchange*
ischt *mixed*
Gemüse *vegetable(s)*
Gepäck *luggage*
Gepäckschließfach (¨er) *locker (for left luggage)*
:deaus *straight on*
willingly (eg. Ich lese gern – *I like reading)*
ı geschehen *it was a pleasure*
Geschäft (–e) *shop, business*
Geschenk (–e) *present*
Geschichte (–n) *story, history*
:hlossen *closed*
Geschwister (*pl.*) *brothers and sisters*
ern *yesterday*
Getränk (–e) *drink*
Getränkekarte (–n) *drinks list*
ennt *separate, separately*
Gitarre (–n) *guitar*
Gleis (–e) *railway track*
Grad (–) *degree*
Gras(¨er) *grass*
Grenze (–n) *border, frontier*
ızen an + *dat.* (grenzt, gegrenzt) *to border on*
Groschen (–) *unit of Austrian currency, 10 pfg (fam.)*
3 *big*
ßbritannien *Great Britain*
Großmutter (¨) *grandmother*
Großvater (¨) *grandfather*
n *green*
ıden (gründet, gegründet) *to found*
3en (grüßt, gegrüßt) *to greet*
ß Gott *southern German and Austrian greeting*
ken (guckt, geguckt) *to look*
good
en Morgen *Good morning*
en Tag *Hello*

en (habt, gehabt) *to have*
Hafen (¨) *port*
) *half*
das Hallenbad (¨er) *indoor swimming pool*
die Halsschmerzen (*pl.*) *sore throat*
die Haltestelle (–n) *bus/tram-stop*
der Haltestellenplan (¨e) *bus/tram-stop plan*
Hamburg *north German city and federal* Land
die Hand (¨e) *hand*
der Handel (–) *trade*
das Handtuch (¨er) *towel*
der Hauptbahnhof (¨e) *main railway station*
die Hauptpost (–en) *main post office*
die Hauptstadt (¨e) *capital*
das Haus (¨er) *house*
das Haustier (–e) *pet*
das Heft (–e) *exercise book*
die Heide (–n) *heath*
Heiligabend *Christmas Eve*
heiß *hot*
heißen (heißt, geheißen) *to be called*
heiter *bright, cheerful*
helfen + *dat.* (hilft, geholfen) *to help*
die Herbergseltern (*pl.*) *youth hostel wardens*
die Herbergsmutter (¨) *female youth hostel warden*
der Herbergsvater (¨) *male youth hostel warden*
der Herbst (–e) *autumn*
der Herr (–en) *gentleman*
Herren *sign for gents' toilets*
herrlich *splendid*
die Herrschaft (-) *rule*
die Herstellung (–en) *production*
Hessen *Hesse (a federal* Land)
heute *today*
hier *here*
das Himbeereis *raspberry ice-cream*
die Himbeertorte (–n) *raspberry flan*
hin *there*
das Hobby (–s) *hobby*
höchst *highest*
hoffen (hofft, gehofft) *to hope*
holen (holt, geholt) *to fetch*
holländisch *Dutch*
hören (hört, gehört) *to hear*
hör zu! *listen!*
der Hügel (–) *hill*
der Hund (–e) *dog*
der Hunger (–) *hunger*

I

die Imbißhalle (–n) *snack bar*
die Imbißstube (–n) *snack bar*
immer *always*
die Industrie (–n) *industry*
das Informationsbüro (–s) *information office*
die Insel (–n) *island*
das Instrument (–e) *instrument*
irgendwo *somewhere*
Irland *Ireland*
Italien *Italy*

J

die Jägerwurst (¨e) *a variety of sausage*
das Jahr (–e) *year*

das Jahrhundert (–e) *century*
jährlich *annually*
die Jahrmesse (–n) *annual fair*
der Januar *January*
die Jeans (–) *a pair of jeans*
jeden Tag *every day*
der/das Joghurt (–s) *yoghurt*
die Jugendherberge (–n) *youth hostel*
der Jugendklub (–s) *youth club*
das Jugendzentrum (–ren) *youth centre*
der Juli *July*
der Junge (–n) *boy*
die Jungenduschen (*pl.*) *boys' showers*
die Jungentoiletten (*pl.*) *boys' toilets*
jünger *younger*
der Juni *June*

K

das Kaffeeservice (–) *coffee service*
der Kakao *cocoa*
kalt *cold*
der Kamm (¨–e) *comb*
das Kaninchen (–) *rabbit*
das Kännchen (–) *small pot of coffee*
die Kantine (–n) *canteen*
kaputt *broken*
die Karotte (–n) *carrot*
die Karte (–n) *card, map*
die Kartoffel (–n) *potato*
der Käse *cheese*
der Käsekuchen (–) *cheesecake*
die Kasse (–n) *cash desk, till*
die Kassette (–n) *cassette*
der Kassettenrekorder (–) *cassette recorder*
die Katze (–n) *cat*
kaufen (kauft, gekauft) *to buy*
der Kaugummi (–s) *chewing-gum*
kein *not a*
der Keller (–) *cellar*
der Kellner (–) *waiter*
die Kellnerin (–nen) *waitress*
kennen (kennt, gekannt) *to know*
das Kind (–er) *child*
die Kirche (–n) *church*
die Klasse (–n) *class*
Klasse! *Ace! Magic!*
die Kleider (*pl.*) *clothes*
die Kleidung *clothes*
klein *small*
der Knopf (¨–e) *button*
kochen (kocht, gekocht) *to cook*
der Koffer (–) *suitcase*
die Kohle (–n) *coal*
*kommen (kommt, gekommen) *to come*
die Konditorei (–en) *cake shop*
können (kann, gekonnt) *to be able*
der Kontrabaß (¨–sse) *double bass*
die Kopfschmerzen (*pl.*) *headache*
kosten (kostet, gekostet) *to cost*
die Krabbe (–n) *shrimp*
krank *ill*
das Krankenhaus (¨–er) *hospital*
die Kreuzung (–en) *crossroads*
die Küche (–n) *kitchen*
die Kuckucksuhr (–en) *cuckoo clock*
der Kugelschreiber (–) *biro*
kühl *cool*
der Kuli (–s) *biro*
der Künstler (–) *artist*
der Kurs (–e) *rate of exchange*

L

die Landkarte (–n) *map*
der Landtag *regional parliament*
die Landwirtschaft (–en) *agriculture*
längst *long ago*
lassen (läßt, gelassen) *to leave (an object)*
*laufen (läuft, gelaufen) *to run*
leicht *easy*
die Leichtathletik *athletics*
leihen (leiht, geliehen) *to lend, to borrow, to hire*
lesen (liest, gelesen) *to read*
letzten Mai *last May*
letztes Jahr *last year*
letzte Woche *last week*
die Leute (*pl.*) *people*
liebe (*f. and pl.*) *dear (eg.* Liebe Frau Braun,*)*
lieber (*m.*) *dear (eg.* Lieber Herr Braun,*)*
liegen (liegt, gelegen) *to lie*
die Limonade *lemonade*
das Lineal (–e) *ruler*
die Linie (–n) *line*
der Linienplan (¨–e) *route map*
links *left, on the left*
die Liste (–n) *list*
der Löffel (–) *spoon*
los *wrong (eg.* Was ist los? *What's the matter?)*
das Luftkissenboot(–e) *hovercraft*
Lust haben *to fancy doing something (eg.* Hast du Lust schwimmen zu gehen?*)*

M

machen (macht, gemacht) *to do, to make*
das Mädchen (–) *girl*
die Mädchenduschen (*pl.*) *girls' showers*
die Madchentoiletten (*pl.*) *girls' toilets*
die Mahlzeit (–en) *meal*
der Mai *May*
das Mal (–e) *time*
mal *at times*
malen (malt, gemalt) *to paint*
manchmal *sometimes*
der Mann (¨–er) *man, husband*
die Mark (–) *D-Mark*
der Markt (¨–e) *market*
die Marmelade *jam*
der März *March*
die Maus (¨–e) *mouse*
das Meerschweinchen (–) *guinea pig*
mehr *more*
die Mehrfahrtenkarte (–n) *a ticket which allows you t*

ake several journeys
n *my*
stens *mostly*
melden (meldet sich, sich gemeldet) *to get in touch*
Mensch (–en) *human, person*
Messer (–) *knife*
h *me (acc.)*
Milch *milk*
l *mild*
Mineralwasser *mineral water*
me (dat.)
+ *dat.* *with*
Mitglied (–er) *member*
Mittagessen (–) *midday meal*
telengland *the Midlands*
Mittwoch *Wednesday*
Mofa (–s) *moped*
gen (mag, gemocht) *to like*
Mokkaeis *mocca ice-cream*
Monat (–e) *month*
Monatskarte (–n) *monthly season ticket*
Montag *Monday*
ntags *on Mondays*
gen *tomorrow*
le *tired*
Münze (–n) *coin*
Museum (Museen) *museum*
Mutter (¨–) *mother*

Nachmittag (–e) *afternoon*
ast *next, nearest*
Nacht (¨–e) *night*
Nachtisch (–e) *dessert*
er Nähe von + *dat.* *near*
en (näht, genäht) *to sew*
Name (–n) *name*
rlich *natural, naturally*
Nebel (–) *fog*
elig, neblig *foggy*
nen (nimmt, genommen) *to take*
nice
new
n *nine*
nte(r) *ninth*
nzehn *nineteen*
t *not*
ts *nothing*
ts zu danken *not at all, it was a pleasure*
never
Niederlande (*pl.*) *The Netherlands*
dersachsen *Lower Saxony*
n *still, another*
Norden *north*
dengland *Northern England*
dlich *northern, northerly*
drhein-Westfalen *North Rhine Westphalia*
dwestengland *North West England*
wegen *Norway*
Notizbuch (¨–er) *note book*

der November *November*
der Nudelsalat (–e) *noodle salad*
die Null *nought*
die Nummer (–n) *number*
nur *only*
das Nußeis *walnut ice-cream*

O

ob *whether*
oben *upstairs*
Herr Ober! *waiter!*
der Oberbürgermeister (–) *Lord Mayor*
das Obst *fruit*
oder *or*
ohne + *acc.* *without*
der Oktober *October*
das Öl *oil*
dic Ölkanne (–n) *oil can*
die Oma (–s) *granny*
der Onkel (–) *uncle*
der Opa (–s) *grandad*
die Orgel (–n) *organ*
der Osten *east*
Ostengland *East England*
die Osterferien (*pl.*) *Easter holidays*
das Ostern *Easter*
Österreich *Austria*
östlich *eastern, easterly*
Ostschottland *East Scotland*
der Ozean (–e) *ocean*

P

packen (packt, gepackt) *to pack*
die Packung (–en) *packet*
das Paket (–e) *parcel*
die Paketannahme *parcels-receiving office*
das Papier (–e) *paper*
der Park (–s) *park*
das Parkhaus (¨–er) *multi-storey car park*
der Partner (–) *male partner*
die Partnerin (–nen) *female partner*
der Paß (¨–sse) *passport*
der Passagier (–e) *passenger*
passend *appropriate*
die Person (–en) *person*
die Pfalz *the Palatinate*
das Pfand (¨–er) *deposit*
der Pfennig (–e) *penny, pfennig*
Pfingsten *Whitsun*
der Pflaumenkuchen (–) *plum tart*
das Pfund (–) *pound (sterling and weight)*
das Pistazieneis *pistachio ice-cream*
der Plattenspieler (–) *record-player*
der Platz (¨–e) *room, space, square*
Polen *Poland*
die Polizei *police*
der Polizist (–en) *policeman*
die Pommes Frites (*pl.*) *chips*
populär *popular*
die Portion (–en) *portion*

die Post *post*
das Postamt (⸚er) *post-office*
die Postkarte (–n) *postcard*
das Postwertzeichen (–) *stamp*
die Praline (–n) *chocolate*
die Preisliste (–n) *price list*
preiswert *worth the money*
probieren (probiert, probiert) *to try, to taste*
das Problem (–e) *problem*
produzieren (produziert, produziert) *to produce*
der Prospekt (–e) *pamphlet*
der Pullover (–) *pullover*

R

das Rad (⸚er) *wheel, bicycle*
*radfahren (fährt rad, radgefahren) *to cycle*
der Radiergummi *rubber*
die Radtour (–en) *cycle tour*
der Rappen (–) *small Swiss coin*
das Rathaus (⸚er) *town hall*
der Rattenfänger (–) *rat-catcher*
die Rechnung (–en) *bill*
rechts *right, on the right*
regelmäßig *regularly*
der Regen *rain*
der Regenmantel (⸚) *raincoat*
regnen (regnet, geregnet) *to rain*
regnerisch *rainy*
die Reihe (–n) *row, series*
die Reise (–n) *journey*
der Reisescheck (–s) *traveller's cheque*
*reisen (reist, gereist) *to travel*
reservieren (reserviert, reserviert) *to reserve*
die Reservierung (–en) *reservation*
der Rest (–e) *rest, remainder, remains*
richtig *right, correct*
die Richtung (–en) *direction*
der Roman (–e) *novel*
romantisch *romantic*
die Röntgenstrahlen (*pl.*) *X-rays*
der Rosenstock (⸚e) *rose bush*
die Rostwurst (⸚e) *type of sausage*
die Rückfahrkarte (–n) *return ticket*
der Ruhetag (–e) *closing day (pubs, cafés, restaurants)*
rund *approximately*

S

das Saarland *a federal* Land
die Sache (–n) *thing, matter*
sagen (sagt, gesagt) *to say*
die Salami *salami*
der Salat (–e) *salad*
die Salatsorte (–n) *kind of salad*
sammeln (sammelt, gesammelt) *to collect*
der Samstag *Saturday*
die Sandbank (⸚e) *sandbank*
das Schach *chess*
die Schachtel (–n) *little box*
schade! *pity!*
das Schaf (–e) *sheep*
die Schallplatte (–n) *record*
der Schalter (–) *counter, ticket office*
das Schaschlik *meat grilled on a skewer*
der Schein (–e) *banknote*
schicken (schickt, geschickt) *to send*
das Schiff (–e) *ship*
die Schiffsreise (–en) *(sea-)voyage*
das Schild (–er) *traffic sign, notice*
der Schilling (–e) *unit of Austrian currency*
schlafen (schläft, geschlafen) *to sleep*
der Schlafraum (⸚e) *dormitory*
der Schlafsack (⸚e) *sleeping bag*
der Schläger (–) *racket*
schlecht *bad, unwell*
schließen (schließt, geschlossen) *to shut, to close*
schlimm *bad, nasty, terrible*
das Schloß (⸚sser) *castle*
schlucken (schluckt, geschluckt) *to swallow*
der Schlüssel (–) *spanner, key*
schmecken (schmeckt, geschmeckt) *to taste*
die Schmerztablette (–n) *pain killer*
der Schnee *snow*
der Schneebericht (–e) *snow report*
der Schneefall (⸚e) *snow fall*
der Schneeschauer (–) *snow shower*
der Schnellimbiß (–sse) *snack*
die Schokolade (–n) *chocolate*
schon *already*
schön *beautiful*
Schottland *Scotland*
schreiben (schreibt, geschrieben) *to write*
das Schreibpapier *writing paper*
die Schreibwaren (*pl.*) *stationery*
schriftlich *in writing*
der Schwarzweißfilm (–e) *black and white film*
die Schweiz *Switzerland*
die Schwerindustrie (–n) *heavy industry*
die Schwester (–n) *sister*
das Schwimmbad (⸚er) *swimming pool*
*schwimmen (schwimmt, geschwommen) *to swim*
sechs *six*
sechste(r) *sixth*
sechzehn *sixteen*
der See (–n) *lake*
der Seehund (–e) *seal*
die Seeküste (–n) *sea coast*
die Seeleute (*pl.*) *sailors*
der Seemann (Seeleute) *sailor*
segeln (segelt, gesegelt) *to sail*
sehen (sieht, gesehen) *to see*
sehr *very*
die Seife (–n) *soap*
sein *his, its*
seit *for, since*
die Seite (–n) *side, page*
die Sekretärin (–nen) *secretary*
der September *September*
die Serviette (–n) *serviette*
die Shorts (*pl.*) *shorts*
sicher *certainly*

n *seven*
e(r) *seventh*
ehn *seventeen*
kier (*pl.*) (*pronounced* Sch . . .) *skis*
ohn (¨–e) *son*
ommer (–) *summer*
ern *but (after a negative)*
onnabend *Saturday*
onne *sun*
g *sunny*
onntag *Sunday*
noch etwas? *anything else?*
ien *Spain*
n (spart, gespart) *to save*
late
r *later*
eren (spaziert, spaziert) *to walk*
peiseraum (¨–e) *dining room*
piegelei (–er) *fried egg*
en (spielt, gespielt) *to play*
port *sport*
portplatz (¨–e) *sports ground*
portzentrum (–ren) *sports centre*
hen (spricht, gesprochen) *to speak*
prudel (–) *fizzy non-alcoholic drink*
tadion (–ien) *stadium*
tadt (¨–e) *city*
tadtmitte (–n) *city centre*
tadtplan (¨–e) *plan of town*
tahl *steel*
tahlwerk (–e) *steelworks*
strong
tausee (–n) *reservoir*
n (steht, gestanden) *to stand*
telle (–n) *place, job*
en (stirbt, gestorben) *to die*
ticker (–) *badge (with pin)*
tock (¨–e) *stick*
ciatella *an Italian ice-cream*
traße (–n) *street*
tück (e) *piece, each*
tunde (–n) *hour, lesson*
isch *stormy*
n (sucht, gesucht) *to look for*
frika *South Africa*
üden *south*
ngland *South England*
h *southern, southerly*
stirland *South East Ireland*
ales *South Wales*
estengland *South West England*
uppe (–n) *soup*
weatshirt (–s) *sweat shirt*
ster *New Year's Eve*
ymptom (–e) *symptom*

afel (–n) *bar, board*
ag (–e) *day*
h *daily*

tanzen (tanzt, getanzt) *to dance*
die Tasche (–n) *pocket, bag*
die Taschenlampe (–n) *pocket torch*
der Taschenrechner (–) *pocket calculator*
die Tasse (–n) *cup*
der Tee *tea*
der Teil (–e) *part*
die Telefonnummer (–n) *telephone number*
die Telefonzelle (–n) *telephone box*
das Telegramm (–e) *telegramme*
die Temperatur (–en) *temperature*
der Tennisball (¨–e) *tennis ball*
das Theater (–) *theatre*
die Theke (–n) *bar, counter*
das Tier (–e) *animal*
das Tischtennis *table tennis*
die Tochter (¨–) *daughter*
der Tod (–e) *death*
die Toilette (–n) *toilet*
die Tomate (–n) *tomato*
das Tomatenketchup *tomato ketchup*
der Tourist (en) *tourist*
die Tradition (–en) *tradition*
das Training (–s) *training*
der Trainingsanzug (¨–e) *track suit*
treffen (trifft, getroffen) *to meet*
treiben (treibt, getrieben) *to do (eg.* Sport treiben *to do sport)*
trinken (trinkt, getrunken) *to drink*
die Trinkhalle (–n) *drink stall*
trocken *dry*
das Tröpfchen (–) *drop*
die Tschechoslowakei *Czechoslovakia*
das T-Shirt (–s) *T-Shirt*
die Tube (–n) *tube*
tun (tut, getan) *to do, to make*
der Turm (¨–e) *tower*

U

die U-Bahn (–en) *underground railway*
die U-Bahnstation (–en) *underground station*
überall *everywhere*
die Überfahrt (–en) *crossing*
überlegen (überlegt, überlegt) *to consider*
übernachten (übernachtet, übernachtet) *to spend the night*
überwachen (überwacht, überwacht) *to keep a watch on, to observe*
die Übung (–en) *practice, exercise*
die Uhr (–en) *clock*
die Umleitung (–en) *diversion*
der Umschlag (¨–e) *envelope*
sich umsehen (sieht sich um, sich umgesehen) *to look round*
*umsteigen (steigt um, umgestiegen) *to change (trains, etc.)*
unbedingt *at all costs*
und *and*
ungefähr *about*
unheimlich *really (fam.)*

die Universität (–en) *university*
unmöglich *impossible*
unser *our*
unten *downstairs*
unterschreiben (unterschreibt, unterschrieben) *to sign*
unterwegs *on the way*
der Urlaub (–e) *holiday*
usw (und so weiter) *and so on*

V

das Vanillieneis *vanilla ice-cream*
der Vater (¨) *father*
verbringen (verbringt, verbracht) *to spend (time)*
verbunden *connected*
verdienen (verdient, verdient) *to earn*
der Verein (–e) *club, society*
vergessen (vergißt, vergessen) *to forget*
verkaufen (verkauft, verkauft) *to sell*
die Verkäuferin (–nen) *salesgirl*
das Verkehrsamt (¨er) *Tourist Information*
verlassen (verläßt, verlassen) *to leave (a place)*
versagen (versagt, versagt) *to fail*
verschieden *different*
verstehen (versteht, verstanden) *to understand*
versuchen (versucht, versucht) *to try*
das Vieh *cattle*
viel *many, much*
vielleicht *perhaps*
vier *four*
das Viertel (–) *quarter*
vierte(r) *fourth*
vierzehn *fourteen*
vierzig *forty*
vorhaben (hat vor, vorgehabt) *to plan*
der Vormittag (–e) *morning*
der Vorname (–n) *first name*
vorschlagen (schlägt vor, vorgeschlagen) *to suggest*
die Vorverkaufstelle (–n) *advance booking office*
die Vorwahl *dialling code*

W

der Wagen (–) *car*
wählen (wählt, gewählt) *to choose*
während + *gen.* *while (with a verb), during (with a noun)*
wahrscheinlich *probably*
der Wald (¨er) *forest*
die Wanderung (–en) *hike*
der Wanderweg (–e) *footpath*
warm *warm*
warten auf + *acc.* (wartet, gewartet) *to wait*
was *what*
sich waschen (wäscht sich, sich gewaschen) *to wash (yourself)*
der Waschraum (¨e) *wash room*
was für . . . ? *what sort of . . . ?*
das Wasser (–) *water*
die Weihnachtsferien (*pl.*) *Christmas holidays*
weh – das tut weh *that hurts*
der Wein *wine*
der Weinbau *wine growing*
weiter *further*
welcher *which*
der Wellensittich (–e) *budgerigar*
wenig *little*
wenn *if*
*werden (wird, geworden) *to become*
werfen (wirft, geworfen) *to throw*
der Werktag (–e) *workday*
der Wertzeichengeber (–) *stamp vending machine*
der Westen *west*
Westengland *West England*
westlich *western, westerly*
das Wetter *weather*
wichtig *important*
wie *how, as*
wieviel *how much, how many*
windig *windy*
der Winter (–) *winter*
wo *where*
die Woche (–n) *week*
das Wochenende (–n) *weekend*
die Wochenkarte (–n) *weekly ticket*
woher *where from*
wohin *where to*
wohnen (wohnt, gewohnt) *to live*
der Wohnort (–e) *residence*
die Wolke (–n) *cloud*
wolkig *cloudy*
wollen (will, gewollt) *to want*
die Wurst (¨e) *sausage*
die Wurstbude (–n) *sausage stall*

Z

die Zahl (–en) *number*
zahlen (zählt, gezahlt) *to pay*
der Zahnarzt (¨e) *male dentist*
die Zahnärztin (–nen) *female dentist*
die Zahnpasta (–ten) *tooth paste*
zehn *ten*
zehnte(r) *tenth*
zeigen (zeigt, gezeigt) *to show*
die Zeit (–en) *time*
die Zeitschrift (–en) *magazine*
die Zeitung (–en) *newspaper*
das Zelt (–e) *tent*
zelten (zeltet, gezeltet) *to camp*
der Zettel (–) *slip of paper*
ziehen (zieht, gezogen) *to pull, draw*
ziemlich *fairly*
die Zitrone (–n) *lemon*
der Zoo (–s) *zoo*
der Zucker *sugar*
zuerst *first*
der Zug (¨e) *train*
zurück *back*
zusammen *together*
die Zweifahrtenkarte (–n) *a ticket which allows you make two journeys*
zwischen + *dat.* *between*